Bernd Fäthke
Marianne Werefkin – Leben und Werk

Bernd Fäthke

Marianne Werefkin

Leben und Werk

1860 – 1938

Prestel-Verlag

Dieses Buch erscheint anläßlich der Ausstellung ›Marianne Werefkin und ihr Freundeskreis‹
(›Marianne Werefkin e i suoi amici‹) in Ascona (Monte Verità, Museo Comunale d'Arte Moderna,
Centro Culturale Beato Berno) vom 6. August bis 23. Oktober 1988.
Anschließend wird die Ausstellung in der Villa Stuck in München gezeigt.
Gleichzeitig erscheint das Buch in einer italienischen Ausgabe durch Monte Verità S.A., Ascona.

Auf dem Umschlag: Marianne Werefkin : *Herbst (Schule),* um 1907 (Farbtafel 13)
Photo: Endrik Lerch, Ascona

CIP-Kurztitelaufnahme der Deutschen Bibliothek
Fäthke, Bernd: Marianne Werefkin : Leben u. Werk ; 1860 - 1938 ; [anlässl. d. Ausstellung
("Marianne Werefkin i suoi Amici") in Ascona (Monte Verità, Museo Comunale d'Arte Moderna,
Centro Culturale Beato Berno) vom 6. August - 23. Oktober 1988,
anschließend in d. Villa Stuck in München] / Bernd Fäthke.- München : Prestel, 1988
ISBN 3-7913-0886-6   NE: Werefkin, Marianne [Ill.]

Gestaltung und Herstellung: Norbert Dinkel, München
Satz: SatzStudio Pfeifer, Germering
Lithographie: Repro Karl Dörfel GmbH, München
Druck und Bindung: Passiva Druckerei GmbH, Passau

ISBN 3-7913-0886-6

Inhalt

Marianne Werefkin – Leben und Werk

Tafeln 151

Vorwort

Die hier vorgelegte Darstellung über Leben und Werk von Marianne Werefkin geht auf eine Anregung von Dr. Clemens Weiler (1909–1982), dem langjährigen Direktor des Museums Wiesbaden, zurück. Ihm hat die Gemäldegalerie des Museums Wiesbaden durch seinen weitsichtigen und gezielten Aufbau der Jawlensky-Sammlung Internationalität zu verdanken. Ich war noch Student, als mich Weiler 1970 in die Problematik um Marianne Werefkin und Alexej Jawlensky einführte. Damals hatte er gerade seine Forschungen zu beiden Künstlern mit einer letzten großen Publikation abgeschlossen. Meine fachlichen Interessen waren zu jener Zeit anders ausgerichtet; doch wenige Jahre nach Abschluß meines Studiums überzeugte mich Weiler, der schon pensioniert war, von der Bedeutung der Fortführung seiner Forschungen. Er schuf für mich die Verbindungen zur Fondazione Marianne Werefkin und vielen privaten Sammlern. Ihm verdanke ich die Entdeckung eines spannenden kunsthistorischen Forschungsfeldes.

Wenn sich die Realisierung meiner Veröffentlichung über das Künstlerpaar Werefkin und Jawlensky länger als geplant hingezogen hat, so wären Schwierigkeiten zu erwähnen, die, neben der Komplexität des Themas, außerhalb der Sache lagen. Diese Situation änderte sich, als ich 1980 den Neffen Marianne Werefkins, Alexander Werefkin (1904–1982), kennenlernte. Mit ihm verband mich eine spontane und herzliche Freundschaft. Alexander Werefkin gewährte mir Zugang zu Archivalien seiner Tante, die er bislang wie einen Schatz gehütet hatte. Einen Teil der Schriften hatte er zusammen mit seiner Frau Hertha, geb. Heuser, aus dem Russischen und Französischen übersetzt, die ich gemeinsam mit ihm noch redigieren konnte. Wichtige Partien werden hier erstmals abgedruckt. Die systematische Katalogisierung und Auswertung dieser Dokumente wird sicherlich noch viele Jahre in Anspruch nehmen. Alexander Werefkin machte mich auch mit weiteren Nachkommen seiner Familie bekannt, deren Mitglieder heute über die ganze Welt verstreut sind. Besonderen Dank schulde ich Herrn und Frau Dr. Artzibushev, die mir weitere wichtige Dokumente und Photos, die hier erstmals an die Öffentlichkeit gelangen, überlassen haben.

Darüber hinaus habe ich vielen zu danken, die mir bei meiner Arbeit bereitwillig geholfen haben: all den Werefkin-Sammlern und den zahlreichen Kollegen an den Museen im In- und Ausland. Besonders hervorheben möchte ich Trudi Neuburg-Coray (1907–1986), eine außergewöhnliche Galeristin und Persönlichkeit, die die Publizität Marianne Werefkins auch in schweren Zeiten unbeirrt gefördert hat. Mein Dank gebührt auch Herrn Efrem Beretta, Leiter des Museo Comunale d'Arte Moderna in Ascona, der den Fortgang meiner Arbeit mit stets sensiblem Interesse verfolgte und für das Werk der Werefkin auch im Ausland mit Erfolg geworben hat.

Bernd Fäthke

Marianne Werefkin – Leben und Werk

Die »Französin«

Marianne Werefkin ist innerhalb des Expressionismus mit Sicherheit die wichtigste Künstlerpersönlichkeit, die es noch zu entdecken gilt. Die Kunstgeschichtsschreibung über den ›Blauen Reiter‹ registrierte sie bis zum heutigen Tage nur als Randerscheinung oder Mitläuferin der avantgardistischen Maler in München vor dem Ersten Weltkrieg und berichtet über sie nur Weniges und Widersprüchliches. Dabei schrieben schon Werefkins Zeitgenossen dieser Frau eine Führerrolle innerhalb des Freundeskreises des ›Blauen Reiters‹ zu. Besonders eindeutig übereinstimmend in dieser Hinsicht sind etwa die seit langem bekannten Zeugnisse des Kunsthistorikers Gustav Pauli und der Dichterin Else Lasker-Schüler mit denen der Künstlerfreunde Alexej Jawlensky, Helmuth Macke und insbesondere Maria und Franz Marc. Darüber hinaus wurde Marianne Werefkin von Gabriele Münter, Erma Bossi, Alexej Jawlensky und auch Wassily Kandinsky in einer Weise porträtiert und dargestellt, die sich mit den schriftlichen Überlieferungen deckt. Die spätere Kunstgeschichtsschreibung hat von diesen aufschlußreichen zeitgenössischen Quellen kaum Notiz genommen. Sie hat nicht danach gefragt, wie und wann die Werefkin als Spiritus rector im Vorfeld des Expressionismus gewirkt haben könnte. Es hat ganz den Anschein, daß man den Gedanken, eine Frau könne Protagonistin für die neue, weltbewegende Malerei des Expressionismus gewesen sein, von vornherein als unmöglich verwarf.

Wenn überhaupt, so wurde Werefkins künstlerisches Werk isoliert und losgelöst von dem ihrer nahen Freunde in München und dem anderer Zeitgenossen betrachtet. Eine chronologisch synoptische Untersuchung fand nicht statt. Und so nimmt es nicht wunder, daß die kunsthistorische Forschung nicht nur für das Lebenswerk der Werefkin allein Unsicherheiten und Lücken aufweist, sondern auch für das ihrer Mitstreiter Kandinsky, Jawlensky und anderer mehr.

Erst seit einigen Jahren konnte unbekanntes und umfangreiches Quellenmaterial zu Leben und Werk von Marianne Werefkin zusammengetragen und archiviert werden. Die Auswertung der Archivalien macht es heute möglich, das Bild dieser Künstlerin, das von ihren Zeitgenossen tradiert wurde, zu bestätigen und in genauere Konturen zu fassen. Bislang wurde der Wirkungsbereich der Werefkin im wesentlichen darin gesehen, daß sie im Münchener Vorort Schwabing einen Salon unterhielt, um als geistreiche Wortführerin Künstler und Intellektuelle aus allen Teilen Europas anzuziehen und zu fruchtbarem Gedankenaustausch zu animieren. Diese Vorstellung von ihrer Tätigkeit ist neuerdings gründlich zu korrigieren. In den Vordergrund der Betrachtung ist nun das künstlerische Werk der Werefkin zu rücken. Denn die Gegenüberstellung ihrer Gemälde und Skizzen aus der Frühzeit des Expressionismus mit denen gleichzeitiger

Werke der heute allgemein bekannten und großen Künstler des ›Blauen Reiters‹ wie auch der ›Brücke‹ zeigt, daß sie diesen, was die Fortschrittlichkeit der Malerei anbetrifft, um Jahre voraus war.

Während sich die anderen Maler – ob Jawlensky oder Kirchner, Kandinsky oder Nolde – noch in einem jahrelangen und mühevollen Prozeß des Suchens durch die stilistischen Probleme des Impressionismus und des Neoimpressionismus hindurcharbeiten mußten, ehe sie zu den neuen Erkenntnissen und Mitteln des Expressionismus gelangen konnten, beherrschte die Werefkin diese bereits 1906/1907 spielerisch, ohne eine Zeit des Experimentierens durchlaufen zu haben.

Von Anbeginn ihrer neuen schöpferischen Periode im Jahre 1906 – die Werefkin hatte seit 1896 zugunsten ihres Lebensgefährten Jawlensky ihre eigene Malerei zehn Jahre lang eingestellt – orientiert sie sich an der französischen Malerei. Als Leitfiguren spielen für sie van Gogh und Gauguin eine wesentliche Rolle, jene beiden Künstler, die heute in ihrer Bedeutung für die Malerei des 20. Jahrhunderts oftmals mit Cimabue und Giotto, den Begründern der Renaissancemalerei, gleichgesetzt werden. Van Gogh und Gauguin hatten zusammen mit ihren Nachfolgern, den Nabis und den Gauguin-Schülern von Pont-Aven, nach dem Impressionismus noch einmal die Weltgeltung Frankreichs in der Malerei der damaligen Zeit bestätigt. Insbesondere im Deutschen Reich tat man sich – schon aus politischen Gründen – schwer, die Vorreiterrolle Frankreichs auf dem Gebiet der Malerei anzuerkennen. Es galt als nicht opportun, das neue französische Gedankengut zu lehren. Und wagte es ein Künstler, dieses gar in Malerei umzusetzen, so wurde er verspottet und beschimpft, er ›französisiere‹, wie in vielen Kunstkritiken nach der Jahrhundertwende nachzulesen ist. Diese antifranzösische Stimmung schlug zusehends in Haß gegen die neue französische Kunst um und kulminierte schließlich 1911 in der sogenannten ›Vinnen-Affäre‹. Der Worpsweder Maler Carl Vinnen hatte zahlreiche konservative Künstler auf seine Seite gebracht und protestierte im Bewußtsein, auch die Meinung der Mehrzahl der deutschen Bürger zu vertreten, in einer Schrift gegen den Ankauf eines Bildes von van Gogh durch die Bremer Kunsthalle. Diesen Ankauf wertete er als Überschätzung der französischen Kunst und als Verschwendung deutscher Gelder. (Merkwürdigerweise wurde der Holländer van Gogh damals schon ohne weiteres zu den Franzosen gezählt.) Zwar brachte die ›Vinnen-Affäre‹ die fortschrittlichsten deutschen Künstler und Galeristen – Beckmann, Cassirer, Flechtheim, Kandinsky, Macke, Marc, Pechstein und andere – auf den Plan, die sich mit einer Gegenschrift mit dem Titel ›Im Kampf um die Kunst‹ gegen Vinnens Propaganda wehrten. Jedoch gehörten diese selbst dann bald, wie die jüngere deutsche Geschichte leider belegt, bis 1945 zu den Geächteten.

In diesem antifranzösischen deutschen Kunstklima zählt Marianne Werefkin zu den allerersten Malern, die die geschichtsträchtige Bedeutung von Gauguin und van Gogh in vollem Umfange erkannt hatten. Sie analysierte und verbreitete deren Lehren nachweislich schon 1903. Als sie wiederholt auf Ablehnung stieß, beklagte sie verzweifelt die Begriffsstutzigkeit ihrer Münchner Kollegen aufschlußreicherweise als typisch deutsche »Borniertheit«. Die Voreingenommenheit der Deutschen gegenüber der französischen Kultur konnte die Werefkin nur sehr schwer verstehen, war sie doch als rus-

Abb. 1 Marianne Werefkin als Kind mit ihrer Mutter, 1861

Abb. 2
Marianne Werefkin (links) mit Verwandten, um 1880

sische Aristokratin von Geburt an französisch erzogen worden. Ihre Muttersprache war neben dem Russischen die französische Sprache. Aus diesen Gründen und auch wegen ihrer auffallenden Aufgeschlossenheit allem Französischen gegenüber wurde sie interessanterweise auch immer wieder die »Französin« genannt.

Der Vater von Marianne Werefkin, die 1860 in Tula geboren wurde (Abb. 1), entstammte dem Moskauer Uradel, die Mutter einem alten Kosakengeschlecht. Beide Familien waren seit alters her immer dem Zarenhof verbunden gewesen und von diesem mit besonderen Aufgaben betraut worden. Ein Onkel der Werefkin war der letzte Innenminister des Zarenreiches, eine Großmutter Erzieherin der Zarenkinder. Die Karriere ihres Vaters wurde durch die ehrenvolle Ernennung zum Kommandanten der Peter- und Pauls-Festung gekrönt, einer herausragenden Repräsentationsstellung innerhalb des Militärs in der Residenzstadt St. Petersburg, dem russischen ›Fenster nach Europa‹. Dort verbrachte Marianne Werefkin einen großen Teil ihrer Jugend (Abb. 2). Sie war eingebunden in jene führende Oberschicht Rußlands, die seit den Reformen Zar Peters I. kulturell westlich orientiert war, und hatte das Glück, in einem Elternhaus heranzuwachsen, das keinerlei finanzielle Sorgen kannte. Vater und Mutter förderten verständnisvoll und großzügig die künstlerischen Neigungen der Tochter schon im Kindesalter. Als man deren malerische Begabung entdeckte, wurde für sie sofort eine akademische Zeichenlehrerin engagiert. Im fortgeschrittenen Stadium ihrer Ausbildung suchte sich die Werefkin damals anerkannte freie Maler als Lehrer oder besuchte Malkurse an der Akademie. Schließlich wurde sie Privatschülerin des heute noch bekanntesten russischen Realisten, Ilja Repin. Dieser kannte das westeuropäische Ausland. Seine besonderen Verdienste um die russische Malerei honorierte die St. Petersburger Akademie mit dem Stipendium einer Auslandsreise. Auf diese Weise besuchte er die Museen in Wien, München, Florenz, Rom und konnte sich in Paris ein Atelier einrichten, wo er längere Zeit lebte und arbeitete. Der französische Kunstbetrieb hatte Repin so beeindruckt, daß er nach seiner Rückkehr aus Frankreich regelmäßige private Treffen mit Kollegen und Freunden arrangierte, um mit ihnen Probleme der jüngsten französischen Malerei zu erörtern. Die Werefkin, auch Jawlensky gehörten zu dem auserwählten Kreis an den Mittwochabenden bei Repin. Mit Interesse nahmen sie die Neuigkeiten aus dem fernen Westen auf und lernten schon in Rußland die französische Kunstszene als besonders lebendig in Europa schätzen.

Prjanischnikow und die ›Wandermaler‹

Marianne Werefkins Entschluß, sich ab 1883 in Moskau in der Malerei weiterbilden zu lassen, barg in sich eine Tragweite, die sie damals nicht überblicken konnte. Erst in ihrem Alterswerk, als sie selbst mittellos in der Schweiz in Ascona lebte und die Armut und täglichen Sorgen mit der dortigen Bevölkerung – Fischern, Arbeitern, Holzhändlern und anderen – teilen mußte, sollte sie jene Themen in auffälliger und ausgeprägter Form behandeln, die sie in Moskau und St. Petersburg als Jugendliche kennengelernt hatte. Aufgrund ihrer hohen sozialen Stellung, ihrer Bildung, ihres Reichtums und ihrer unbeschwerten Jugend dürfte es ihr wohl kaum möglich gewesen sein, das revolutionäre und soziale Anliegen, das die neue russische Kunst damals erfaßt hatte, in vollem Umfange zur eigenen Sache zu machen und bildlich darzustellen.

Es war wohl Ilja Repin, der schon länger im Hause Werefkin verkehrte und mit der sechzehn Jahre Jüngeren befreundet war, der Marianne 1883 veranlaßte, an der Moskauer Lehranstalt für Malerei, Plastik und Architektur bei Illarion Michailowitsch Prjanischnikow (1840–1894) zu studieren. Dieser war zu seiner Zeit einer der bekanntesten Genremaler Rußlands. Er stammte aus einer Kaufmannsfamilie im Kalugaer Gouvernement, hatte selbst zehn Jahre an dieser Moskauer Lehranstalt studiert und war bereits 1873 dort zum Professor avanciert.[1] Mit seinen Bildern hatte Prjanischnikow schon als Zwanzigjähriger die Aufmerksamkeit seiner Zeitgenossen auf sich gelenkt und den Grundstein zu seiner Karriere gelegt. Sein Gemälde *Heimkehr der Bauern* [2] von 1872 gilt als erstes und wichtigstes Werk eines Malers, der mit außerordentlicher Eindringlichkeit die hoffnungslose Notlage dieser russischen Gesellschaftsschicht vor Augen führte (Abb. 3). Das Bild zeigt eine triste, wolkenverhangene Winterlandschaft von unendlicher Weite, in der keine schützende menschliche Siedlung auszumachen ist. Zum fernen Horizont bewegt sich eine von Panjepferden gezogene Schlittenkarawane ärmlicher Bauern. Auf dem letzten der roh gezimmerten kleinen Schlitten kauert frierend und apathisch ein Student in kärglich dünner Bekleidung. Die weiteren Lebewesen, die das Bild bevölkern und interpretieren, sind ein Hund, der im Schnee nach Freßbarem stöbert, und einige Krähen, die ebenfalls nach Nahrung suchen. Das Bild assoziiert die Aussichtslosigkeit und Vergeblichkeit für einen jungen Menschen im damaligen Rußland, der sich bemühte, seinem Milieu, dem Bauernstande, durch ein Studium zu entfliehen.

Mit diesem und ähnlichen Gemälden hatte Prjanischnikow schon früh Anklage gegen soziales Unrecht erhoben, gleichzeitig die psychologische Situation der Dargestellten herausgearbeitet und wesentlich zum Ruhm der russischen ›Wandermaler‹, den Peredwischniki, beigetragen. Er zählte zu den bedeutendsten Meistern der Künstlervereinigung der ›Peredwischniki‹[3] und wurde nach seinem Tod 1894 durch eine posthume Ausstellung in der St. Petersburger Akademie der Wissenschaften im Jahre 1895 in besonderer Weise geehrt.[4]

Der mächtigen Entwicklung der Peredwishniki und ihrem sozialen Engagement, das sie innerhalb der russischen Kunst der zweiten Hälfte des 19. Jahrhunderts vertraten, waren entsprechende Ereignisse in der Tages- und Kunstpolitik vorausgegangen. Eine bedeutende Rolle spielte zum Beispiel der Schriftsteller Nikolaj Gawrilowitsch Tschernyschewsky (1828–1889). Er war einer der führenden Köpfe der sogenannten ›Rasnotschinzen‹-Bewegung (1861–1895), welche die bürgerlich-demokratische Variante der Rebellion und sozialen Erneuerung im zaristischen Rußland repräsentierte. Zugleich fungierte er als wichtigster Theoretiker der russischen Kunst. Tschernyschewskij, der mehrfach verhaftet wurde und viele Jahre in Gefängnissen und Verbannung verlebte, lehnte sich nicht nur gegen das Leibeigenschaftssystem auf,[5] sondern er zählt zu den ersten Russen, die in den fünfziger Jahren des 19. Jahrhunderts gegen den

Abb. 3 Illarion Prjanischnikow: *Bauern auf der Heimfahrt*, 1872

sterilen Akademismus in der Malerei und speziell gegen den internationalen Neoklassizismus ankämpften. Mit seiner Dissertation ›Das ästhetische Verhältnis der Kunst zur Wirklichkeit‹ öffnete er den Künstlern seiner Zeit den Zugang zum Leben des russischen Volkes, nachdem dieses in der bildlichen Darstellung über Jahrhunderte nur eine untergeordnete Rolle gespielt hatte.[6] Als eine der Hauptaufgaben der Kunst betrachtet er die wahrheitsgemäße, realistische Wiedergabe der Wirklichkeit. Der russische Realismus der zweiten Hälfte des 19. Jahrhunderts ist von den politisch-sozialen Bewegungen nicht zu trennen – die Leibeigenschaft in Rußland wurde erst 1861 aufgehoben – und findet in ihnen seine eigentliche Legitimation. Tschernyschewskys Postulat, die Kunst solle das Leben erklären und interpretieren, sie solle durch eine humanitäre Idee gekennzeichnet sein, die tendenziöse, nützliche und engagierte Züge aufweise,[7] wurde zum Credo mehrerer Künstlergenerationen.

Diesen neuen ästhetischen Ansichten stand die offizielle Ästhetik gegenüber, die mit der Tätigkeit der Kaiserlichen Akademie der Künste aufs engste verknüpft war. Die Akademie der Künste war in der Mitte des 18. Jahrhunderts gegründet worden. Nach überholtem westeuropäischem Vorbild vermittelte sie den Kunststudenten noch nach 1860 biblische und mythologische Sujets, Themen der griechischen und römischen Geschichte nach strengen Regeln des Klassizismus. Unzufriedenheit herrschte über das akademische Ausbildungssystem, so daß immer häufiger Schüler die Akademie verließen, ohne ihr Studium beendet zu haben. Die rückständigen und konservativen Zustände an der St. Petersburger Akademie führten 1863 schließlich zu einem Protest unter der Studentenschaft, der in die Kunstgeschichte eingehen sollte und der einige Jahre später die Gründung der Gesellschaft der Peredwischniki zur Folge haben sollte. Im Herbst des Jahres 1863 hatte der Senat der Kunsthochschule allen Studenten der Abschlußprüfung das Thema ›Göttermahl in Walhalla‹ vorgeschrieben.[8] Das Thema führte zur offenen Empörung. Dreizehn Maler und ein Bildhauer wandten sich an den Senat der Akademie mit der Bitte, das Thema ihrer Diplomarbeit mit den persönlichen Interessen eines jeden von ihnen in Einklang zu bringen. Sie wurden jedoch zurückgewiesen. Sie erklärten daraufhin ihren Austritt aus der Akademie, verzichteten auf Medaillen und die sonst so begehrten Auslandsstipendien. Der Vorfall wurde in ganz Rußland bekannt und machte als ›Aufstand der Vierzehn‹ Geschichte.[9]

Diese Rebellen unter der Führung des Porträtisten Iwan Nikolajewitsch Kramskoi (1837–1887)[10] spürten bald die Rache der Gesellschaft und der etablierten Kunstzirkel, die ihnen jede Beteiligung an Ausstellungen versagten. Viele Künstler wichen ins Ausland aus. Die Zurückgebliebenen bildeten unter der geistigen Führerschaft von Kramskoi das ›St. Petersburger Künstlerartel‹, eine Art Arbeitskommune. Ilja Repin, der damals an der St. Petersburger Akademie noch studierte und die Vorgänge beobachtete, berichtet darüber: »Sie berieten und überdachten ihr weiteres Schicksal. Nach langem Nachdenken kamen sie zu dem Schluß, mit Genehmigung der Regierung im Künstlerartel eine Art Firma für bildende Kunst mit Atelier und Kontor, die Aufträge von der Straße übernahm, mit Firmenschild und bestätigtem Statut zu gründen. Sie mieteten eine große Wohnung, ... übersiedelten dahin und wohnten, ein Teil jedenfalls, gemeinsam dort... Viele Mitglieder fuhren im Sommer in ihre weit entfernte Heimat und brachten zum Herbst wunderbare frische Studien und sogar mehrere fertige Bilder mit Szenen aus dem Volksleben mit.«[11] Das ›St. Petersburger Künstlerartel‹ löste sich nach einigen Jahren wieder auf, war aber dennoch von herausragender Bedeutung für die Entwicklung der künftigen russischen Kunstgeschichte. Zum einen stellte diese Künstlergemeinschaft die erste Sezession in Rußland dar, die der Kaiserlichen Akademie entgegentrat, zum anderen ist sie als unmittelbare Vorstufe der Künstlervereinigung der Peredwishniki anzusehen, in der dem Maler Kramskoi wiederum eine führende Rolle zukam.[12]

Abb. 4 Marianne Werefkin: *Vera Repin*, 1881

Zu den maßgeblichen Initiatoren der 1870 in Petersburg gegründeten ›Genossenschaft für Wanderausstellungen‹, eben den Peredwischniki, zählen außer Prjanischnikow und Kramskoi die Genremaler Grigori Grigorjewitsch Mjassojedow (1834–1911) und Wassily Grigorjewitsch Perow (1834–1882).[13] Die Organisation der Peredwischniki war eine Art Selbsthilfe, die für ihre Mitglieder eine Befreiung von der Vormundschaft der Akademie anstrebte. Nach ihren eigenen Satzungen sollten Ausstellungen ausgerichtet, der Verkauf der ausgestellten Werke abgewickelt und der Gewinn nach einem bestimmten Schlüssel verteilt werden. Ein wichtiges Bestreben der Peredwischniki war nicht nur, daß sie für ihre Kunst Anregungen aus dem Volk schöpfen wollten, sondern gleichzeitig diesem ihre Kunst nahezubringen trachteten. Deshalb kam es zu den Wanderausstellungen – ein völliges Novum in Rußland –, die auch in der Provinz stattfanden. Schon ein Jahr nach Gründung der Künstlervereinigung, 1871, wurde die erste Wanderausstellung in St. Petersburg eröffnet, die ungeheure Resonanz fand. Sie wurde darauf nach Moskau weitergereicht und bedeutete den Durchbruch und Anerkennung für die Peredwischniki. Von diesem Zeitpunkt an organisierten die Peredwischniki in der alten und der neuen Hauptstadt und in vielen anderen Städten Rußlands (Kiew,

Abb. 5 Ilja Repin: *Vera Repin*, 1882

Charkow, Kursk, Kischinjow, Odessa, Astrachan, Saratow u. a. m.) jährlich Wanderausstellungen – zwischen 1871 und 1900 insgesamt achtundzwanzig.[14]

Als Marianne Werefkin 1883 in die Malklasse von Prjanischnikow kam, hatten die Peredwischniki bereits den Höhepunkt ihrer besten und stürmischen Schaffenszeit überschritten.[15] Sie selbst war zu dieser Zeit eine voll ausgebildete und anerkannte Malerin, worauf ihr Beiname »russischer Rembrandt«[16] hinweist. Ein noch eindeutigeres Zeugnis ihrer virtuosen Malerei ist das Bildnis *Vera Repin* (Abb. 4), der jungen Ehefrau von Repin, der Tochter des Petersburger Architekten Schewzow, die er schon seit 1865 kannte und 1872 geheiratet hatte.[17] Das Gemälde der Werefkin ist 1881 datiert und belegt, daß der freundschaftliche Kontakt zwischen der Werefkin und Repin schon länger bestand, als bisher angenommen wurde. Da Repins Ehefrau der Werefkin Modell saß, kann man die Beziehung als familiär-freundschaftlich interpretieren und ein strenges Lehrer-Schüler-Verhältnis zwischen Werefkin und Repin für die Zeit der Entstehung des Porträts nahezu ausschließen. Aufschlußreich ist weiterhin ein Vergleich zwischen dem Werefkin-Gemälde und einem Repin-Porträt seiner Frau von 1882 (Abb. 5). Die Bilder wirken fast wie Pendants und verdeutlichen, daß beide Künstler einen nahezu gleichwertig hohen Standard in der malerischen Technik des Realismus aufweisen, der dem der Düsseldorfer Malschule vergleichbar ist.[18] Zu der Zeit, als diese Porträts entstanden, war Repin längst ein bekannter Maler und ein engagiertes Mitglied der Peredwischniki. In einem Brief vom 6. März 1878 schrieb er an Kramskoi, den damaligen Vorsitzenden der Wanderer: »Ich gehöre jetzt zu euch, ich bin mit euch.«[19]

Er wurde noch im selben Jahr als Mitglied in die Genossenschaft zur Veranstaltung von Wanderausstellungen aufgenommen. Ein Mitstreiter der Peredwischniki war Repin schon längst und hatte dies in seinen Bildern vielfach klar zum Ausdruck gebracht. So z. B. in dem heute noch weltberühmten Bild *Die Wolgatreidler*, das er 1873 vollendete (Abb. 6). In diesem Gemälde gibt sich Repin als ausgereifter Realist zu erkennen, der es verstand, in aufrüttelnder Weise das Schicksal der Wolgatreidler – zum Zugvieh herabgewürdigter Menschen – darzustellen. Repin, der selbst aus kleinen Verhältnissen

Abb. 6 Ilja Repin: *Wolgatreidler*, 1873

stammte, er war der Sohn eines rechtlosen und der Militärmaschinerie ausgelieferten Militärsiedlers,[20] schrieb 1872, während er noch an den *Wolgatreidlern* arbeitete, an den Kunstkritiker Wladimir Stassow: »Der Richter ist jetzt der Mushik [der arme russische Kleinbauer], und deshalb muß in unserer Kunst sein Anliegen zum Ausdruck gebracht werden. Das kommt mir zupaß, denn wie Sie wissen, bin ich ja auch ein Mushik, der Sohn eines im Ruhestand befindlichen Gemeinen.«[21] Repins eigenes Gefühl der engen Verbundenheit mit dem gemeinen russischen Volk wird durch den genannten Brief überzeugend belegt. Und eine Reihe seiner Bilder zeigen darüber hinaus, daß andere Intellektuelle wie er dachten, empfanden und handelten. So stellt eines seiner Gemälde aus dem Jahre 1878 den Dichter Leo Nikolajewitsch Tolstoi als anonymen Bauern bei der Feldarbeit dar (Abb. 7). Selbst seine eigene Lebensweise gestaltete Repin, angelehnt an die des niederen Volkes, spartanisch. Jawlensky war davon so beeindruckt, daß er sich noch 1937 daran erinnerte: »Mit Professor Mathé war ich auch einmal im September zwei Wochen auf dem Gute Rjepins Sdrawnewo im Gouvernement Witebsk. Er wohnte dort mit seinen zwei Töchtern. Wir mußten von Anfang an dasselbe Leben führen wie er, das heißt um acht Uhr ins Bett, um drei Uhr aufstehen und mit offenem Fenster schlafen. Rjepin schlief, obwohl es sehr kühl war, auf der Veranda. In der ersten Nacht schlief ich mit Mathé in einem Zimmer. Wir konnten nicht einschlafen, denn wir waren nicht gewohnt, so früh schlafen zu gehen. Wir redeten zusammen und schliefen erst um zehn Uhr ein. Ich war noch im schönsten Schlaf, als mich jemand anrührte. Ich wachte auf und sah Rjepin schon angezogen mit Mantel und Hut. Er sagte: ›Es ist schon spät, ein Viertel nach drei.‹ Draußen war Nacht und Vollmond. Wir mußten dann im Garten mit Schaufeln arbeiten, um den Weg zu reparieren. Rjepin arbeitete mit bis um sechs Uhr. Um sechs Uhr wuschen wir uns im Fluß, der gleich an dem Gut vorbeifloß. Wir begrüßten den Sonnenaufgang wie Epikuräer und gingen dann ins Zimmer zum Teetrinken. Rjepin war sehr enthaltsam im Essen. Er trank und rauchte nicht. Er gab seine ganze Kraft der Kunst. Um acht Uhr war er schon immer an seiner Staffelei.«[22]

In jenen Jahren, 1880–1883, als Repin und Werefkin die Porträts *Vera Repin* malten, arbeitete Repin an dem Monumentalgemälde *Kreuzprozession im Kursker Gouvernement* (Abb. 8), das als flammender Protest des Künstlers gegen die gesellschaftlichen Widersprüche in der russischen Wirklichkeit der siebziger Jahre zu verstehen ist. Repin entlarvt in diesem Bild die Heuchelei der Geistlichkeit, der Staatsbeamten und des Militärs; er zeigt die Aufgeblasenheit der Aristokraten, der Gutsbesitzer und der Kaufleute und stellt sie dem einfachen Volk, den verängstigten Bauern und Bettlern, gegenüber. Repin zeigt sich in dem genannten und anderen Bildern als ein Künstler, der den Geist der Peredwischniki-Bewegung leidenschaftlich und mit malerisch-technischer Perfektion vertritt. Die Stringenz, mit der er in seinem Werk in den siebziger und achtziger Jahren gegen soziales Unrecht und andere Mißstände vorgeht, gleicht oft der eines Fanatikers. Und so nimmt es nicht wunder, wenn man erfährt, daß Repins Arbeiten selbst bei Freunden und Gönnern nicht immer auf volle Zustimmung gestoßen sind und zumindest von Regierungskreisen mit Argwohn als tendenziös eingestuft wurden.[23]

Selbst im Freundeskreis kommt es deshalb immer wieder zu Meinungsverschiedenheiten, wie wir nicht nur aus Berichten der Werefkin wissen. So belegt zum Beispiel

Abb. 7   Ilja Repin: *Der Pflüger (Tolstoi)*, 1878

Abb. 8 Ilja Repin: *Kreuzprozession im Kursker
Gouvernement* (Ausschnitt), 1880-83

ein Brief Repins an seinen Freund und Lehrer Kramskoi aus dem Jahre 1874 seinen
Eigensinn und seine Uneinsichtigkeit, als dieser ihn darauf aufmerksam macht, er möge über seinem sozialen Engagement in seinen Bildern nicht den Anschluß an stilistische Neuerungen – nämlich die Pleinair-Malerei – verpassen, worauf ihm Repin klar
antwortete, daß er solche Novitäten dem Realismus und der Verdeutlichung seiner
Ideen und Ideale unterordne: »Sie sprechen davon, daß man sich zum Licht und den Farben hinwenden solle. – Nein! – Unsere Aufgabe ist der Inhalt, das Gesicht, die Seele des
Menschen, das Drama des Lebens, der Eindruck von der Natur, ihr Leben und ihr Sinn,
der Geist der Geschichte – das sind unsere Themen.«[24] Daß Repin in dieser Hinsicht
tatsächlich ein streitbarer und unnachgiebiger Mensch gewesen sein muß, bestätigt
uns auch Jawlensky in seinen Lebenserinnerungen: »Repin verstand neue Kunst überhaupt nicht ... ich erinnere mich, als er einmal in München bei mir war, sprach er wütend gegen Cézanne und van Gogh. Man konnte ihn gar nicht überzeugen.«[25]

Alles ordnete Repin also der Bildidee, dem Inhalt, unter – was nichts anderes bedeuten kann, als daß selbst den Details und scheinbaren Nebensächlichkeiten im Bild Aufmerksamkeit geschenkt werden muß. Die Überprüfung bestätigt dies, wie sich zeigt. In
dem Bild *Die Wolgatreidler* von 1873 kann man rechts im Dunst der Ferne ein Dampfschiff ausmachen. Dieses kann bei Repins Bildauffassung nicht etwa als zufällige Beobachtung, als Accessoire, sondern muß als wesentlicher Bestandteil zur Erläuterung der
psychischen und sozialen Situation der Schiffszieher gewertet werden. Er sieht also, zumindest interpretiert er es so im Gegensatz zu vielen anderen Malern seiner Zeit, in der
aufblühenden Technik des 19. Jahrhunderts keinen Fortschritt und keine Möglichkeit,
die die hoffnungslose Lage von Menschen wie den Wolgatreidlern verändern oder verbes-
sern könnte. Für Repins Denk- und Arbeitsweise ist interessant, daß in vorausgehenden
Bildversionen die technische Neuheit des Dampfschiffes noch fehlt. In dem bereits genannten Bild von 1883, *Kreuzprozession im Kursker Gouvernement*, gewinnt ein anderes
Detail – wiederum eine Veränderung gegenüber einer früheren Fassung – eine besondere
Bedeutung. Wenn die erste Fassung noch den Titel trug: *Kreuzprozession im Eichen-
wald*[26] und der Wald dort auch durch mächtige Bäume in Erscheinung tritt, so wird er in der
Zweitfassung als abgeholzt gezeigt: ein heute besonders aktuelles Thema. Repin läßt die
riesige Menschenmenge der Prozession auf dem späteren Bild auf einem breiten Weg
durch eine Talsenke ziehen. Die anschließenden Hügel sind kahl und drohen zu verkar-
sten. Nur noch das Wurzelwerk und die Stümpfe einst mächtiger Bäume – Symbol des
Lebens schlechthin – ragen wie Artefakte, das Menschenwerk anklagend, aus der trocke-
nen Erde. Der Zug bewegt sich in brütender Sonnenhitze durch Staub und Trockenheit
durch eine selbstgeschaffene tote und unfruchtbare Landschaft, um mit allen zur Verfügung stehenden wundertätigen Ikonen, Ziborien und Kreuzen Gott zu bitten, dem Land
Regen zu schicken, um es vor dem Vertrocknen zu retten. Die Interpretation des Bildinhalts als »ein Genrethema aus dem zeitgenössischen Leben«[27] erweist sich als oberflächliche Verharmlosung des vielschichtigen und hintergründigen Themas, das Repin hier
dargestellt hat. Bei genauer Betrachtung zeigt sich nämlich, daß er eine zeitgemäße apo-
kalyptische Vision gemalt hat, die auf einer Summe von Einzelbeobachtungen beruht,
die wiederum Rückschlüsse auf sein Weltbild zulassen.

Man wird nicht umhin können, Repin zu den Künstlern zählen zu müssen, die die aufkommende Technik und damit verbundene historische und soziale Umwälzungen im Zusammenspiel alter und neuer Machtstrukturen, Religion und Natur in einem globalen Zusammenhang gesehen haben. Repins bildliche Anklage erinnert auffallend an den Barbizon-Maler Théodore Rousseau (1812–1867), der, als man die Natur immer radikaler zum bloßen Rohstoffreservoir benutzte, das Fällen von Bäumen mit dem Bethlehemitischen Kindermord verglichen hat. Darüber hinaus hat Rousseau als Landschaftsmaler den Raubbau an der Natur so wirkungsvoll angeprangert, daß Kaiser Napoleon III. rund 600 Hektar des Waldes von Fontainebleau unter Landschaftsschutz stellte.[28]

An Hand der vorausgehenden Beobachtungen wird offenkundig, daß Repin die Wirklichkeit der damaligen Zeit mit anderen Augen betrachtete und darzustellen versuchte, als das mit Mitteln der realistischen Kunst möglich war. Marianne Werefkin gegenüber gestand er einmal resigniert an einem Karfreitag – auch Jawlensky erinnerte sich noch 1937 an die Begebenheit[29]–: »Heute gehen alle zur Beichte, ich komme zu Ihnen ... ich habe mir selbst gesagt: wenn du nichts Besseres sagen kannst, so sag doch die Wahrheit. Sie [Werefkin] werden wohl einmal viel Besseres als die Wahrheit sagen.«[30] Was die sogenannten Genre- und Landschaftsbilder bei Repin anbetrifft, so wird man zu beobachten haben, ob sie diesen Kunstgattungen zugeordnet und in deren engem Sinne überhaupt gelesen und verstanden werden können – was zur Entschlüsselung der Ikonographie vieler späterer Bilder Marianne Werefkins, insbesondere in ihrem Alterswerk, von Bedeutung sein wird. Fast wörtlich übereinstimmend wird beispielsweise die Entwicklung des russischen Landschaftsbildes im 19. Jahrundert so dargestellt, als seien »poetische Empfindungen zu einem wesentlichen Teil Inhalt der russischen Landschaftsbilder«,[31] die die Künstler zu »einer lyrischen Aussage«[32] veranlaßt hätten. So wird auch behauptet, »die wahre Vorliebe der Peredwischniki galt der Landschaftsmalerei«,[33] »deren Schönheit und Poesie sie erschlossen, wobei sie ihr tiefes patriotisches Gefühl zum Ausdruck brachten.«[34] Sie, die Peredwischniki, seien es gewesen, die in der russischen Landschaft, die bisher als »zur malerischen Darstellung ungeeignet« betrachtet wurde, erstmals Schönheit und Liebreiz entdeckt hätten. »Die Landschaft wurde ein Mittel zur Erkenntnis der Umwelt in ihrer ganzen Vielfalt und zum Verständnis des Menschen für die Natur.«[35] Angesichts der hintergründigen und kritischen Landschaftsdarstellungen von Repin, Prjanischnikow und anderen russischen Malern erscheint dieses Urteil über die russische Landschaftsmalerei noch wenig differenziert.

Der Werefkin können Anfang der achtziger Jahre weder die Bilder Repins noch das Engagement, das er in deren Ikonographie investierte, unbekannt geblieben sein. Auch andere Peredwischniki waren ihr mit Sicherheit geläufig. Somit stellt sich die Frage, warum sie 1883 tatsächlich nach Moskau ging, um an der Akademie für Malerei, Plastik und Architektur bei dem Peredwischniki-Maler Prjanischnikow zu studieren, wo sie doch von Repin, der als hervorragender Pädagoge galt, Adäquates hätte vermittelt bekommen können. Diese Fragestellung ist seit langem vorformuliert durch einen Bericht der Werefkin, in dem sie gesagt haben soll: »Repin begeisterte sich riesig für meine Sachen.« Umgekehrt will aber auch sie seine Malerei bewundert haben. Das kann

Abb. 9
Marianne Werefkin: *Der Bursche des Vaters*, 1883
(Siehe auch Farbtafel 1)

Abb. 10
Marianne Werefkin: *Porträt der Mutter*, um 1886
(Siehe auch Farbtafel 2)

nichts anderes bedeuten, als daß sie sich als gleichrangige Künstler verstanden haben. Der Bildvergleich der beiden Porträts *Vera Repin* könnte als Bestätigung dieser Annahme gewertet werden, würde die Werefkin nicht abschließend betonen: »Aber einig waren wir nie«,[36] was auch die Deutung einer gewissen Rivalität zuließe.

In erster Linie dürften bei der Erörterung künstlerischer Probleme zwischen den beiden die Streitigkeiten stilistischen als auch bildinhaltlichen Fragestellungen gegolten haben. Von Werefkin wissen wir, daß sie eine ungemein temperamentvolle Frau war, die sich allem Neuen aufgeschlossen zeigte[37] und vor allen Dingen daran interessiert war, die westeuropäische Kunstentwicklung kennenzulernen. Dieser gegenüber verhält sich Repin verschlossen, wenn er, auf die Pleinair-Malerei bezogen, sagte: »Unsere Aufgabe ist der Inhalt ... das Drama des Lebens ...«,[38] und, der Impressionismus sei »eine talentierte Malerei, aber eben nur Malerei ohne Inhalt«.[39] Dem hielt die Werefkin entgegen: »Schulung aber muß immer sein. Schulung ergibt sich nicht durch Anschauung der großen Meister, sondern durch den Lehrer, der zu zeigen vermag, wie man zu künstlerischem Erfassen und Darstellen kommt. ... In der Schule kann man ebensowenig Stil wie Originalität erlernen, wohl aber meisterliches Können. Um nicht in der Schule unterzugehen, muß jeder, der in der Welt des Stils arbeitet, ihr ein Neues hinzufügen. ... Um jedoch außerhalb der Welt des Stils etwas zu sein, muß man mit einer Sprache reden, die noch niemand gesprochen hat. ... So ist immer und unbedingt Schulung notwendig. Bei uns in Rußland gibt es sie nicht. Europa gibt sie wie Lesen und Schreiben.«[40]

Vorläufig war es Marianne Werefkin noch nicht möglich, nach dem Westen zu gehen, und so schreibt sie sich in Moskau bei Prjanischnikow als Studentin ein. Anders als in St. Petersburg, wo der Lehrbetrieb nach einem strengen Reglement aufgebaut war, soll an der Moskauer Akademie ein aufgeschlossener und neuzeitlicher Geist vorgeherrscht haben.[41] Bei Prjanischnikow soll die Werefkin »Porträts gemalt, Akt nach Gips gezeichnet und enorme Fortschritte«[42] gemacht haben. Dieser kurze biographische Hinweis suggeriert eigentlich das Studium eines Anfängers, was einer Überprüfung nicht standhalten kann. Denn die wenigen erhaltenen Bilder von ihr aus der damaligen Zeit rechtfertigen ihre Beinamen: »Rembrandt«, auch »Velazquez«[43] und »Zurbaran«.[44] Allerdings wird man heute solche Belobigungen aus der Sicht der Kunstkritik des 19. Jahrhunderts verstehen müssen, die ganz offensichtlich in Moskau und St. Petersburg den Realismus verschiedener Maler ganz ähnlich überschwenglich wie in Düsseldorf[45] oder Paris beurteilte. Werefkins Porträts und Figurendarstellungen vor ihrem Jagdunfall von 1888 – *Vera Repin* (Abb. 4), *Offiziersbursche*, der Leibbursche ihres Vaters mit Harmonika (Abb. 9), *Porträt der Mutter*, das sie erst nach deren Tod vollendete (Abb. 10) und das Bildnis *Sophie Werefkin*, ihrer Schwägerin in holländischer Tracht (Abb. 11) – sie alle zeigen uns eine am italienisch-spanischen und holländischen Naturalismus des 17. Jahrhunderts geschulte und orientierte Malerei, die damals in ganz Europa erfolgreich in Mode war. Eine auffallende Veränderung in Werefkins Bildern, die durch die Schulung bei Prjanischnikow herrühren könnte, ist nicht festzustellen. Die »enormen Fortschritte«[46], die sie unter dem Moskauer Lehrer gemacht haben will, können folglich in erster Linie nicht maltechnischer oder ikonographischer Art gewesen sein.

Werefkins Tagebücher geben darüber Aufschluß, daß Prjanischnikow nicht nur praktischen Zeichen- und Malunterricht gegeben hat, sondern darüber hinaus ein hervorragender Theoretiker gewesen sein muß, der seinen Schülern mit großem Wissen und Verständnis die Geschichte der Malerei vermittelt hat. Bei ihm vertiefte sie ihre Kenntnise über Michelangelo, Veronese, Velazquez und andere. Sie resümiert: »Bei den antiken Meistern müssen wir nur das Gefühl erlernen, nach allgemeinen, jahrhundertealten Gesetzen des Stils unsere Formen aufzubauen. Durch die Anschauung der antiken Meister lichtet sich der Wald von Schwierigkeiten. Und vor den Gestalten Michelangelos wird uns nicht der kalte Schweiß ausbrechen, in Erkenntnis der eigenen Nichtigkeit ... Mag Michelangelo seinen Adam durch einen Fingerzeig beleben – wie Prjanischnikow sagte – mag Veronese seine Figuren zusammenkramen und Tiepolo sie in den Himmel werfen, studiere die Wendung eines jeden Kopfes, eines Torsos, das Spiel der Hände, die Bewegung der Füße, um zu lernen, damit jede deiner gezogenen Linien perfekter Ausdruck deines Verständnisses und deines Stiles werden kann.«[47]

Wenn die Themen der Peredwischniki und deren soziales Anliegen in den Bildern der jungen Künstlerin zunächst auch nicht zum Tragen kommen – erst in der Münchner und Asconeser Zeit ist das der Fall – so müssen diese Jahre dennoch als eine fruchtbare Zeit der Selbstfindung und Kunstgeschichtserforschung angesehen werden: »Vor kurzem durchblätterte ich ein wenig die Biographien alter italienischer Meister. Sie alle waren Enkel, Kinder und Neffen gleicher Künstler wie sie selbst. Es ist eine Kette, deren erstes Glied Giotto war... Das Erbe und die Tradition machte aus dem Sohn den Empfänger des väterlichen Handwerks. Er lebte inmitten des Handwerks und nur für dasselbe. Dies machte zwei Drittel der künstlerischen Erziehung aus. Diese Menschen konnten im Alter von zwanzig Jahren unsterbliche Kunstwerke schaffen!«[48] Auf sich selbst und ihre Zeit und ihre Zukunft bezogen, sagte sie: »Wer jedoch von uns mag sich heute im Alter von fünfundzwanzig Jahren ... mit den kolossalen Fähigkeiten der großen Künstler messen, mit Fähigkeiten, die diese alle besaßen? Ja, dafür sollte man bis ans Ende seiner Tage in der Schule sitzen.«[49] Die Werefkin will den Lehrstoff und ihre Erkenntnisse überdenken und ermahnte sich: »Erkenne dich selbst, prüfe, was das in dir wohnende Talent sagen will. Wenn du die Sprache eines der Großen sprechen willst, so begebe dich in seine Schule... Falls du selbst eine Persönlichkeit bist, so wirst du dich mit ihm auseinandersetzen und entdecken... daß man seinen Werken noch Neues und Interessantes hinzufügen kann.«[50]

Ilja Repin, Lehrer und Freund

Marianne Werefkin verlebte eine unbeschwerte Jugend, eingebunden in eine intakte Familie, ohne finanzielle Sorgen (Abb. 12). Sie lebte abwechselnd in der Großstadt – Lublin, Moskau oder St. Petersburg – und auf dem elterlichen Landgut Blagodat bei Kownow in Litauen. Sie scharte schon damals einen großen Bekanntenkreis um sich, wie das auch aus ihrer späteren Münchner Zeit bekannt ist. Sie war schon damals be-

Abb. 11
Marianne Werefkin: *Sophie Werefkin*, um 1885

Abb. 12   Marianne Werefkin um 1888

Abb. 13 Ilja Repin: *I. L. Goremykin und N. N. Gerard*, 1903
(Studie zu *Festsitzung des Staatsrates*)

liebt und von Männern umworben, obwohl sie keine Schönheit im herkömmlichen Sinn war. Sie pflegte Freundschaften und hatte Liebesverhältnisse wie jeder normale Mensch im Alter zwischen zwanzig und dreißig Jahren.[51] So bestätigt uns ein Briefwechsel mit Repin[52] gerade für die Zeit des Entstehens des Bildnisses *Vera Repin* (Abb. 4) eine intime Liaison mit dem sechzehn Jahre älteren Künstler. Diese fällt genau in jene Jahre, in denen Repins Ehe in einer Krise war und er sich von seiner Frau Vera getrennt hatte. »Die impulsive und leidenschaftliche Natur Repins geriet in seinen oft wechselnden Beziehungen zu anderen Frauen in schwere und tragische Konflikte, die sein persönliches Leben komplizierten und seine künstlerische Arbeit behinderten.«[53] Als sich das Verhältnis mit Repin immer schwieriger gestaltete, wurde es von der Werefkin in der Weise gelöst, daß zwischen beiden Menschen eine kameradschaftliche und vertrauensvolle Freundschaft erhalten bleiben konnte, die ein ganzes Leben andauerte. Werefkin fiel dabei jene Rolle der schützenden und helfenden Beraterin zu, die sie von nun an für viele Freunde ein ganzes Leben lang spielen sollte. Verschiedene Briefe zeigen immer wieder sehr anschaulich, wie vertrauensvoll sich Repin mit seinen Sorgen auch in ausweglosen Situationen an sie wandte. Besonders aufschlußreich ist in mehrfacher Hinsicht jener schon einmal zitierte zwölfstündige Besuch Repins bei ihr auf der Peter- und Paul-Festung an einem Karfreitag: »Er sagte mir: Heute gehen alle in die Kirchen zur Beichte, ich komme zu Ihnen. Ich weiß, daß Sie recht haben in Ihrem Drang. So war es auch mit mir. Aber mein Leben, meine Umgebung haben mir die Schwingen gebrochen.«[54] Sicherlich hatte Repin ihr damals nicht nur persönliche Dinge anvertraut. Man kann annehmen, daß er ihr auch seinen Mißmut darüber mitteilte, daß sich viele der Peredwischniki mit der herrschenden Gesellschaft, von der sie ihre Professorenposten und Privataufträge bekamen, um des persönlichen Vorteils willen arrangierten. Die Avantgardisten von einst waren konservativ geworden und versuchten, die nachfolgende Künstlergeneration dadurch zu gängeln, daß sie die Satzung der Wanderausstellungen 1890 revidierten und ein Reglement einführten, das nur den Gründungsmitgliedern Privilegien einräumte. Verärgert kehrte Repin seinen einstigen Mitstreitern daraufhin für einige Jahre den Rücken[55]. Aber er selbst war auch mit seiner Malerei, trotz allen Erfolges, nicht mehr zufrieden. Er war sich bewußt, daß er den Höhepunkt seiner künstlerischen Entwicklung längst überschritten hatte und in Abhängigkeit all derer geraten war, die er auf seinem größten Bild, einem vier mal nahezu neun Meter messenden Gruppenporträt von 1903, darstellte. Dieses Monumentalgemälde, *Festsitzung des Staatsrates am 7. Mai 1901*[56] war ein Auftragswerk, in dem er alle Mitglieder des Staatsrates anläßlich der Feierlichkeit einer Jubiläumssitzung Nikolaus' II. porträtierte. Unter ihnen befindet sich auch ein Onkel der Werefkin, Iwan Longinowitsch Goremykin (Abb. 13), der damalige Innenminister des Zaren, den der Nabi und Malermönch Willibrord Verkade 1908 im Münchener Atelier der Werefkin kennenlernte und eingeschüchtert betrachtete: »An einem anderen Sonntagmorgen traf ich bei Jawlensky einen kleinen Herrn mit Diplomatenbackenbart und dessen Frau. Es war der Ex-Premierminister des Zaren Nikolaus, Goremykin. Er besuchte seine Nichte, Exzellenz v. Werefkin, eine begabte Malerin, mit der Jawlensky eng befreundet war. Ich betrachtete ihn mit nicht geringer Scheu. Welche Macht hatte dieser Mann besessen!

Wieviel Segen und Verderben lag einst in seinen Händen! Wieviele hatte er mit einem Federstrich aus der Verbannung oder aus dem Gefängnis befreien können. Aber von seinen Lippen konnte offenbar auch ein trockenes, unwiderrufliches Nein kommen, und doch war er gewiß ein wohlwollender Mann. Er hatte etwas von einem großen Bankier, vor dem die ganze Welt sich beugt. Lenker eines alten, morschen Staatsschiffes, verstand er sich sicher gut auf das Lavieren, das Im-Zickzack-Segeln gegen den Wind, wobei man, wenn auch langsam, doch immerhin vorwärtskommt. Wieviel Ausdauer, Geduld und Geschicklichkeit verlangt solch eine undankbare, ruhmlose Arbeit! Er erkundigte sich bei mir, was denn wahr wäre an den bösen Gerüchten, die vor kurzem über die Ordensleute Italiens durch die Zeitungen gegangen waren ... Während des Krieges erkannte ich ihn auf einem Bild: ›Zar Nikolaus und seine nächste Umgebung‹. Er war neuerdings zu Amt und Würden gekommen. In der Revolution fand er mit seiner Frau den Tod wie sein Herr, der Zar.«[57] Goremykin war nur wenig älter als Repin und war in jenen Jahren, als sich Repin in seinen Bildern für die Rechte des armen russischen Landvolkes engagierte, als Kommissar im Auftrage der zaristischen Regierung im gesamten Reich unterwegs, um Bauernangelegenheiten rechtlich zu regeln.

Die Annahme und Ausführung des Staatsauftrages für ein Riesenbild mit den Repräsentanten der Macht zeigt, daß sich Repin sehr weit von seinen früheren Idealen entfernt hatte, und sein Geständnis gegenüber der Werefkin: »Meine Umgebung hat mir die Schwingen gebrochen«, findet darin seine Erklärung. Repin fühlte schon früh und schmerzlich das Schwinden seiner ursprünglichen schöpferischen Kräfte und sprach dies an anderer Stelle mit folgenden Worten aus: »Wenn es doch nur gelingen wollte, irgend etwas für einen guten Abgang zu tun.«[58] Auch Jawlensky blieb die Resignation Repins nicht verborgen, wenn er sich an jenen Karfreitag erinnerte: »Wir sprachen sehr viel über Kunst und auch über seine Kunst. Da sagte er plötzlich: ›Ich bin doch kein Künstler.‹ Wir protestierten lebhaft. ›Doch, doch‹, sagte er, ›am Karfreitag werde ich doch nicht lügen. Selbstverständlich bin ich ein sehr berühmter Maler, aber das erste, was ein Künstler haben muß, das ist Geschmack, und ich habe, Sie wissen es, keinen Geschmack.‹«[59]

Repin zog sich immer mehr aus dem Kunstbetrieb und dem öffentlichen Leben zurück. Im Jahre 1900 fand er in der Schriftstellerin Natalia Nordmann-Sewerowa eine neue Lebensgefährtin und übersiedelte auf ihr Landgut Penaty in Kuokkala, einem schon auf finnischem Gebiet gelegenen Villenvorort von St. Petersburg. Dort verbrachte er die meiste Zeit während der letzten dreißig Jahre seines Lebens.[60]

Mit der Lösung der Romanze mit Repin waren für die Werefkin zwar einige dramatische Szenen verbunden, was nicht verwunderlich ist bei dem temperamentvollen Wesen, das beiden zugeschrieben wird. Doch hinterließen diese keine Beschwernisse und Schmerzen, unter denen die weiterbestehende Freundschaft gelitten hätte. Eine andere Freundschaft jedoch, die zur Ehe hätte führen können, wenn Werefkin nicht Jawlensky kennengelernt hätte, machte ihr das ganze Leben zu schaffen. Noch in Ascona berichtete Werefkin von dem jungen Arzt Dr. Wassily Lesin (Abb. 14), der sie nach ihrem Jagdunfall behandelte und vom Wundfieber befreite: »Als ich Jawlensky kennenlernte, war ich sachlich tief mit einem anderen Mann verkettet. Es war der junge Arzt, der

Abb. 14
Dr. Wassily Wladimirowitsch Lesin um 1888

Abb. 15 Marianne Werefkin nach dem Schuß durch die Hand, 1888

mich gerettet hatte und der in seiner unendlichen Liebe zu mir keinen Schritt näher auf mich zumachen wollte, bis er mir nicht ein meiner würdiges Heim zu Füßen legen könne. Wir sahen uns selten, wir schrieben uns meistens nur. Aber später, als er ein Heim mit eiserner Arbeit und unendlicher Liebe zusammengetragen hatte, war es zu spät.«[61]

Eine frühe Begegnung mit Dr. Lesin hat Marianne Werefkin in ihren Tagebüchern aufgezeichnet. Sie gibt uns einen Einblick in die Denk- und Sehweise einer in den Konventionen befangenen jungen Aristokratin des zaristischen Rußland und deren tradierte Überheblichkeit, die zum Beispiel Repin immer wieder angeprangert hatte: »Wald, abends. Wir gingen durch das Dickicht, ich führte ihn selbst und sprach mit ihm, wissend, daß er ganz und gar von Leidenschaft für mich brannte. Was Leidenschaft ist, wußte ich nicht, nur daß durch jeden meiner Blicke dieser Mensch von Kopf bis Fuß erzitterte, daß er ganz und gar in meiner Macht war ... Ich wußte, daß ich seinen Willen und seine Seele wie Wachs kneten konnte ... Schon viele Jahre betete er mich an. ... Sozial lag zwischen uns ein Abgrund.

Mir war es leicht, anzunehmen was er gab, weil er nichts verlangen konnte und durfte, und ich nahm seine sklavenhafte Ergebenheit und kokettierte, wie ich nur konnte, unter dem Feuer seiner leidenschaftlichen Blicke. ... Er lag auf den Knien vor mir, wie ein Mensch, der sich einem Altar nähert. In mir triumphierte etwas Starkes, Gesundes, Übermütiges. Ich sagte: ›Gott sieht uns und was denkt er?‹ und antwortete selbst: ›Er lacht‹. ... Ich saß unberührt wie eine Heilige vor einem Menschen, der von Leidenschaft zitterte, in meiner damaligen Unwissenheit. Am folgenden Tag schoß ich mich durch die Hand.«[62]

Das war 1888, als sie mit ihrem Vater und ihren Brüdern auf der Jagd war. Sie stützte sich ungeschickter- und unglücklicherweise auf den Lauf ihrer mit Schrot geladenen Flinte, der Rock verwickelte sich bei einer Bewegung mit dem Gewehrhahn und löste den Schuß aus, der sie fast das Leben gekostet hätte, die rechte Hand aber für immer verkrüppelte. Die Verletzung zog eine monatelange ärztliche Behandlung nach sich (Abb. 15). Der junge Dr. Lesin betreute sie als Privatarzt und war beständig in ihrer Nähe. In einer späteren Tagebucheintragung schreibt sie, während sie schon längst mit Jawlensky zusammenlebt: »Drei Tage vollen Glücks aus den Händen Wassily Wladimirowitschs bleiben für das ganze Leben in meinem Herzen. Durch sie trug ich alle Unbill mit Seligkeit, und alles was zu dieser Zeit gehört, ist sauber, sauber. Meine Qualen sind mir teuer, aber jene Freuden haben mein Leben für immer erleuchtet.«[63]

Mindestens sieben bis acht Jahre währte das ungeklärte Verhältnis zwischen Marianne Werefkin und Wassily Lesin. Erst 1895 konnte er sein Versprechen, ihr ein »ihr würdiges Heim zu Füßen legen zu können«, erfüllen. Den offiziellen Heiratsantrag richtet er an den Vater in St. Petersburg. Dieser schickt ihn erfreut mit seiner Einverständniserklärung an seine damals schon fünfunddreißigjährige Tochter nach Litauen, die sich dort mit ihrem Bruder, anderen Verwandten, Jawlensky und dem Dienstmädchen Helene gerade aufhielt. Die Post erreichte Marianne genau einen Tag zu spät, um sich für Dr. Lesin entscheiden zu können. In der Nacht zuvor hatte sich ein dramatisches Ereignis abgespielt, das sie zu dem unumstößlichen Schluß gebracht hatte, ihr künftiges Leben der Kunst zu opfern und für Jawlensky zu sorgen und diesen zu fördern. Einem späteren Freund berichtete sie: »Am anderen Morgen bekam ich nach drei Jahren Schweigens von dem jungen Chirurgen sein erstes großes Werk mit dankbaren, begeisterten Worten gewidmet. Es war begleitet mit einem Brief meines Vaters, wo da stand: eine Frau kann stolz sein, wenn ein Mann ihr so schreibt. – Es war zu spät.«[64]

Die Mutter

Drei Jahre vor dem Unfall, bei dem der Werefkin die Malerhand zerschmettert wurde, starb ihre Mutter im Alter von einundfünfzig Jahren. Der Verlust traf sie tief, so daß sie noch in Ascona oftmals von ihr sprach: »Wenn ich ein Bild male, male ich es immer für jemanden, dem es seelisch bestimmt ist – gewöhnlich für meine verstorbene Mutter, für die meine Kunst ihr größtes Glück war.«[65]

Die Mutter Marianne Werefkins, geborene Elisabeth P. Daragan, war am 5. Juli 1834 zur Welt gekommen. Sie stammte aus einem alten Kosakengeschlecht, worauf auch der Name Daragan hinweist. Unter Zar Peter dem Großen war ihren Vorfahren die Aufgabe übertragen worden, die russische Grenze im Süden des Reiches gegen kaukasische Bergstämme zu sichern. Elisabeth Daragan muß ein sehr liebevoller, herzlicher und ungewöhnlich großzügiger Mensch gewesen sein. Neben der Wärme und Geborgenheit, die die Tochter in ihrer Nähe erleben durfte, verdankt sie ihr den ersten Mal- und Zeichenunterricht und beständige Förderung ihrer künstlerischen Interessen. Das ungewöhnliche Verständnis der Mutter dafür erklärt sich daraus, daß sie selbst Malerin war. Ihre Porträts werden als qualitätvoll bezeichnet, darüber hinaus soll sie sich in besonders intensiver Weise der Ikonenmalerei gewidmet haben. Bis 1941 waren in verschiedenen litauischen orthodoxen Kirchen noch eine Reihe ihrer Ikonostasen und Ikonen erhalten.

Abb. 16 Karl Timoleon Neff: *Evangelist Johannes*

Im Stil ähnelten sie vermutlich den Arbeiten ihres Lehrers Neff, die man stilistisch in die Nähe der Nazarener rücken kann. Diese hatten sich 1809 in Rom unter der Führerschaft der deutschen Maler Friedrich Overbeck (1789–1869) und Franz Pforr (1788–1812) nach dem Beispiel religiöser Bruderschaften im sogenannten Lucasbund zusammengeschlossen. Die Mitglieder – die ›Lucasbrüder‹ genannt – verpflichteten sich zu einem streng sittlichen und religiösen Lebenswandel – sie lebten im ehemaligen Kloster San Isidoro – und versuchten von 1810 an, die Kunst zu erneuern, indem sie auf Künstler wie Raffael, Perugino und Dürer zurückgriffen. Ganz im Geist der Nazarener ist das Medaillon eines Evangelisten aufgefaßt (Abb. 16), das Timoleon Neff als Entwurf für ein Tondo einer Kirche gedacht hatte.

Die Skizze zeigt Neffs Anlehnung und Rückgriff auf die Kunst der Renaissance und eine auffallende Parallelität zu den künstlerischen Bestrebungen der Nazarener. Die genannte Skizze Neffs war ein Geschenk des Künstlers an die Mutter der Werefkin und ging nach deren Tod in ihren Besitz über. Dazu eine ganze Reihe von Ölgemälden, zu-

Abb. 17 Karl Timoleon Neff: *Bildnis der Mutter Marianne Werefkins*

meist Porträts (Abb. 17), die heute verschollen sind. Neffs Kunst und sein Kunstverständnis müssen einen nachhaltigen Eindruck auf Mutter und Tochter gemacht haben, denn um die Jahrhundertwende gründete Marianne Werefkin in München selbst eine Lucasbruderschaft und setzte sich in auffallend intensiver Weise mit der Romantik auseinander. Auch die Italienreise, die sie im April 1899 zusammen mit den Künstlerfreunden Jawlensky, Grabar', Ažbè und Kardovsky unternahm, dürfte in diesem Zusammenhang gesehen werden.[66]

Karl Timoleon Neff (1805–1876) war einst in ganz Europa berühmt. Er wurde 1805 als Deutsch-Balte in Estland geboren. Von 1824 an besuchte er die Dresdener Akademie. 1826 hielt er sich in Rom auf, wo er mit den Nazarenern in Berührung gekommen sein muß. Als Bildnismaler war er seit 1827 in St. Petersburg tätig, wo er sich einen hervorragenden Namen machte, zumal er auch mehrere Mitglieder der kaiserlichen Familie porträtierte. Seine Leistungen brachten ihm den Titel eines Hofmalers mit einem jährlichen Gehalt von 3000 Rubeln ein. Nach einem neuerlichen Romaufenthalt von 1835 bis 1837 wurde er nach der Rückkehr an die Zarenresidenz mit Aufträgen überschüttet. Ein Bild in der kleinen Kirche im Winterpalais der Petersburger Akademie brachte ihm 1839 den Titel ›Akademiker‹ ein. Die Krönung seiner Laufbahn war dann 1849 die Ernennung zum Professor und 1855 die Berufung zum Lehrer an der St. Petersburger Akademie der Künste. Darüber hinaus wurde ihm 1864 das Amt eines Konservators an der Eremitage zu St. Petersburg übertragen. Nicht nur in Rußland erhielt er große und ehrenvolle Aufträge, sondern auch im Ausland. So schmückte er die Ikonostase der griechischen Kapelle der Herzogin von Edinburgh in London mit 31 und die der griechischen Kapelle in Nizza mit 33 Gemälden. Außerdem schuf er die Ikonostase und die Wandgemälde der russischen Kirche in Wiesbaden.[67] Werefkins Mutter unternahm 1858 zusammen mit Freunden eine Westeuropareise, um seine Werke in London, Wiesbaden und Nizza im Original kennenzulernen. Ihr eigentliches Reiseziel war Rom, wo sie in einem mehrmonatigen Aufenthalt ihre Malerei vervollkommnen wollte.

Die Mutter war für Marianne nicht nur eine wichtige Lehrerin und Gesprächspartnerin, der sie wesentliche Elemente ihrer praktischen und theoretischen künstlerischen Ausbildung verdankte. Bei ihr fand sie auch Verständnis und Trost während ihrer ganzen Jugend. So zum Beispiel stärkte sie das Selbstbewußtsein ihrer Tochter für ihr ganzes Leben, als die Großmutter ungeschickterweise das Selbstvertrauen der heranwachsenden Marianne in ihre weibliche Schönheit mit »vernichtenden Bemerkungen«[68] erschüttert hatte. Die Mutter war es aber auch, die der Werefkin schon in jungen Jahren nicht nur ungewöhnliche Freiheiten gewährte, sondern auch auf die Konsequenzen hinwies, die ein Künstlerleben mit sich bringen kann. Sie warnte immer wieder: »L'art, Marianne, est une maîtresse exigeante, elle demande tout son homme!«[69]

Einen Tag, bevor die Mutter am 18. März 1885 starb, schrieb Marianne in ihr Tagebuch: »Das Fenster steht offen. 17. März. Passionswoche. Vor mir liegt das Evangelium ... Ich versuche, mich ihm, seinem Wort, zu unterwerfen, mein ganzes Herz, meine Gedanken, mein ganzes Ich. Ich muß das Allerteuerste zurückgeben, ohne welches mir das Leben wie der Tod scheint ... Dort nebenan, ohne klagende Worte, ohne Protest, geht ein Leben fort, mit dem mein ganzes Leben verbunden ist. Es stirbt meine Mutter. ...

Ich weiß, es kommt kein Wunder, aber ich erwarte das Wunder ... In meiner Seele ist der Tod.«[70]

Ein Jahr später, 1886, vollendet die Werefkin ein Porträt ihrer Mutter (Abb. 10), das diese in schwarzer Trauerkleidung mit Mantilla zeigt, die, nach spanischer Tracht über den Kopf gelegt, über den Hals auf die Schulter fällt. Im Haar trägt sie rote Blüten. Der Blick ist sanft und ruhig, nach innen gekehrt. Eine Kontaktaufnahme zum Betrachter, aus dem Bild heraus, findet nicht statt. Goldgelb ist der Hintergrund gefaßt, ähnlich dem einer Ikone. Bildbeherrschend ist die Farbe Schwarz, die Tod und Trauer seit altersher charakterisiert. Sie wird ergänzt durch ein Weiß, das in der Liturgie als Symbol des Lichtes, der Reinheit und ewiger Herrlichkeit seine Verwendung findet. Den Blütenformen – die ungewöhnlicherweise bei der Darstellung einer älteren, würdigen Frau gewählt wurden – kommt hier zum einen die Bedeutung der Vergänglichkeit zu. Zum anderen versinnbildlicht die Blüte zugleich nach christlicher Auffassung aber auch die Auferstehungshoffnung auf ewigen Frieden und himmlische Paradiesesfreuden. Das Rot schließlich, das ganz auffällig zur Belebung des Schwarz und anderer Dunkelwerte genutzt ist, findet in diesem Zusammenhang seine Erklärung nicht nur als Begriff der Schönheit schlechthin im altrussischen Sinne,[71] sondern erfährt eine symbolische Erweiterung mit dem Hinweis auf Christi Blut mit der Doppelbedeutung von Tod und Auferstehung. In dem posthumen Porträt ihrer Mutter hat die Werefkin mit nur wenigen, aber sehr bedeutungsgeladenen künstlerischen Mitteln einen neuen Typus eines Verehrungsbildes für die Verstorbene geschaffen, das ganz im Sinne der traditionellen russischen Ikonenmalerei verstanden werden kann. Mit seinen Mehrfachbedeutungen von Form und Farbe ist es ein wichtiges Schlüsselbild aus ihrer realistischen Malperiode für die Ikonologie vieler ihrer späteren Bilder.

Abb. 18 Der Vater Marianne Werefkins um 1890

Der Vater

Nach dem frühen Tode der Mutter gehörte Mariannes ganze Liebe dem Vater (Abb. 18). Ihm, der sich mit beständiger Zähigkeit im Staatsdienst schließlich den Repräsentationsposten als Kommandant der Peter- und Paul-Festung in St. Petersburg erarbeitet hatte, verdankt die ganze Familie ihr hohes gesellschaftliches Ansehen und den Reichtum, der sie alle für viele Jahre von finanziellen Sorgen befreite. Die Werefkin berichtete: »In der Stadt hatten wir eine Dienerschaft von achtzehn Personen. Auf dem Land waren es noch viel mehr.«[72] Um den täglichen Haushalt brauchte sich also niemand zu kümmern. Die Tochter konnte sich frei entfalten und ihren Neigungen und Studien nachgehen. Als ihre künstlerische Begabung im Kindesalter entdeckt wurde, beobachtete auch der Vater sie nicht nur mit Verständnis, sondern fördert sie nach Kräften, indem er Zeichenlehrer engagierte, die der Tochter eine solide malerische und zeichnerische Ausbildung vermittelten. »Mein erster ganz autodidaktischer Versuch war, als ich vierzehn Jahre alt, Scharlachfieber hatte. Meine Mutter fand im halbdunklen Zimmer meine ›petits bonhommes‹, war entgeistert über die schlechte Bewachung durch die

19   20

Abb. 19 Das Atelierhaus der Werefkin im litauischen Blagodat

Abb. 20 Interieur des Ateliers in Blagodat

Gouvernante und begeistert über das Produkt ... Ich bekam sofort einen Lehrer ... Für mich wurde für zwei Jahre eine akademische Zeichenlehrerin angestellt ... In Lublin hatte ich zwei polnische Lehrer und endlich einen guten: – Heinemann – in Warschau. Bei ihm malte ich Portraits ... Ich habe eine regelrechte künstlerische Ausbildung gehabt. Habe gelernt überall bei allen Lehrern, Mitschülern und Meistern. Alles hing vom Wohnsitz meiner Familie ab. Mit meinen Lehrern war ich immer im Streit, lernte aber von jedem etwas.«[73]

Der Vater verwöhnte Marianne von jung an und ließ es an nichts fehlen, wenn seine Tochter einen Wunsch hatte, der ihrer künstlerischen Entfaltungsmöglichkeit dienlich sein konnte. So baute er 1879, sofort nach dem Erwerb des Gutes Blagodat in Litauen, nur wenig vom großen Haupthaus der Familie entfernt, ein kleineres Haus als persönliches Refugium und Atelier (Abb. 19), an das ein ähnliches Haus für das Gesinde angeschlossen wurde. Hier empfing die Werefkin ihre Freunde aus der Stadt und umgab sich mit den Kunstschätzen, die sie gesammelt hatte, und ihren eigenen Bildern (Abb. 20). Dem Gut Blagodat galt ihre große Sehnsucht, wenn sie in der Stadt war. Die Abreise aufs Land erwartete sie immer mit Ungeduld: »Adam ist für mich die Verkörperung meiner fröhlichen, mutigen, ausgelassenen Jugend, die mein Vater mich so frei genießen ließ. Durch Adams Ruf, ruft mich das Land! Die Kisten und Kasten sind gepackt und genagelt. In der kleinen Kiste ist alles, womit Papa mich verwöhnt: Rosinen, Mandeln, Albert-Keks, Oldenburger Kandiszucker, mein ganzer Sommer-Vorrat. Adam kommt für die letzten Befehle zu mir: ›Adam sag, daß das Bad fertig sei und nicht eine Fliege in meinem Zimmer!‹ ... Im Hof steht die fertige Fuhre, hinten sind die Reitpferde

›Habicht‹ und der ›Eiserne‹ angebunden [Abb. 21]. Ich gebe ihnen Zucker. Papa schaut
von der Galerie hinunter. Im Hof stehen Leute in ehrerbietiger Haltung. … In drei Tagen
werde ich auf dem Lande sein. Mein Herz jubelt. … Ich gehe zu Papa, es tut mir weh,
mich von ihm zu trennen. … Mein ganzes Ich ist ein einziger Wunsch: Felder und Weite.
In mir hüpft wie ein Tierchen eine tolle Lust unseren Posoli-Wald wiederzusehen. Vor
den Augen tanzen die Bilder des Landlebens.

Ich bete zu Gott, er möge Papa behüten. Seiner Gnade empfehle ich ihn und seiner
Barmherzigkeit. Wie unendlich dankbar bin ich Papa für jene Freiheit, die er mir gab. …
Über alles triumphiert immer seine Güte, seine Liebe und sein Vertrauen in mich.«[74]

Das Gut Blagodat und Litauen wurden der Werefkin zur eigentlichen Heimat. Sie
traf sich dort mit ihren Freunden, Besuchern aus der Stadt (Abb. 22), unternahm von
hier aus Ausflüge aufs Land und in die Wälder. Doch war der Sommersitz der Eltern für
sie darum keineswegs ein Ort der reinen Erholung oder des Müßiggangs, sondern im
Gegenteil der einer intensiven künstlerischen Arbeit, Besinnung und Selbstfindung.
Dieses geht sehr deutlich aus einer Tagebucheintragung hervor: »Unser kleiner, stiller
See ist fast ganz von Wald umgeben. Dort, wo er das Ufer freiläßt, sieht man auf die Felder und den Weg zu unserem Gut, dahinter, in der Weite, die Hütten der Bauern. Die
sommerliche Sonne liegt golden auf dem Wasser …

Warum bin ich nicht bei meiner Arbeit, nicht im Atelier, wo mir Erfolg und Ruhm
vorschweben, sondern hier auf diesem trägen See? Weil es mir leid täte, diesen sommer-
lich heißen Tag nicht zu durchleben … Der Verstand sagt mir, daß solche Tage immer
wiederkehren, daß aber die Arbeit nicht warten kann.

Während ich faul im Boot sitze, sehe ich auch andere Bilder, andere Länder und
Völker … Oh, wie glücklich bin ich, … daß mein Auge die Sonnenstrahlen einzufangen
weiß und auch in der Dämmerung die Geheimnisse der Nacht zu lesen vermag. – Gottes Welt ist mir schon immer ein vertrauter Freund gewesen.

Am Himmel kriechen weiße Schäfchenwolken, leicht und fein. Man hört, wie die
Feldarbeiter die ziehenden Pferde antreiben …«[75]

Abb. 21 Ausritt in Blagodat, um 1890

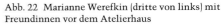

Abb. 22 Marianne Werefkin (dritte von links) mit
Freundinnen vor dem Atelierhaus

Glückwünsche zum Neubeginn

Die Künstlerkarriere, von der Marianne Werefkin geträumt hatte, schien nach dem Jagdunfall 1888, bei dem sie sich die Malerhand durchschossen hatte, beendet zu sein. Fast
ein Jahr dauerte die Heilung. Aber Daumen und Zeigefinger blieben für immer unbe-
weglich. Dennoch entschloß sie sich 1889, nach anfänglichen Versuchen mit der linken
Hand, wieder mit der rechten zu malen. Sie übte mit unendlicher Geduld. Mit der linken, gesunden Hand legte sie Bleistift, Pinsel oder Kohle über den Ringfinger der verkrüppelten rechten, um das Werkzeug mit dem Mittelfinger und dem kleinen Finger zu
erfassen und zu führen. Künftig war sie gezwungen, ihre Malwerkzeuge, egal ob Stift
oder Pinsel, in besonderer Weise mit kleinen Halterungen zu versehen, so daß diese ihr

Abb. 23 Ilja Repin: *Bildnis Marianne Werefkin mit dem Arm in der Binde*, 1888

Abb. 24 Vorlage zu Repins Werefkin-Porträt, 1888

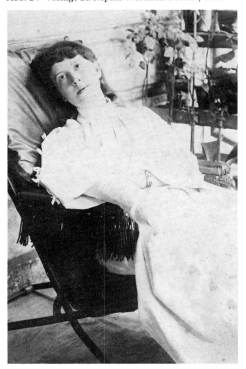

bei der Arbeit nicht entgleiten konnten. Die ungewöhnliche Handhabung von Zeichenstift und Pinsel verursachte ihr oftmals nicht nur Schmerzen, sondern führte auch dazu, daß sich an den beiden gesunden Fingern der verkrüppelten Hand durch die verkrampfte Haltung des Malerwerkzeuges stets eine dicke Hornhaut entwickelte. Wenn sich die Werefkin unbeobachtet fühlte, entfernte sie diese mit einem Messerchen, das sie immer bei sich hatte.

Während des Genesungsprozesses porträtierte Repin die Kranke (Abb. 23). Photos scheinen ihm als Vorlage gedient zu haben (Abb. 24). Das Bild wurde im Dezember des Jahres fertig. Es ist signiert und datiert 10.12.1888. Vermutlich war es ein Weihnachtsgeschenk von Repin an Marianne. Bis 1941 gehörte das Gemälde zum festen Inventar des Gutes Blagodat.

Die Gegenüberstellung von Photo und Gemälde zeigt einen interessanten Unterschied. Wenn auf dem Photo eine Frau abgebildet ist, der man in Haltung und Gesichtsausdruck die Nebenwirkung der Krankheit, die Niedergeschlagenheit, ansieht, so schildert uns Repin in seinem Gemälde jene markanten Wesenszüge, die er und andere Freunde gewöhnlich bei Marianne vorfanden. Repin schien sie aufmuntern zu wollen, wenn er sie mit ausschließlich lichten Farben darstellt, als sei trotz der Verletzung kein Grund zur Resignation gegeben. Er gestaltet das Bild so lebendig, daß der Eindruck entsteht, sie sitze, hin- und herwippend, in einem Schaukelstuhl und könnte jeden Moment aufspringen und den Arm und die Hand aus der Binde und dem Verband lösen – als wäre die Verletzung nur ein harmloser Spuk gewesen. Die Kopfhaltung, Blick und Mimik sind ganz typisch für Marianne Werefkin. Mehrere spätere Schilderungen[76] decken sich mit der bildlichen Charakterisierung von Repin. Ein wenig überlegen, herablassend lächelt sie den Betrachter an und fixiert ihn mit einem Blick, als führe sie einen Schabernack im Schilde. Bei der Betrachtung des Bildes von Repin versteht man, was Else Lasker-Schüler meinte, als sie die Werefkin »den adeligen Straßenjungen« nannte. »Schelm der Russenstadt; im weiten Umkreis jeden Streich gepachtet.«[77] Und man glaubt die Andekdote,[78] Marianne habe, als die Wachmannschaft der Peter- und Paul-Festung zu Ehren eines Besuches des Zaren in Galauniform zum Appell angetreten war, mit einem wilden Ritt durch die Reihen der Soldaten – zum Entsetzen ihres Vaters und des Zaren – das ganze militärische Zeremoniell durcheinandergebracht. Der Zar soll höchst erstaunt gewesen sein, als er erfuhr, daß der Missetäter nicht ein übermütiger junger Offizier, sondern die Tochter seines ehrwürdigen Kommandanten war. Die vorwitzige Tat der jungen Werefkin muß dem Zaren doch irgendwie imponiert haben, denn er erbat sie sich als Tischdame am Abend.

Von Jawlensky wissen wir, daß Repin in seinem Atelier viele Besucher empfing, die den Werdegang seiner Bilder und deren Fertigstellung über Jahre hin verfolgen konnten.[79] An Repin scheint die Werefkin ihre ersten Bilder – Repin spricht von »Studien« –, die sie nach Gesundung der rechten Hand gemalt hat, zur Begutachtung geschickt zu haben. Dieser stellte sie in seinem Atelier auf und zeigte sie seinen Gästen und informierte die Werefkin über deren Reaktion in einem Brief vom 2. November 1889: »Sehr verehrte Marianne Wladimirowna! Wenn Sie hörten, wieviel Lob und Begeisterung sich heute Ihre Studie erworben hat! Wer auch immer zu mir kam, jeder war begeistert und konnte von ihr kein Auge wenden. Bisher waren es nur Malerinnen und Liebhaberinnen. Wir werden nun sehen, wie vor diesem ›Bösewicht aus den Bergen‹ die Maler und die Liebhaber tanzen werden. Bravo! Bravo! Ich reibe mir die Hände vor Eifersucht. Tatsächlich ist es eine ausgezeichnete Sache! ... Aufrichtig bin ich Ihr ergebener Ilja Rjepin«.[80]

Das Bild *Bösewicht aus den Bergen* ist verschollen, so daß man sich leider keine genauen Vorstellungen machen kann, wie ihre Malerei in jenem Jahr ausgesehen haben kann. Der Titel des erwähnten Bildes ist jedoch so auffällig, daß man es in Verbindung bringen möchte mit einigen anderen Personendarstellungen, die man aus den neunziger Jahren kennt, Bauern, Tagelöhnern, Negern und Juden (Abb. 25–29). Es hat ganz den Anschein, daß sich die Werefkin nun in zunehmendem Maße jener Bevölkerungsgruppen annimmt, die nicht mehr zum unmittelbaren Umfeld ihres privaten und sozialen Lebensbereiches gehören. Die Bauern und Juden, die sie von nun an häufig porträtierte, werden erst jetzt in ihrer Malerei bildwürdig. Mit einer Verzögerung von etwa zehn Jahren bedient sie sich plötzlich des Bildrepertoires der Peredwischniki.

Ein Vergleich zwischen dem Bildnis des adretten *Offiziersburschen* ihres Vaters (Abb. 9) und dem zerlumpten Tagelöhner (Abb. 27) macht den Wandel in ihrer Malerei deutlich. Durch die Erfahrung eigenen Leidens und eigener Ängste, die ihre wichtigsten Lebensinteressen berührten, scheinen ihr die Augen für die Menschen geöffnet worden zu sein, die sie bislang nur aus der Perspektive der Befehlenden, als Dienstboten, kannte. Ohne Hintergründigkeit, harmlos, folkloristisch, ist der musizierende Offiziersbursche gesehen, ganz so, wie man sich gern einen idealen Diener vorstellte, der für einen Herrn die täglichen kleinen Unannehmlichkeiten erledigte. Die subjektive Schau der Malerin zeigt uns einen jungen Menschen, der scheinbar keine eigenen Sorgen kennt und sich mit seiner Herrschaft zufrieden und in vollem Einklang weiß. Daß diese Sehweise im Umgang mit Abhängigen trügerisch und falsch war, bekannte sie später ganz offen im Zusammenhang der Behandlung ihres Dienstmädchens Helene Nesnakomoff, die in ihrem Hause ein Auskommen gefunden hatte.

Während die Malerei des Bildes mit dem Leibburschen im akademischen Sinne als realistisch präzise beschrieben werden kann, ist die Pinselführung in dem späteren Bild des Tagelöhners lockerer, großzügiger und persönlicher. Details werden nur noch angedeutet, nicht mehr minutiös ausgearbeitet. Auch wurde auf eine genau bestimmbare Lichtführung verzichtet. Werefkin objektivierte ihre Betrachtungsweise und versucht, den ganzen Menschen zu erfassen. Ihr Hauptaugenmerk gilt der Gesamterscheinung der Gestalt und deren Physiognomie. Sie versucht, das Innenleben und die Gefühlswelt dieses am Rande der Gesellschaft lebenden Menschen zu ergründen, indem sie vor allem das Gesicht und den Ausdruck der Augen einer tiefgehenden psychologischen Analyse unterzieht. Ihre Darstellung zeigt eine tiefe Menschlichkeit und verleiht den Erniedrigten Würde.

Ihre neuen Arbeiten schickt die Werefkin zu Ausstellungen der Peredwishniki, wo sie Erstaunen erregen. Repin, der mit besonderer Aufmerksamkeit den Erfolg und die Fortschritte seiner in Litauen weilenden Freundin beobachtete, telegrafiert am 18. Oktober 1891 die eilige Nachricht aus St. Petersburg und schreibt ihr am gleichen Tage

Abb. 25 Marianne Werefkin: *Mann im Pelz*, um 1890

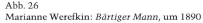

Abb. 26
Marianne Werefkin: *Bärtiger Mann*, um 1890

27

28

29

Abb. 27
Marianne Werefkin: *Jüdischer Tagelöhner*, um 1890

Abb. 28
Marianne Werefkin: *Der Hausdiener*, um 1890

Abb. 29 Marianne Werefkin: *Der Vorleser*, um 1893

noch einen ausführlichen Brief: »Gratuliere zum großen Erfolg – Marganowitsch – hervorragend – Ausdruck – Modellierung – Schatten vortrefflich – seit Sommer viel getan – beneide Sie – Einzelheiten brieflich – Rjepin«.[81]

Sein Brief lautet: »Bravo! Bravo! Marianne Wladimirowna! Ich war einfach erstaunt über den lächelnden Litauer mit der dreizipfligen Ohrenmütze. Wie gezeichnet, wie den Ausdruck festgehalten! Welche Modellierung, Lippen, Kinn, welch wunderbarer Ton! Das ist einfach eine Velazquezsche Sache. Ich beneide Sie. Wie sind Lippen, Augen, Backen gemalt. Diese Etude stellt die anderen in den Schatten. Dies ist ein Chef d'oeuvre. Nächst ihm gefällt mir die schwarze, nach unten schauende Jüdin, die alte mumienhafte Litauerin mit den Bleiaugen – reliefartig, aber nicht so gut gezeichnet, etwas trocken. Am schwächsten von allem die Szene der Händlerin mit dem Knaben ... Nun, aber dies ist bedeutungslos. Von Bedeutung ist, daß Sie einen kolossalen Fortschritt gemacht haben. Der Litauer?!!! Ich hoffe, Sie bald zu sehen. Von ganzer Seele wünsche ich Ihnen, während des Winters hier ebenso erfolgreich fortzufahren. Und das ist von einem weiblichen Wesen mit einer kranken Hand gemacht worden. Bravo! Bravo! Bravo! Gott gebe Ihnen Gesundheit. Aufrichtig Sie verehrend J. Rjepin«.[82]

Marianne Werefkin muß damals sehr diszipliniert und energisch ihre Malerei vorangetrieben haben. Jawlensky erinnerte sich noch 1937 in Wiesbaden, wie er mit ihr zusammen sowohl im Atelier von Repin als auch in ihrem eigenen Atelier auf der Peter- und Paul-Festung in St. Petersburg und in Litauen auf dem Gut Blagodat malte: »Um sechs Uhr fingen wir schon an zu arbeiten.«[83] Jawlensky betont mit dieser Bemerkung, daß die Aufenthalte auf dem Lande keinesfalls der Sphäre der Erholung, des Urlaubs

Abb. 30 Das Atelier der Werefkin in St. Petersburg

Abb. 31 Marianne Werefkin: *Offizier in Kosaken-uniform*, 1893

oder des Müßigganges zuzurechnen waren, sondern intensive und konzentrierte Arbeit für die beiden Künstler bedeutete. Jawlensky erinnerte sich auch noch an Modelle, die ihn besonders beeindruckt haben, die er offensichtlich vorher nie studiert und gemalt hatte. »Im Sommer und Herbst arbeiteten wir in Blagodatij in Werefkins Atelier ... Unsere Modelle waren die armen Juden aus einem in der Nähe gelegenen jüdischen Ort.«[84] Das Gut der Werefkin war nicht allzu weit von der Stadt Wilna entfernt, die aufgrund der Konzentrierung ostjüdischer Bevölkerung in der Stadt selbst und den Dörfern der Umgebung den Beinamen »Jerusalem Litauens«[85] erhalten hatte. Besonders die Juden auf dem Lande lebten damals in unglaublicher Armut, politischer und rechtlicher Demütigung, so daß sie allgemein als »Luftmenschen«[86] bezeichnet wurden. Ihnen, den Besitzlosen, Entrechteten und Verfolgten galt nun das Interesse der Werefkin. Aus ihren Darstellungen spricht ein großes Wissen um diese Menschen in ihrer ausweglosen Situation und ein tiefes Mitgefühl. In ihren Bildern gibt ihnen die Werefkin eine Daseinsberechtigung, erhöht sie durch die Entdeckung ihrer Menschenwürde und erlöst sie aus der Anonymität und Gesichtslosigkeit. Wenn Repin einmal sagte: »Durch mich sind Menschen hervorgegangen«,[87] so eifert ihm die Werefkin besonders in den neunziger Jahren nach und greift auf ein altes soziales Anliegen der Peredwischniki zurück. Sie vertritt dieses allerdings nicht in der offenkundig aggressiven Form, wie es Repin in seinen *Wolgatreidlern* (Abb. 6) getan hat.

Ein Blick ins St. Petersburger Atelier (Abb. 30) zeigt uns, daß sie sich nicht nur mit dem Porträt auseinandergesetzt hat, sondern darüber hinaus Stilleben, vielfigurige Genreszenen, Landschaften und Akte gemalt hat. Jawlensky gibt uns Auskunft über Stil und Farbigkeit der Bilder: »Während dieser Zeit malte Werefkin in Öl ziemlich große Bilder in dunklen Tönen und sehr präzis in der Form.«[88] Jawlenskys Angabe über das Kolorit der Werefkinschen Malweise jener Jahre ist zuverlässig und zutreffend, wie uns andere Bilder (Abb. 31–33) belegen. Fast durchweg treten die dargestellten Personen aus einem dunklen Hintergrund dem Betrachter entgegen, um ihn schließlich mit einem rätselhaften Gesichtsausdruck zu mustern. Repin wurde durch diese Bilder mit ihrer fast mystischen Lichtführung an den spanischen Maler Francisco Zurbaran[89] erinnert und schätzte sie sehr hoch ein.

Marianne Werefkin selbst war mit sich und ihrer Arbeit dagegen unzufrieden und suchte nach neuen Wegen in der Malerei. Als sie das zum wiederholten Male Repin mitteilte, schrieb er ihr am 19. September 1895: »Trauern Sie nicht, daß Sie nicht ein Whistler sind. Sie stehen schon längst auf eigenen Füßen. Man wird sich noch vor Ihnen verneigen.«[90]

Abb. 32 Marianne Werefkin: *Selbstporträt*, 1893

Die Freundschaft mit Jawlensky

Alexej Jawlensky war vier Jahre jünger als Werefkin. Als Leutnant hatte er es geschafft, sich 1891 von Moskau nach St. Petersburg versetzen zu lassen, um abends in der Akademie Zeichnen und Malen studieren zu können. In seinen Lebenserinnerungen schrieb er: »Repin nahm mich eines Tages mit zu seiner Schülerin Marianne Werefkin in der Peter-Pauls-Festung, deren Kommandant ihr Vater, ein hoher General, war ... Ich wurde Freund von ihr, von dieser klugen, genial begabten Frau ... Diese Bekanntschaft sollte mein Leben ändern.«[91] (Abb. 34) Aber auch das Leben der Werefkin sollte durch diese Begegnung tiefgreifend verändert werden. Ehe jedoch die Frage einer Lebensgemeinschaft auftauchte, vergingen einige Jahre.

Sie, die Ältere und in der Malerei die Fortgeschrittenere, beschloß, den jungen, mittellosen, aber talentierten Leutnant zu bilden und in der Kunst zu unterrichten. Dies in dem Moment, wo sie aus ihrem Instinkt heraus gegen Repins Kunst und Einfluß und damit schließlich auch gegen ihre eigene Kunst kämpfte. Sie war unzufrieden mit dem Realismus, den sie meisterlich beherrschte, stellte ihn in Frage. Sie schien zu spüren, zu wissen oder zu ahnen, daß andernorts auf dem Gebiet der bildenden Künste schöpferische Taten von allerhöchster Bedeutung vollbracht wurden, während man in ihren Kreisen, auch sie selbst, sich an das Dogma hielt, daß Malerei nur zur Wiedergabe der realen Welt dienen könne. Repin prophezeite ihr damals, daß sie bestimmt einmal viel weiter in ihren Aussagen kommen werde als er, und er bestätigte sie in ihrem Vorwärtsstreben, ihrem »Drang«. »Vollbewußt projizierte sie ihren Schaffensdrang nach außen; in Jawlensky glaubte sie das geeignete Objekt dafür gefunden zu haben. Er sollte das verwirklichen, was sie zunächst noch dunkel in sich verspürte.«[92] Aus der anfänglichen Lehrer-Schüler-Freundschaft zwischen Jawlensky und der Werefkin entwickelte sich mit der Zeit ein äußerst kompliziertes menschliches Verhältnis. Sie selbst bezeichnete es später als »Drama«.

In ihrer Unzufriedenheit mit sich selbst und ihrer Kunst glaubte sie, daß es nur einem Mann möglich sei, Neues zu schaffen. »Ich bin Frau, bin bar jeder Schöpfung. Ich kann alles verstehen und kann nichts schaffen ... Mir fehlen die Worte, um mein Ideal auszudrücken. Ich suche den Menschen, den Mann, der diesem Ideal Gestalt geben würde. Als Frau, verlangend nach demjenigen, der ihrer inneren Welt Ausdruck geben sollte, traf ich Jawlensky und beschäftigte mich mit ihm ... Ich suchte die andere Hälfte meiner selbst ... In Jawlensky meinte ich sie erschaffen zu können ... Rein göttlicher Wunsch. Auf der Erde nicht erfüllbar.«[93]

In einem Brief schildert die Werefkin die Anfänge ihrer Bekanntschaft mit Jawlensky: »Im Hause meines Vaters lernte ich Jawlensky kennen. Er war ein kleiner Offizier, war arm wie eine Kirchenmaus. Seine Brüder lebten zwischen Hunger und Sattessen. Er studierte auf der Kunstakademie ... Ich liebte seine Kunst und wollte ihr helfen.«[94]

Eine andere Verbindung mit Jawlensky als die durch die Kunst und freilich auch durch Sympathie (Abb. 35) bestand für Marianne Werefkin zunächst nicht. »Er gefiel mir; ich wußte, daß er sehr leichtsinnig war und viele Frauengeschichten hatte ... Ich war sachlich tief mit einem anderen Mann verkettet«[95], eben jenem Dr. Lesin, der ihr ein Heim bieten wollte. Der Vater war darüber informiert, ebenso über die Art des Interesses, das seine Tochter an Jawlensky fand. Zu jedem ihrer Vorhaben hatte sie seine Einwilligung. »Mein Vater liebte mich unglaublich und wollte immer jeden Stein von meinem Lebenspfad nehmen. – Ich brauchte mir also damals keine Sorgen um Jawlensky zu machen. Er war, wie er war. – Mein Vater erlaubte mir, ihn auf unser Gut für die Sommerstudien einzuladen. – Ich liebte seine Kunst, das war die Hauptsache.«[96]

Werefkin fördert und bildet Jawlensky, sie unterrichtet ihn in der Malerei und bringt ihn mit Freunden und Gönnern zusammen. Rastlos bildet sie seine Persönlichkeit, muß aber nach drei Jahren erkennen, daß sie, wohl zu temperamentvoll und zu stürmisch, Jawlensky ein zu großes Lernpensum abverlangt. Seinem ganzen Wesen nach ist er ihren Anforderungen und ihrer Bildung nicht gewachsen. Jawlensky wurde einmal zutreffend charakterisiert: »Er war von melancholisch-phlegmatischem Temperament und dementsprechend großer Gemütstiefe, aber zugleich auch von einer nicht zu leugnenden dumpfen Schwerfälligkeit.«[97] Es ist symptomatisch für Jawlensky, daß er immer eine lange Anlaufzeit brauchte, ehe er sich zu einem Entschluß durchringen konnte. Dies gilt für sein privates Leben, insbesondere aber für seine Entwicklung in der Kunst. Hatte er die Hemmschwellen endlich überwunden, dann setzte er sich geradezu mit einem blinden Eifer für das Neue ein. Sein künstlerisches Œuvre wie auch seine Lebenserinnerungen sind ein beredtes Zeugnis dafür.

Nach drei Jahren der künstlerischen wie geistigen ›Erziehung‹ Jawlenskys zieht Werefkin Bilanz, die sie ihrem Tagebuch anvertraut: »Drei Jahre vergingen in unermüdlicher Pflege seines Verstandes und seines Herzens ... Meine letzten Anstrengungen während dieser drei Jahre, in einer anderen Seele Widerhall zu finden, zerfallen ... Ich stieß auf Begrenzung und heute sinken mir die Hände ... Bis jetzt führte alles zu nichts. In Jawlensky fand ich zwar viel Widerhall, ich erweckte in ihm eine ganze Welt, aber er verstand mich nicht, und er schaute auf, traurig, banal traurig ... Drei Jahre lang habe ich Schritt für Schritt mit ihm getan, Vorhang nach Vorhang für ihn geöffnet, ihm seine Talente, das Mysterium der Kunst gezeigt ... Ich gab ihm künstlerische Erziehung. Daß er selbst nichts merkte, ist nicht seine Schuld. Jeder gibt, was er kann. Er nahm, was er konnte, und so, wie er konnte, war er dankbar ... Vieles wurde in ihm geweckt.«[98]

Abb. 33 Marianne Werefkin: *Bildnis Alexej Jawlensky*, 1896

Abb. 34 Jawlensky im Atelier der Werefkin in
St. Petersburg

Werefkin ist niedergeschlagen und denkt immer wieder daran, die Freundschaft
mit Jawlensky aufzugeben, da es ihr unmöglich ist, ihn zu ihrem Werkzeug zu machen.
Sie weiß aber, und spürt es auch, daß in ihm ein großes malerisches Talent schlummert
und daß er sie braucht, wenn es je geweckt werden sollte. So schleppen sich weitere Jahre dahin, in denen ihr Verhältnis oft durch nicht geringe Spannungen getrübt ist. Immer
wieder führt die Tatsache, daß sie die Überlegene ist, zu Problemen: »Bei der warmen
Sonne meiner Seele, meines Verstandes und meines Herzens entwickelte sich sein Wesen, erwachte in ihm der Künstler, und ich liebte ihn als Frau, als Mutter, ohne Leidenschaft, ohne körperliche Begierde, mit allen Kräften des reinen Gefühls ... Alles, alles,
was er von mir erhielt, gab ich vor, zu nehmen. Alles, was ich in ihn hineinlegte, gab ich
vor, als Geschenk zu empfangen.«[99] Als die Werefkin Jawlensky eines Tages erklärt,
daß sie für ihre Art des Mäzenatentums wenigstens ein wenig Zuneigung von ihm brauche, antwortet er: »Ich kann Sie nur als Schwächere lieben, aber Sie sind mir zu stark ...
Ich betrachte Sie nur als eine liebe Frau ... Das wäre anders, wenn Sie jünger, das heißt
schwächer wären.«[100] In ihrer Liebe zu ihrem Günstling ist sie sogar bereit, sich selbst
zu verleugnen: »Ich machte mich zur Schwachen, ich entsagte meinem Willen, meinen
Wünschen, meinem Leben ... Ich verbarg mich hinter weiblicher Schwäche, mein
eigenes Studium vorgebend und duldend, daß er mich schlecht behandelte ... Ich stellte
mich als Schüler, als Kind, damit die Nähe des Rivalen ihn nicht bei der Arbeit stören
sollte ... Damit er nicht auf mich als Künstler eifersüchtig sein sollte, verbarg ich vor
ihm meine Kunst ... Ich kann mit dem Gedanken nicht fertig werden, daß ich der Hintergrund seines Lebens bin, beruhigender Hintergrund, Hindernisse entfernend.«[101]

Während des Sommeraufenthaltes auf dem Werefkinschen Gut in Litauen 1895 steigern sich die Spannungen, Mißverständnisse und Auseinandersetzungen bis ins Unerträgliche. Es kommt zu Szenen, die beinahe dazu führen, daß sich der Bruder Wsewolod für seine Schwester mit Jawlensky dueliert. Eine gewisse Rolle spielt dabei auch das neue Dienstmädchen der Werefkin, Helene Nesnakomoff. Während das junge Mädchen Jawlensky als Modell dient und er auch ein Verhältnis mit ihr hat, entdeckt er plötzlich seine Leidenschaft auch für die Werefkin. »In meinem Atelier sagte mir Jawlensky eines Tages: ›Ich muß Ihnen heute sagen, daß ich Sie liebe‹ ... Er drang in mich und flehte mich an, bei meinem Vater die Möglichkeit für Studienzwecke im Ausland zu erzielen ... Ich erwiderte ihm: ›Ich liebe Sie zwar nicht, wäre aber sehr froh, wenn zwischen uns eine zärtliche, nette Freundschaft in gemeinsamer Liebe zur Kunst aufblühen könnte ... Ich werde alles der Entscheidung meines Vaters überlassen.‹« [102] Jawlensky war mit dem Vorschlag einverstanden, und die Werefkin wendete sich an ihren Vater, der zunächst nicht genau verstand, wie sich seine Tochter die gemeinsame Zukunft mit Jawlensky vorstellte: »›Willst Du ihn heiraten?‹ – Ich lachte und sagte: ›Ich denke nicht daran.‹ ›Da tust Du recht‹, sagte mein Vater, ›er ist nämlich mehr als arm und besitzt absolut nichts, und Du wirst nach meinem Tode nur Deine Pension haben, die zwar groß ist, die Du aber nur bis zu Deiner Verehelichung bekommen wirst.‹ ... Ich sagte: ›Alles wird sein, wie Du sagst ...‹ und bat ihn um seinen Segen, um mit Jawlensky durch das Leben gehen zu können ... Er sagte zu mir: ›Ich kann Dir doch nicht meinen Segen zu außerehelichen Kindern geben.‹ Und ich versprach meinem Vater, daß so etwas nie stattfinden würde. Wenn wir ein leibliches Kind hätten haben sollen, so hätten wir geheiratet und die Armut gewählt. Aber wir hatten ja schon ein Kind – unsere Kunst – denn die Kunst von Jawlensky ist ein Werk von mir, von mir geweckt, von mir erzogen, von mir großgezogen ... Mein Vater gab also seine Einwilligung in meine freie Ehe mit Jawlensky ... Jawlensky bedankte sich mit einem Brief bei meinem Vater, wo er schrieb, daß er, wenn er das Geringste sein Eigen nennen könnte, meinen Vater um meine Hand bitten würde. So aber dankte er für seine weitherzige Einsicht ... und gab ihm sein Mannesehrenwort und verpfändete ihm gegenüber seine Ehre und sein Gewissen, daß von nun an bis zum Tode sein, Jawlenskys, Leben mir gehöre. Der Brief ist da.« [103] So der Wortlaut eines Briefes der Werefkin an einen Freund aus jenem Jahr 1922, als Jawlensky in Wiesbaden Helene heiratete und seinen Schwur gebrochen hatte.

Als Jawlensky in den dreißiger Jahren an seinem Alterswerk, den großartigen Meditationen, arbeitet, leidet er an Arthritis, die sich immer mehr verschlimmert. Zeitweise kann er nur unter großen Schmerzen malen, manchmal verdammen sie ihn auch zur Bewegungslosigkeit. In diesen Jahren blickt er immer wieder auf sein Leben zurück und kommt auffallend oft im Zusammenhang mit seinem unheilbaren Leiden, das er als Strafe Gottes für sein selbstsüchtiges und ausschweifendes Leben betrachtet, auf die Werefkin zu sprechen. [104] Beständig suchte er Wege zur Aussöhnung mit ihr. Von Wiesbaden aus begleicht er alte Schulden und überweist ihr Geld in die Schweiz, das sie zum Leben bitter nötig hat. Sie aber schickt es zurück. [105] Er versucht, ein Verzeihen der Werefkin zu erreichen, indem er ihr sein erstes graphisches Werk, eine Mappe mit Lithographien, [106] widmet. Am 12. Juli 1923 schreibt Jawlensky an einen Freund: »Was den-

Abb. 35   Jawlensky mit Marianne Werefkin und einer Verwandten, um 1893

ken Sie über eine Widmung. Helene möchte auf keinen Fall, daß man ihr widmet ... Wenn man widmen müßte, dann nur Werefkin. Ich bin mit ihr auseinander wegen Lebensnot ... menschlich bin ich nicht auseinander ... als Künstler bin ich ihr sehr, sehr verpflichtet.«[107] Es kommt jedoch nicht zu der Widmung. Später bittet Jawlensky den Schweizer Kunstsammler Karl Im Obersteg um Vermittlung bei der Werefkin: »Nach einem allgemeinen Gespräch sagte ich ihr: ›Jawlensky läßt Ihnen sagen, daß er unter der Entzweiung sehr leide. Er ersucht mich, Sie zu bitten, ihm zu verzeihen.‹ Sie antwortete mir: ›Jawlensky?‹ Der Name klang fremd, als ob sie ihn seit der Kindheit nie mehr ausgesprochen hätte. ›Jawlensky?, ach so! Ich habe ihn ja vergessen, da kann ich ihm doch nicht verzeihen. Aber nun, da Sie mir sagen, daß er leidet, so bitte ich Sie, ihm zu sagen, daß ich für ihn beten werde.‹«[108] Werefkin ist damals, 1936, noch so verletzt, daß sie Jawlensky von dem Schwur, den er 1895 ihrem Vater gegenüber geleistet hatte, nicht löst. Zuvor hat Jawlensky anderen guten Freunden anvertraut: »Die Ursache meiner Krankheit hat niemand verstanden. Ich spreche mit Gott und bete und bitte ihn, mir zu verzeihen ... Ich habe sehr schwere Strafe bekommen und muß mit Geduld und ruhig alles tragen ... Ich weiß, daß ich oft böse Sachen gemacht habe, aber wirklich ohne Böses zu wollen. Meine starke Leidenschaft und Egoismus waren schuldig, aber nie mein Herz oder Seele.«[109] Als Jawlensky 1938 vom Tod Marianne Werefkins in Ascona erfährt, ist er tief betroffen. An den gemeinsamen Freund aus den Münchner Jahren, Pater Willibrord Verkade, schreibt er am 12. Juni 1938: »Jetzt bin ich ein Krüppel. Ich kann nicht arbeiten, ich kann nicht gehen und stehen, ich muß immer liegen und leide entsetzlich. Vielleicht haben Sie gehört, daß im Februar Baronin Werefkin gestorben ist. Es war ein harter Schlag für mich. Ja, ja, einmal gemachte Fehler muß man früher oder später büßen. Und wie hart oft.« Jawlensky weiß sehr genau, daß er dem Pater Verkade in seinem langen und sehr persönlichen Brief, in dem er einen Abriß seiner Lebensgeschichte gibt, auch eine Aufklärung seiner jetzigen familiären Situation schuldig ist. Denn dieser kennt ja von München her durch viele Besuche in der Giselastraße die Lebensgemeinschaft in anderer Konstellation. Und so fügt Jawlensky am Ende seines Briefes an Verkade als Marginalie ein: »Meine Frau Helene und mein Sohn Andrej sind mit mir.«[110]

Helene

Obwohl Helene, Marianne Werefkins früheres Dienstmädchen und Jawlenskys spätere Frau, auf vielen Bildern Jawlenskys verewigt wurde, wußte man bislang nur wenig und Ungenaues über diese Frau.[111] Ihr Mädchenname Nesnakomoff, der in der Übersetzung ›eine Unbekannte‹ lautet, scheint fast wie ein Signum ihr Leben bestimmt zu haben. Eine weitgehend Unbekannte blieb Helene auch den Freunden Jawlenskys, wie der Bericht von Elisabeth Erdmann-Macke verdeutlicht: »In München besuchten wir den Maler Alexej von Jawlensky. Er gehörte neben Bechtejeff, Erbslöh und Kanoldt auch zur Neuen Vereinigung zusammen mit der ihm befreundeten Kollegin Marianne von We-

refkin. Sie hatten zwei Atelierwohnungen auf dem gleichen Stock inne ... Sie lebten damals in großer Freundschaft miteinander, sie hatten wohl auch die Geldmittel, die zu
dem unbekümmerten Künstlerleben nötig waren ... In einem kleinen Nebenzimmer
lebte Hélène, eine junge, hübsche Person, die still und unbemerkt den Haushalt ver-
sorgte und alle täglichen Arbeiten verrichtete, aber nie mit am Tisch saß, wenn Gäste
anwesend waren. In dem kleinen Zimmer stand ein Feldbett, eine Nähmaschine, ein
Kinderpult, und es waren viele bunte Kinderzeichnungen mit Reißnägeln an der Wand
befestigt. Der kleine André, der ›Neffe‹ von Jawlensky, in Wahrheit sein und Hélènes
Sohn, hatte sie gemalt [Abb. 36]; Jawlensky zeigte sie uns in Abwesenheit des Jungen mit
großem Stolz, aber ein wenig lag immer ein Geheimnis über diesen drei Menschen und ihrer Zugehörigkeit zueinander ... Jawlensky sah ich achtzehn Jahre später wieder ...
Inzwischen war er ein schwerkranker Mann geworden ... Auf Drängen von André ... hatte er Hélène geheiratet und war mit ihr nach Wiesbaden gezogen.«[112]

Daß es im Leben und Werk von Jawlensky viele Geheimnisse gibt, die manchmal
nur sehr schwer zu lüften sind, ist nicht unbekannt. So nahm man denn auch einen ausführlichen Presseartikel von 1967, der über die fehlerhafte Schreibweise auf dem Grabstein von Helene und Alexej Jawlensky auf dem Wiesbadener Russischen Friedhof berichtete, recht gelassen auf. Seine Schlagzeile lautete: »Ein Grabstein irrt«.[113] Dieser
Grabstein gibt als Geburtsjahr von Helene 1881 an. Als 1983 bei der großen Jawlensky-
Ausstellung in München und Baden-Baden ein Porträt mit dem Titel *Helene (fünfzehnjährig)* gezeigt wurde (Abb. 37), das Jawlensky eigenhändig signiert und datiert hat, frag-
ten sich viele detailinteressierte Liebhaber von Jawlenskys Kunst, ob nun der Grabstein
irre oder gar die Signatur und die Datierung auf dem Jawlensky-Bild falsch seien. Denn
man hatte nachgerechnet: 1900 minus 15 ergeben ein Geburtsdatum von 1885 für Helene. Wäre das Geburtsdatum 1881 auf dem Grabstein richtig, so würden die Angaben des
Jawlensky-Kataloges der Ausstellung in München[114] und Baden-Baden nicht stimmen,
was ja kaum anzunehmen war. Falsch wäre dann außerdem die Einordnung der für Jawlenskys Werk so wichtigen impressionistischen Stilphase, die er zum Teil dem Schwe-
den Anders Zorn, auch seinem slowenischen Lehrer Anton Ažbè verdankt, wie wir
noch ausführlich hören werden.[115]

Aufschluß über Helenes Herkunft und weiteres Schicksal – und damit über die
Richtigkeit der Angaben im genannten Ausstellungskatalog – gibt ein Brief von Marianne Werefkin.[116] Darin berichtet sie, daß sie Helene in ihre Familie und ihr Haus im Alter
von neun Jahren aufgenommen habe, nachdem der Stiefvater, ein Polizeisoldat, verstor-
ben war. Er hinterließ seine Frau, eine Trinkerin, als Bettlerin. Der Bruder von Helene,
dessen Name nicht genannt wird, saß wegen Diebstahls im Gefängnis, die ältere
Schwester Maria war in ein Mädchenasyl aufgenommen worden. Helene wurde Lehrling bei der Kammerzofe der Werefkin. Jawlensky lernte Helene 1895, als sie zehn Jahre
alt war, auf dem Landgut Blagodat in Litauen kennen und benutzte sie sofort als Modell.
Sehr bald entwickelte sich ein intimes Verhältnis zwischen dem ungleichen Paar, das
die Werefkin duldete. Darüber machte sie sich später mehrfach schwere Vorwürfe:
»Ich gestehe meine Schuld ... in Rußland waren die Verhältnisse damals anders. Helene
kam auf diese Weise in ein Haus, wo sie sich sattessen und warm leben konnte. Sie

Abb. 36
Andreas Jawlensky: *Mädchen mit Hut*, um 1910

Abb. 37
Alexej Jawlensky: *Helene (fünfzehnjährig)*, 1900

sollte Zimmermädchen werden und war unter der Aufsicht meiner älteren Zofe. Ich hatte mich nicht viel um sie zu kümmern. Es war ein großer Fehler, den ich auch eingestehe ... Die späte Einsicht in diese Schuld habe ich mit vielen, vielen Schmerzen bezahlt.«[117]

Als Werefkin und Jawlensky 1896 nach München übersiedeln, reist auch Helene mit. Sie versorgt den Haushalt und wird zum wichtigsten und stets greifbaren Modell für Jawlensky und andere Malerfreunde. Als Helene 1902 in Rußland Jawlenskys Sohn Andreas zur Welt bringt, geht merkwürdigerweise die Legitimation für Helene von 1896 bei der Meldebehörde in München verloren. Eine ›Fehlliste‹ mußte 1903 bei der Rückkehr aus Rußland angelegt werden. Zusammen mit Werefkin, Jawlensky, Helene und Andreas kommt 1903 aber auch gleichzeitig Helenes ältere Schwester Maria mit nach München. Als Geburtsjahr der älteren Maria trägt die Meldebehörde in München 1885 ein, in die ›Fehlliste‹ der jüngeren Helene dagegen 1881. Die Geburtsdaten der Schwestern wurden ganz offensichtlich vertauscht.

Als sie alle – Werefkin, Jawlensky, Helene und Sohn Andreas – bei Ausbruch des Ersten Weltkrieges in die Schweiz emigrieren, ist Helene fast dreißig Jahre alt. Erst nachdem das Zarenreich untergegangen und die Werefkin selbst arm und alt geworden war, begann sich Helene – die in das Haus der Werefkins aufgenommen worden war, nachdem ihre Mutter sämtliche Elternrechte an Marianne Werefkin abgetreten hatte – zusehends zu emanzipieren. Auch Jawlensky löste sich in der Schweiz langsam von Marianne Werefkin. Er hatte in der jungen und wohlhabenden ehemaligen Malerin Emmy Scheyer einen gewissen Ersatz für Werefkin als Verkünderin seiner Kunst gefunden. Mit Hartnäckigkeit verfolgte damals Helene ihr Ziel, den Vater ihres Sohnes zu heiraten, wenngleich dieser damit gar keine Eile hatte. An den Lehrer seines Sohnes, August Schädl, schrieb Jawlensky am 1. März 1920: »Sie wissen wohl, daß ich mich mit Frau Helene trauen wollte und somit André meinen Namen geben ... Aber das muß vorläufig auf eine andere Zeit verschoben werden ... Ich möchte jetzt auf alle Fälle André adoptieren ... Ich brauche einen schriftlichen Beweis, daß ich André erzogen, verpflegt habe, und daß er immer mit mir gelebt hat ...«[118] Erst im folgenden Jahr begreift Jawlensky, daß er mit einer Adoption der Mutter das Schlimmste antun würde: »Wenn ich nur adoptiere, nehme ich von Helene alles, sogar Sohn ...«[119]

Der Emanzipationsprozeß Helenes wurde in Ascona so temperamentvoll ausgetragen, daß die Dorfbewohner daran Anteil hatten. Claire Goll berichtete: »Alexej von Jawlensky hatte bereit die Fünfzig überschritten, als wir ihn kennenlernten ... Mit seinem runden Kopf und seinem zur Fliege gebundenen Schlips teilte er seine Zeit zwischen Marianne von Werefkin, einer Gouverneurstochter aus Wilna, die seit dreißig Jahren seine Geliebte war, und seinem Sohn André, der Frucht eines Schäferstündchens mit dem Dienstmädchen [Helene], das Marianne von Werefkin aus Rußland mitgebracht hatte. Jawlensky vergötterte das Kind, was seiner Mutter [Helene] die Möglichkeit gab, Marianne das Leben unerträglich zu machen. Das baufällige Schlößchen, das sie in Ascona bewohnten, schallte vom Morgen bis zum Abend von zankenden Stimmen. Eines Tages sollte es so weit kommen, daß der Grandseigneur Jawlensky die Werefkin verstieß und die Köchin heiratete.«[120]

Umzug nach München

Als Marianne Werefkins Vater 1896 starb, erbte die Tochter eine zaristische Pension, die jährlich 7000 Rubel ausmachte. Sie war die Grundlage, um mit Jawlensky sorglos ins Ausland gehen zu können. Jawlensky nahm seinen Abschied vom Militär. Zugunsten von Jawlensky bricht die Werefkin sämtliche Brücken hinter sich und ihrer Kunst ab – die sie für zehn Jahre völlig aufgibt –, um sich ausschließlich der Aus- und Weiterbildung ihres Schützlings zu widmen. In welcher Rolle sie sich sieht, spricht sie klar aus: »Wenn das Genie und sein Publikum in Disharmonie sind, so gibt es Stillstand im Gang der universellen Kultur. – Es muß also ein Publikum gebildet werden. Dies ist die Rolle der Frau. Sie ist da, um Verkünder der neuen Idee zu sein, besonders in der Kunst, um das Genie der Masse zu erläutern.«[121] Mit ihrem gesamten Haushalt, einem Inventar von Rokoko-, Empire-, Biedermeiermöbeln, russischem geschnitzten Bauernmobiliar (Abb. 38), Bildern und Dienerschaft, verläßt sie Rußland in Begleitung Jawlenskys und seiner Geliebten Helene. Bestimmungsort ist ursprünglich Paris.[122] Der Plan wird jedoch geändert. München genießt zu dieser Zeit den Ruf einer für Modernität aufgeschlossenen Kunststadt. Es ist der Ort, an dem der Jugendstil geboren wurde. München gilt neben Paris als Hauptstadt der Moderne. »In Moskau wie in Barcelona hieß die Sehnsucht der Maler: München.«[123] Die Werefkin mietet in München eine Doppelwohnung in der Giselastraße 23 (Abb. 39).

Ihr Aufbruch in den Westen war die Konsequenz einer rationalen Überlegung: »Gelesen habe ich ausreichend, nachgedacht habe ich viel und ich glaube, es mir schuldig zu sein, dasjenige, was von dieser intellektuellen Arbeit übrig geblieben ist, aufzubewahren. Wenn ich je auf etwas stolz war, so war ich es auf meinen Verstand. Warum soll ich jetzt, wo er in seiner vollsten Kraft ist, wo er nichts zu befürchten, nichts mit Vorsicht zu handhaben hat, nicht einige Spuren davon für andere Zeiten aufbewahren, in denen er versagen, ja vielleicht sich selbst versagen könnte ...«[124]

Was die Kunst anbetrifft, so sagte sie: »Schulung ist immer und unbedingt notwendig. Bei uns in Rußland gibt es sie nicht. Europa gibt sie wie Lesen und Schreiben.« Und sie schrieb als Prophezeiung: »Die Kunst der Zukunft ist die emotionale Kunst«[125] – die ihrer Vorstellung nach Jawlensky verwirklichen sollte. Aber das Zusammenleben und ihre Bemühungen, Jawlensky nach ihren Vorstellungen zu bilden, führten zu Konflikten, die sie an den Rand der Verzweiflung brachten. »Ich stehe wieder da mit der Kraft, mit der man kämpft, die nicht nachgibt, aber der Traum eines Echos meines inneren Lebens verflog ... Aber ich – ich bin Frau. Ich quäle mich damit ... Ich kenne Jawlensky zu gut, um mit ihm in einer Chimäre zu leben ... Für ihn bin ich nicht die Frau, ohne die er nicht leben kann ... Ich werde versuchen fortzugehen. Aber ich liebe ihn, und ich hätte so sehr den Wunsch, daß er beginnen würde, mit dem Herzen in meiner Sprache zu reden. Ich kann mit dem Gedanken nicht fertig werden, daß ich der Hintergrund seines Lebens bin, beruhigender Hintergrund, Hindernisse entfernend ... Das Herz hat sich nicht getäuscht, bei mir ist es der Ankündiger. Gott, hilf mir!«[126]

Immer wieder versuchte Marianne Werefkin während ihres siebenundzwanzigjährigen Zusammenlebens, von Jawlensky loszukommen. Trotz aller Demütigungen –

Abb. 38 Möbel, russische Bauernschnitzerei und ein bayerisches Hinterglasbild aus der Münchner Wohnung der Werefkin

Abb. 39 Alexej Jawlensky: *Blick aus dem Fenster der Wohnung in der Giselastraße 23 in Schwabing,* um 1906

vergebens. Immer wieder erinnerte sie sich an die gegenseitigen Versprechen von einst: »Als wir uns trafen, sagten wir zueinander: ›Helfen Sie mir im Leben, und ich helfe Ihnen in der Kunst.‹ – Ich erfüllte ehrlich meinen Teil, tat alles. – Ich brachte ihn mit Repin zusammen, befreite ihn vom Dienst, gab ihm ein Atelier und die Möglichkeit, ohne Sorge zu arbeiten, pflegte seine Gesundheit, machte ihn frei von der Routine der Akademie, umgab ihn mit Glorienschein, brachte ihn ins Ausland, formte seinen Geschmack, gab ihm Wissen, lehrte ihn die Kunst lieben, verschaffte ihm Gönner, gab ihm die Möglichkeit, großzügig und sorglos Farben, Leinwand und Modelle zu verwenden. In sein Leben brachte ich eine ganze Familie von Freunden, ich habe ihn geschliffen, gab ihm Komfort, gab getreulich unermüdliches Verständnis ... Und er was? Er trennte mich von allen meinen Nächsten, und durch ihn kam mein guter Name ins Schwanken, durch ihn wurden meine Seele und meine Nerven zerrissen, durch ihn kann ich nicht mehr ich selbst sein. Er vernichtete in mir jede Hoffnung auf zukünftiges Schaffen. Wie einst meine Großmutter mein Selbstvertrauen in meine Schönheit vernichtete, so tat er es mit meiner Kunst.«[127]

Aus dem letzten Satz, 1899 geschrieben, geht sehr deutlich hervor, daß sie zu jener Zeit selbst nicht künstlerisch tätig war. Aus heutiger Sicht und heutigem Wissen – in einer Überschau des Lebens und Werkes beider Künstler – wird aber auch deutlich, daß die Werefkin vor der Jahrhundertwende nicht in der Lage war, Jawlensky deutlich zu zeigen, in welche Richtung er sich künstlerisch zu entwickeln habe, um ihren Idealvorstellungen entsprechen zu können. Ihm müssen ihre Haltung und ihre Forderungen tatsächlich geheimnisvoll und mysteriös erschienen sein. Wir werden sehen, daß sie erst von 1903 an selbst so weit war, ihren Freunden – insbesondere natürlich Jawlensky – neue Wege in der Kunst weisen zu können. Dies wird sie zunächst nur verbal tun, ehe sie begreifen wird, daß sie Künstlern – Augenmenschen – nur malend Vorbild sein kann, was sie dann schließlich 1906 veranlassen wird, wieder zu Pinsel und Palette zu greifen. Zwischenzeitlich lebt sie künstlerisch völlig abstinent. Sie hat zwar immer wieder das Gefühl, daß sie malerisch tätig sein müsse, verwirft aber den Gedanken sehr schnell wieder, da ihr selbst noch die Perspektive für eine künstlerische Idee fehlt. Ihre persönliche Lage erscheint ihr aussichtslos, macht sie mutlos, und sicherlich überträgt sie ihre eigene Situation oftmals auf Jawlensky. Eine ganze Reihe seiner Äußerungen in seinen Lebenserinnerungen aus diesen Jahren bestätigen die wechselseitigen Belastungen, denen sich beide Künstler aussetzten: »Ich blieb mit Werefkin in München. In unserer Wohnung hatte ich ein großes Atelier. Ich fing jetzt an, selbständig zu arbeiten, zu suchen, um mich selbst zu finden ... Ich war immer unzufrieden ... Und als ich endlich das erreicht hatte, war mir gefiel, gefiel es gerade den anderen Künstlern nicht ... Ich war immer unzufrieden mit dem, was ich malte, und fing jetzt an, Stilleben zu malen ohne irgendeine Richtung, meistens Früchte. Und probierte immer, dies in eine Harmonie zu bringen.«[128] – Jawlensky malt also »ohne irgendeine Richtung«, das heißt, niemand, auch die Werefkin nicht, konnte ihm ein stilistisches Vorbild vermitteln, an dem er sich hätte orientieren können.

Es ist gewiß nicht übertrieben, anzunehmen, daß sich die Werefkin damals in einer Zwangssituation befand, in die sie sich selbst hineinmanövriert hatte. Nichts scheint verständlicher als ihr Wunsch, aus dieser wieder herauszukommen: »Nichts mehr habe ich vor mir, als den eigensinnigen Wunsch, aus dem Schlamm des Lebens herauszusteigen ... Ich will wieder meine Kunst ergreifen und zusammen mit ihr alles zur Reinheit zurückführen.«[129] Die Lösung ihrer Probleme und ihre frühere Selbstsicherheit würde sie nur in der Kunst finden, sobald sie ihren Freunden »neue Horizonte aufzeigen« könne, soviel war ihr schon 1899 klar. Aber bis dahin sollten noch Jahre vergehen. Zunächst suchte sie selbst noch nach Neuem, gründete eine Künstlergemeinschaft ›Sankt Lukas‹, schickte Jawlensky in die Ažbè-Schule in München und inszenierte eine klassische Bildungsfahrt nach Italien.

Der Salon der Werefkin und die Lukasbruderschaft

Die komfortable Wohnung der Werefkin in der Giselastraße im Münchner Stadtteil Schwabing entwickelte sich sehr bald zu einem ›Salon‹. In ihr waren die Museumsdirektoren Tschudi und Pauli zu Gast, die Maler Pierre Girieud, Willibrord Verkade, die Brüder Burljuk, Marc, Kandinsky, Münter, Erbslöh, Kanoldt und viele andere mehr. Für manchen Künstler und Kunstvermittler, die zwischen Moskau und Paris hin- und herreisen, wird die Wohnung der Werefkin in München zur Zwischenstation. So zum Beispiel pflegt der Hauptvertreter der russischen symbolistischen Malerei, Viktor Borisov-Musatov, die von ihm verehrte Malerin regelmäßig in München aufzusuchen,[130] ebenso der große Erneuerer des Balletts und der Oper in Rußland, Sergej Diaghilew. Weiterhin treffen sich hier auch die italienische Schauspielerin Eleonora Duse, der Tänzer Alexander Sacharoff oder der Galerist des ›Sturm‹, Herwarth Walden. Wie viele Mitglieder die ›Lukasbruderschaft‹ vor und nach 1900 zählte, ist heute nicht mehr zu rekonstruieren. Mit Sicherheit gehörten ihr aber Kardovsky, Grabar' und Lichtenberger an.

Die Atmosphäre bei diesen Zusammenkünften, aus denen schließlich die ›Neue Künstlervereinigung München‹ und letztlich auch der ›Blaue Reiter‹ hervorgehen sollten, hat Gustav Pauli,[131] der ehemalige Direktor der Bremer und später der Hamburger Kunsthalle, Freund und Förderer Rilkes in seiner frühen Worpsweder Zeit, am eindrucksvollsten geschildert:

»Neben der bekannten Kunstwelt, die sich in ihren Erfolgen sonnte, blühte im Schatten die Opposition der Jugend etwa so wie eine kommunistische Verschwörung inmitten einer bürgerlichen Gesellschaft. Hier riß man Witze über die Helden des Tages und erschöpfte sich in der Erörterung schwieriger Grundprobleme alles Gestaltens oder plante Manifestationen, d. h. Ausstellungen, die allerdings im Hinblick auf ihre Finanzierbarkeit Schwierigkeiten bereiteten. In dieser Welt, der übrigens so wertvolle Künstler wie der im ersten Kriegsjahr gefallene Franz Marc angehörten, bildete der Salon der Werefkin einen Mittelpunkt. Sie war die international erzogene Tochter eines russischen Generals, weltgewandt, gescheit und kritisch beredt. Um ihren Teetisch sammelte sich täglich das Grüpplein der Getreuen, meist russische Künstler, u. a. auch der Tänzer Sacharoff, und ihre Münchner Freunde, eine ziemlich bunte Gesellschaft, in der sich die bayerische Aristokratie mit dem fahrenden Volk der internationalen Bohème begegnete. Für Hugo von Habermann waren es allesamt ›Schlawiner‹. Durch einen neuen Freund, den russisch-deutschen Maler Alexander Salzmann aus Odessa, war ich eingeführt worden. (Ich hatte ihn in Bremen kennengelernt, wo er als Mitarbeiter Willy von Beckeraths an den Wandmalereien der Kunsthalle gearbeitet hatte.) Nie wieder habe ich eine Gesellschaft kennengelernt, die mit solchen Spannungen geladen war. Das Zentrum, gewissermaßen die Sendestelle der fast physisch spürbaren Kräftewellen, war die Baronin. Die zierlich gebaute Frau mit den großen dunklen Augen, den vollen roten Lippen und der infolge eines Jagdunfalls verkrüppelten rechten Hand, beherrschte nicht nur die Unterhaltung, sondern ihre ganze Umgebung. Von Politik war am wenigsten die Rede. Daß die Zustände im kaiserlichen Rußland trübe waren, wurde als selbstverständlich hingenommen, ohne daß man sich weiter darum bekümmerte. Über alle Fragen der Kunst und Literatur, der alten und neuen, wurde dagegen mit unerhörtem Eifer und ebensoviel Geist debattiert – endlos, denn solche Gespräche, in denen sich die Zungen wetzten und die Köpfe erhitzten, während jeder nur an die Verfechtung der eigenen Meinung denkt, kommen nie zum Schluß.«[132]

In diesem Wirkungskreis gründete die Werefkin die Künstervereinigung ›Sankt Lukas‹. Ein Traktat von ihr klärt darüber auf, daß sie damals keinesfalls Ziele verfolgte, die mit der gleichnamigen Künstlergemeinschaft aus der Zeit der Romantik identisch waren[133]. Ganz im Gegenteil sieht sie in der Bewegung der Romantik eine »alternde« Kunstrichtung, die allerdings wesentliche Impulse zur Überwindung der »blasierten Kunst« ihrer Tage und den Grundstein für die Kunst der Zukunft geliefert habe, die sie – ähnlich wie van Gogh[134] und Gauguin[135] – als emotionale Kunst bezeichnet.

»Unsere Bruderschaft von Sankt Lukas, das ist die Vereinigung einiger weitherzig fühlender, denkender und liebender Menschen. Die Kunst hat uns vereint, wir haben uns kennen, schätzen und lieben gelernt. Kunst, Freundschaft und Sympathie für alles, was schön, gut und edel ist, das ist unser Losungswort. Meinen Brüdern von Sankt Lukas widme ich diese Gedanken, die mehr als einmal als Gegenstand unserer Gespräche dienten.

Wie sie sich gegenseitig erläutern und kommentieren, die Künstler und Politiker der Romantik! Nach dem Formellen und Konventionellen der Pseudo-Klassischen Epoche, nach dem Tod der Künste, nach der Großartigkeit der Ereignisse, – dies intensive Verlangen, ein menschliches Herz noch ganz von seinen Passionen und Leiden schlagen zu fühlen. In den Bildern von Delacroix winden sich die Glieder, und die Musik entnimmt ihre Stimme den Leidenschaften, die Staatsmänner erträumen das Glück des Einzelnen, der Bürger wird zum Bruder, zum Freund, die Literatur fließt über von Gefühl. Eine Epoche voller Übertreibung, ohne Klarheit, ohne die Ruhe des Meisterwerks, aber sprudelnd von Eingebungen und durch die Überfülle des Lebens mit sich fortreißend. Die Kunst ist nicht mehr das abgeklärte Leben, es ist das Leben selbst, verletzt, leidenschaftlich, verwirrt, sich selbst widersprechend, aber es ist das Leben und das Herz gibt ihm Antwort. –

Übertrieben in ihrer Kleidung, in ihren politischen Ideen, in ihrem Sinn für Kunst, haben die Romantiker das Interesse für das Leiden geschaffen. Diese krankhafte Note,

Abb. 41 Alexander Salzmann: *Karikatur von Jawlensky*, um 1903

an sich im Kontrast mit der Kunst, war verbunden mit einer Plejade von Genies, die diese Kunst aufdrängten. Die romantische Bewegung war als menschliche Bewegung eine anti-künstlerische Bewegung, aber das Genie ihrer Jünger hat daraus eine künstlerische Ära gemacht, die bis in unsere Tage die Kunst unter ihrem Zauber hält ... Die Romantik ist eine Erneuerung der Kunst, anders als die der Renaissance, aber ebenso vollständig. Die Renaissance war künstlerischer im engeren Sinn dieses Wortes. Sie erneuerte die Kunst einzig und allein durch die Mittel der Kunst. Die Renaissance wird in der Geschichte der Kunst eine unsterbliche Seite sein. Die Kunst der Romantik wird untergehen, da sie bereits in unseren Tagen altert ...

Das große Verdienst der Romantik ist, daß sie den ersten Stein für die Kunst der Zukunft gelegt hat. Das immense Genie Wagners hat dies gut verstanden. Die Kunst der Zukunft ist die emotionale Kunst. Bis in unsere Tage hinein war die reine Kunst die der naiv oder meisterhaft festgehaltenen Impression. Die Kunst der Zukunft ist die der Emotion – bestimmt durch die eine oder andere dieser beider Arten. Nachdem ich diese Prophezeiung geschrieben habe, fühle ich das Recht, hierauf stolz zu sein ...«[136]

Nicht nur kunsthistorisch bildend wirkte die Werefkin auf die Bruderschaft Sankt Lukas ein. Sie brachte natürlich auch ihre schillernde Anziehungskraft zur Geltung. Auch das schildert uns Pauli sehr anschaulich am Beispiel des Malers Alexander Salzmann.[137] Dieser war Mitarbeiter der Münchner ›Jugend‹ als Karikaturist, stand schon früh unter dem Einfluß der französischen Kunst der Nabis[138] und trat 1902 in Kandinskys ›Phalanx-Ausstellung‹ mit Temperabildern von Szenen des russischen Volkslebens besonders hervor.[139] Später wurde er zur Berühmtheit an den größten Bühnen der Welt als Theatermaler.[140] Pauli beschreibt, wie sehr Salzmann der Werefkin zugetan war und daß er die Fähigkeit besaß, mit unbestechlichem Scharfblick seine Mitmenschen zu beurteilen. Davon zeugen auch seine Karikaturen, in denen er zum Beispiel Jawlensky als hochnäsigen Mops in der Abhängigkeit der Werefkin zeigt – durch eine gekrönte Ligatur des Monogramms MW (Abb. 40, 41).

Pauli beobachtete, »daß die Baronin ihre zumeist jüngeren Landsleute zu einer hingebenden Freundschaft reizte, indem sie sich ihnen zugleich entzog. Eben dies war ihr Mittel, sie zu beherrschen. Damals war ihr Salzmann bis zur Hörigkeit ergeben. Doch, wie ich gestehen muß, auch zu seinem Heile. Da sie ihn als verschuldet und ziemlich haltlos kennengelernt hatte, legte sie ihm allerlei Verpflichtungen auf. Er mußte als sichtbares Zeichen seines Dienstes im linken Ohrläppchen einen winzigen Goldreif tragen, den sie ihm geschenkt hatte. Als er einmal im Winter für ein paar Wochen nach Bremen gefahren war, wo wir mit großem Erfolg eine Ausstellung seiner leicht hingeworfenen Guaschmalereien veranstaltet hatten, mußte er von dem Gewinn seine Schulden bezahlen und ihr zudem jeden Abend um zehn einen Brief schreiben. Was pünktlich geschah. Wo immer er war, auf einer Abendgesellschaft, im Theater, im Restaurant, zog er sich auf einmal wie hypnotisiert für ein halbes Stündchen zurück, um seinen Brief zu schreiben, für den er das Erforderliche fürsorglich bei sich trug. Ein merkwürdiger Mensch, der Salzmann! Er stammte aus einer Sippe schwäbischer Bauern, die zur Zeit der großen Katharina sich im südlichen Rußland angesiedelt hatten. Sein Vater war ein angesehener Architekt in Odessa gewesen, er selbst aber erschien

Abb. 42 Dmitrij Kardovsky, Alexej Jawlensky,
Igor Grabar', Anton Ažbè und Marianne Werefkin,
um 1898

Abb. 43 Zertifikat der St. Petersburger Akademie
zum Besuch der Museen in Italien, 1897

uns im körperlichen und seelischen Habitus als Typus des reinen Russen: unzuverlässig und maßlos im Genuß, jeder Verpflichtung abgeneigt, aber von ungewöhnlichem Zartgefühl in allen menschlichen Beziehungen, alles verstehend und vieles verzeihend, untrüglich in dem Scharfblick, mit dem er stillschweigend fremde Seelen durchschaute, um gegebenenfalls knapp und bildhaft sein Urteil zu formulieren, etwa so wie man ein komisches Insekt beschreibt. Wer dies begriffen hatte, stand gewissermaßen nackt vor ihm. Da man aber zugleich auch die Gutmütigkeit bemerken mußte, mit der Salzmann einen betrachtete, so durfte man sich versöhnt fühlen – zumal alles in der stummen Sprache des Gefühls vor sich ging. – Wie alles Menschliche, so durchschaute Salzmann auch sich selbst und sein Talent ohne Illusionen, d. h. er nahm sich nicht sehr ernst, betrachtete sich vielmehr als den beiläufigen Kostgänger eines geheimnisvollen Weltenlenkers ...«[141]

Anton Ažbè und seine kalte Virginia

In seinen Lebenserinnerungen schrieb Jawlensky über die Abreise aus Rußland und den Beginn des neuen Lebens in München: »Da wir, meine Freunde Grabar' und Kardovsky und ich (Abb. 42) nicht zufrieden waren mit der Art, wie an der Akademie gelehrt wurde, so beschlossen wir, zusammen mit Marianne Werefkin ins Ausland zu fahren, um weiterzustudieren. Und so kamen wir anfangs November 1896 nach München.

Marianne Werefkin und ich fanden eine Wohnung und ein Atelier in der Giselastraße 23, in der wir 18 Jahre wohnen blieben. Helene Nesnakomoff war zur persönlichen Bedienung der Werefkin mitgekommen. Nebenan in Nummer 25 fanden Grabar' und Kardovsky Wohnung und Ateliers. Grabar' und Kardovsky und ich traten in München in die bekannte Ažbè-Malschule ein ... Werefkin war immer zu Hause ... In dieser Schule arbeiteten wir drei Jahre bis 1899.«[142]

Jawlensky berichtet eindeutig, daß Werefkin nicht in der Schule von Anton Ažbè war: »Wir drei bildeten in der Ažbè-Schule eine Partei für uns, hielten zusammen, arbeiteten sehr viel ... wir waren sehr fleißig ... wir arbeiteten den ganzen Tag, und nach dem Aktzeichnen, das gewöhnlich um acht Uhr abends aus war, gingen wir meistens zu mir, um zusammen zu essen und nachher zu plaudern. Werefkin war immer im Hause. Die Stimmung war immer sehr lebendig, lustig und freundschaftlich.«[143] Dennoch wird Marianne Werefkin bis heute immer wieder als Schülerin[144] von Anton Ažbè bezeichnet.[145] Sie malte in jener Zeit nicht,[146] sie hat in den ersten Münchner Jahren offensichtlich geglaubt, daß Ažbè ihre Rolle der künstlerischen Weiterbildung für Jawlensky übernehmen könnte, sonst hätte sie für ihren Schützling ganz gewiß sofort eine andere Lehranstalt ausfindig gemacht. Aufschlußreich sind Werefkins Tagebuchaufzeichnungen, nach dem Tode von Anton Ažbè 1905: »Vor wenigen Tagen haben wir Ažbè begraben. Ich habe an seinem Grab über meine Erinnerungen und die vielen Hoffnungen, die ich in ihn setzte, geweint.«[147]

Drei Jahre übte der Slowene Ažbè mit seiner Kunst und als Person eine große Faszina-
tion auf die Werefkin und ihre Freunde aus. Sie gingen sogar gemeinsam auf Reisen.
Jawlensky erinnerte sich: »Einmal im Jahre 1899 fuhren wir im April – Werefkin, Grabar', Kardovsky, Ažbè und ich – nach Venedig.«[148] Eine Italien-Bildungsreise war offenbar ein langgehegter Wunsch der Werefkin, wie ein Zertifikat der Kaiserlichen Akademie in St. Petersburg von 1897 vermuten läßt, das ihr ungehinderten Zugang zu Museen
des Königreichs Italien zusichert (Abb. 43). Allerdings brachte jene Reise nicht den ge-
wünschten Erfolg, wie Jawlenskys Erinnerungen bestätigen: »Dann sahen wir noch die
Kunst Venedigs. Ich war nicht von dieser Kunst erschüttert trotz meiner großen Achtung und Liebe zur alten Kunst.«[149] Über weitere Begebenheiten schweigt Jawlensky
leider. Aber die Tatsache, daß er bald nach der Venedig-Reise die Ažbè-Schule verließ
und allein weiterarbeitete und daß seine Freunde Grabar' und Kardovsky die Ažbè-
Schule ebenfalls verlassen hatten und in die Heimat Rußland zurückgefahren waren,
unterstützt die Vermutung, daß die Studienreise 1899 mit dem sonst so verehrten
Lehrer Ažbè eine Enttäuschung gewesen sein muß. Die persönlichen Sympathien blieben erhalten, jedoch die Hoffnung, mit Ažbès Hilfe zu neuen künstlerischen Horizon-
ten gelangen zu können, wurde von allen vier Freunden 1899 spontan aufgegeben.
Plötzlich erkannten die zunächst begeisterten Schüler die Schwächen und menschlichen Unzulänglichkeiten ihres Lehrers, die sie in vielen Karikaturen[150] festhielten
(Abb. 44). Die Werefkin gibt folgende Beschreibung von Ažbè: »Ažbè, seinen Orden im
Knopfloch [der St. Sava-Orden war ihm 1904 anläßlich der ersten jugoslawischen Ausstellung vom Serbischen König verliehen worden[151]], schmutzige Hosen an den Beinen
und Wein im Kopf. Er fühlt sich als Kavalier. Eine bemerkenswerte Figur, eine Persönlichkeit von einer großen Komik. Es ist nicht seine Stellung, aber die Vereinigung großer Verdienste, die ihn sympathisch machen und zu einem unbeschreiblichen Possen-
reißer.«[152]

   Obwohl Anton Ažbè (Abb. 45) seine Schüler auf Dauer nicht zufriedenstellen
konnte, muß seine persönliche Ausstrahlungskraft ganz ungewöhnlich gewesen sein.
In München war er eine bekannte Persönlichkeit und mit vielen Künstlern und Schrift-
stellern befreundet. Er war Stammgast im Lokal ›Simplicissimus‹ und bekam wegen der
häufigen Verwendung des Wortes ›nämlich‹ den Spitznamen ›Professor Nämlich‹.[153]
Sein Ruf, ein außerordenlich guter und verständnisvoller Mensch und Pädagoge zu sein,
ist von vielen seiner Schüler durch Briefe und Erinnerungen belegt. Igor Grabar' zum
Beispiel berichtete über seine Anfänge: »Auch war Ažbè selbst der beste von allen als
Pädagoge und Mensch, und angeblich zeichnete in München niemand besser als er.«[154]
Er war so bekannt und beliebt, daß er Schüler aus der ganzen Welt anzog – Deutsche,
Russen, Polen, Rumänen, Franzosen, Ungarn, Tschechen, Amerikaner, Schweizer und
Österreicher (Abb. 46).[155] Nach seinem plötzlichen Tod, 1905, galt sein Name viele Jah-
re lang als Markenzeichen für eine qualitätvolle Malschule.[156] Zumindest bis 1913 wur-
de in München die Ažbè-Schule für Malerei und Graphik von Paul Weinhold und Felix
Eisengräber weitergeführt.[157]

   Der Slowene war 1862 geboren, also zwei Jahre früher als Marianne Werefkin und
zwei Jahre später als Alexej Jawlensky. Er hatte an der Wiener und an der Münchner

Abb. 44 Emil Pacovský: Karikatur Ažbès für die
Zeitschrift ›Die Jugend‹, 1904

Abb. 45 Anton Ažbè um 1898

Abb. 46 Im Atelier von Ažbè (Ažbè mit Mütze, Jawlensky dritter von rechts), um 1898

Akademie studiert und eröffnete 1891 in München in der Villa eines ehemaligen russischen Diplomaten, Georgenstraße 16, seine Schule. Es sind nur sehr wenige Bilder von ihm erhalten; doch wird ihm nachgesagt, daß er neben seinen pädagogischen Fähigkeiten wegen seiner »virtuosen Maltechnik hoch angesehen« gewesen sei.[158] Anhand der wichtigsten erhaltenen Gemälde (Abb. 47–50) ist äußerst schwer zu entscheiden, welche der zeitlich zum Teil weit auseinander liegenden Stilphasen die Bezeichnung »Virtuosität« rechtfertigen kann. Sicherlich ist sein Porträt *Negerin* von 1895 das bekannteste und einprägsamste seiner Bilder. Die Tatsache, daß es als Anschauungs- und Lehrstück für seine Schüler zeitweise in seinem Atelier hing (Abb. 46), dürfte eher für seinen realistischen Stil[159] als für eine schnelle Malweise geltend gemacht werden. Wenn Ažbès *Negerin* sein Pendant in dem Gemälde von Otto Ubbelohde (1867–1922) *Junge Negerin* (Abb. 51) findet, so wird wohl die Exotik des Modells beide Künstler zur Darstellung gereizt haben, sicher nicht die Demonstration eines eigentümlichen Malstils, der als virtuos bezeichnet werden könnte. Am ehesten wird Ažbès Gemälde *Im Harem* (Abb. 50) diese Bezeichnung rechtfertigen, eine Interieurszene, mit schnellen kurzen und längeren Pinselzügen sehr summarisch, aber gekonnt auf die Leinwand geworfen und ganz dem neuen Modestil von Lovis Corinth oder Anders Zorn, den Jawlensky bewunderte,[160] entsprechend. Und so nimmt es nicht wunder, daß genau dieses Bild von Ažbè als einziges als Kopie von einem seiner Schüler nachweisbar ist,[161] und daß genau diese Stilphase seinen Schülern zum Vorbild wurde.

Dieser artistische, flüssige Malstil, der in Kontrasten von langen ausgezogenen Pinselzügen und kurzen, flocken- und schleifenförmigen Pinselberührungen mit der

Leinwand Gegenstände nur andeutet, steht freilich im Gegensatz zu einem der Kernsätze, die über sein Lehrprogramm bislang bekannt geworden sind. Einerseits soll der fortschrittlichste Teil von Ažbès Lehre die von den Neoimpressionisten aufgestellte Behauptung gewesen sein, daß sich die in Tupfen ungemischt nebeneinandergesetzten Farben im Auge des Betrachters mischen würden.[162] Andererseits soll ein wichtiges Element seines Lehrkonzeptes das ›Kugelprinzip‹ gewesen sein: Alle Formen lassen sich von der Kugel ableiten oder auf sie zurückführen, was Konstruktion und Plastizität anbelangt. Aus dieser Maxime wurde abgeleitet, Ažbè habe sich »durch das Kugelprinzip, das Festhalten an einer geschlossenen, konstruierten Form« Cézannes Theorie von 1873 genähert, er sei »ein entschiedener Gegner der impressionistischen Formauflösung«[163] gewesen. Ein Blick auf Ažbès Bild *Im Harem* zeigt jedoch das genaue Gegenteil: Sämtliche Formen werden aufgelöst, sind nicht mehr statisch und greifbar. Die Pinselschrift bekommt Dominanz und verselbständigt sich. Der Wechsel von Hell und Dunkel, von Licht und Schatten ist in so schneller und unregelmäßiger Folge dargestellt, daß das Gegenständliche auf Anhieb nur schwer ausgemacht werden kann. Der Gesamteindruck der Szene ist der von vielen hektischen Einzelbewegungen, die das Bild erschüttern. Wäre das Ažbè-Gemälde ohne Titel, so würde man zunächst ein fast gegenstandsloses Bild erkennen, das durch die Kalligraphie des Pinsels und den Kontrast seiner hellen und dunklen Farben rein ästhetische optische Reize vermittelt. Angesichts dieses Bildes wird glaubhaft, daß Ažbè »berühmt war wegen seiner Fähigkeit, mit ein paar Strichen einem schlechten Akt seiner Schüler Leben einhauchen« zu können.[164] Des weiteren wurde ihm nachgesagt, er habe als Realist einen vorzüglichen Sinn für Farben und das Aufflimmern des Lichtes. Außerdem habe er von seinen Schülern einen entschlossenen, kühnen Pinselstrich gefordert.[165] In *Im Harem* werden jene künstlerischen Eigenschaften und Fähigkeiten, die Ažbè zugeschrieben wurden, wie in keinem seiner anderen Bilder nachvollziehbar.

Wassily Kandinsky, der ebenfalls Schüler von Anton Ažbè war, berichtet eine scheinbar nebensächliche Anekdote, die die übrigen freundlichen Persönlichkeitsbeschreibungen des Bohemien Ažbè lediglich zu bestätigen scheint. Bei genauerer Betrachtung des Textes von Kandinsky stellt sich jedoch heraus, daß Kandinskys Bericht einen hohen Aussagewert hat, der zur Klärung mancher offenstehenden Frage im Zusammenhang mit Ažbè noch nicht genutzt wurde. Kandinsky erinnert sich: »Anton Ažbè war ein ganz kleiner Mann mit großem, in die Höhe gekämmtem Schnurrbart, mit großem Hut und langer Virginia im Mund, die oft ausging und mit der er manchmal die Zeichnungen korrigierte. Äußerlich war er sehr klein, innerlich sehr groß – begabt, klug, streng und über alle Grenzen gütig.«[166]

Kandinsky skizziert zunächst Ažbès äußere auffällige Erscheinung, wie wir sie von Photos und vielen Karikaturen kennen. Im Schlußsatz spricht er mit allergrößter Hochachtung von charakterlichen Eigenschaften seines Lehrers. Dazu will die Erwähnung der Zigarre, mit der Ažbè die Arbeiten seiner Schüler korrigierte, zunächst nicht so richtig einleuchten. Eine Korrektur mit einer Zigarre würde man unwillkürlich den bohèmienhaften Allüren Ažbès zuschreiben, die eigentlich so ganz in die landläufige Vorstellung von einem Künstler – zumal von dem Aussehen Ažbès – passen. Kandinsky er-

Abb. 47   Anton Ažbè: *Selbstbildnis*, 1886

Abb. 48   Anton Ažbè: *Weiblicher Halbakt*, 1888

Abb. 49 Anton Ažbè: *Bildnis einer Negerin*, 1895

wähnt dieses Vorgehen aber so selbstverständlich, daß man sich fast wundert, daß er sich über die Korrektur mit diesem artfremden Werkzeug nicht beschwert. Offensichtlich verübelte keiner der Schüler dem sonst so »innerlich großen« und »gütigen« Lehrer diese Marotte. Und da ohnedies über Ažbès künstlerisches Arbeiten und sein methodisches und stilbildendes Vorgehen wenig festumrissene Vorstellungen bestehen, hat die Forschung Kandinskys Erwähnung der Zigarre bisher nur wenig Aufmerksamkeit geschenkt. Dabei ist es gerade diese Bemerkung, mit der sich, im Zusammenhang mit dem Bild *Im Harem* (Abb. 50) und einigen weiteren Kernsätzen von Ažbè, seine persönliche Malweise um die Jahrhundertwende dingfest machen läßt.

An Ažbès Unterrichtssystem wurde ausnahmslos gelobt, daß er den Schülern nicht seine Methoden, seinen Stil und seine Ansichten aufzwang, sondern ihnen einen fast unbegrenzten Freiraum zur persönlichen Entwicklung ließ. Und dazu wiederum paßt die Virginia als Instrument der Korrektur. Diese aromatische, dünne, dunkle Zigarre mit straff gewickeltem Mantel – dem äußersten Blatt – geht einem Raucher, wenn er sich nicht nur auf seinen Genuß konzentriert, in der Tat sehr schnell aus – ganz so, wie es Kandinsky beschreibt – und muß häufig nachgezündet werden. Ist die Virginia einmal erloschen, so eignet sie sich ganz vorzüglich, um in eine noch unfertige Zeichnung eine Korrektur einbringen zu können. Und zwar eine Korrektur, die ihrerseits wieder mühelos unsichtbar gemacht – und gelöscht werden kann. Sie kann mit leich-

Abb. 50 Anton Ažbè: *Im Harem*, 1900-05

tem Druck aufgetragen – und mit der Hand ganz leicht wieder vom Zeichenpapier ge-
wischt werden. Die Virginia-Korrektur hinterläßt keine Druckspuren im Papier, wie
das bei der normalen Kohle möglich wäre – sie verpflichtet den Schüler nicht in dem
Maße zur Annahme der Korrektur des Lehrers, wie es eine Kohle- oder Bleistift-Korrek-
tur fordern würde. Ažbès Korrektur mit der Virginia war also für den jeweiligen Schüler
eher als eine Empfehlung denn als eine ›Anordnung‹ gedacht. Und dies entsprach ganz
dem sensiblen Charakter des Lehrers und wurde zweifellos von seinen Schülern so erkannt. Als eigenständiges künstlerisches Handwerkszeug – als Medium wie Kohle,
Kreide, Silberstift usw. – ist eine Zigarre freilich untauglich, da ihre Zeichenspur nur
sehr bedingt am Papier haften bleibt.

Mit der Erwähnung der Virginia weist Kandinsky aber auch auf eine weitere Eigentümlichkeit hin, die zur Klärung des Malstils von Ažbè aufschlußreich ist. Diesem Phä-
nomen nachzugehen ist insofern bedeutsam, als bislang noch nicht nachgewiesen werden konnte, daß Ažbès künstlerische Handschrift Schule gemacht hat und somit auch
Anerkennung gefunden hätte. Bei dem außergewöhnlichen Zulauf an Schülern, den
Ažbè gehabt hat, wäre es geradezu unnormal und unglaubhaft, daß der Stil seiner Malerei nicht vorbildhaft und nachahmenswert gewesen wäre. Es ist auch zu unwahrschein-
lich, daß eine kritische Frau und Künstlerin wie Marianne Werefkin ihren Schützling
Jawlensky für mehrere Jahre in die Obhut von Ažbè gegeben hätte, wenn sie von dessen
künstlerischer Leistung und Bedeutung nicht wenigstens in der Zeit vor 1900 überzeugt und fasziniert gewesen wäre.

Somit stellt sich die Frage, ob die Zigarrenkorrektur nicht weitere Aufschlüsse
über Ažbès Malweise bieten kann. In diesem Zusammenhang kommt der Beobachtung
und Berichterstattung eines anderen Ažbè-Schülers, Mstislaw Dobužinsky, eine besondere Bedeutung zu. Dobužinsky,[167] der zusammen mit Jawlensky und anderen 1905 in
Paris in der von Diaghilew organisierten russischen Abteilung der Fauve-Ausstellung
bekannt wurde,[168] erinnerte sich, daß Ažbè zu sagen pflegte: »Arbeiten Sie nur mit breiten Linien«,[169] gleichzeitig habe er seine Schüler zum Gebrauch eines breiten Pinsels
angehalten. Er selbst, Ažbè, sei in der Lage gewesen, mit solchen breiten Pinselzügen
die wesentlichen Charakteristika eines Modells einzufangen. Auch Jawlensky bewunderte staunend diese Arbeitsweise von Ažbè, die ihm bislang unbekannt war. In seinen
Lebenserinnerungen schrieb er darüber: »Und was Ažbè uns über Zeichnen und Form
sagte, war etwas ganz Neues für uns ... Wir hörten zum erstenmal von großer Form und
Linie.«[170] Was hier übereinstimmend von Ažbès Lehre und praktischer Kunstausübung
berichtet wird, ist eine Malweise, die auffallend an ein zigarrenähnliches Werkzeug
erinnert. Denn mit der Zigarre ist es aufgrund ihrer besonderen Beschaffenheit fast nur
möglich, in großen, breiten Bahnen und Schleifen und transluziden Tupfern und abstrakten Ornamenten zu zeichnen. Das kalligraphische Schriftbild, das eine angebrann-
te, aber erkaltete Virginia ermöglicht, ist in gleicher Weise technisch mit einem breiten
Pinsel in Ölfarbe durchführbar. Der sich aus dieser Technik ergebende Malstil ist in
Ažbès Bild *Im Harem* (Abb. 50) dokumentiert. Und Jawlensky ist es wiederum, der uns
die Nachricht hinterlassen hat, daß sich Ažbès Schüler bemühten, diesen Malstil mit
den Charakteristika der breiten Bahnen und Schleifen ihres verehrten Lehrers zu kopie-

Abb. 51 Otto Ubbelohde: *Junge Negerin*, um 1895

Abb. 52 Iwan Grohar: *Badende Nixen*, 1899

53

54

Abb. 53 Iwan Grohar:
Karren in der Dämmerung, 1902

Abb. 54 Iwan Grohar: *Kartoffelernte*, 1909

ren oder in irgendeiner Weise in ihrer eigenen Malerei zu verwenden: »Und das, was wir Neues hörten, versuchten wir in unsere Arbeit zu übertragen.«[171]

Jawlensky zufolge müssen sich also diese Stileigentümlichkeiten Ažbès in den Werken verschiedener seiner Schüler in der Zeit um die Jahrhundertwende finden lassen. Daß das genau in diesem Zusammenhang interessierende Gemälde *Im Harem* von einem seiner slowenischen Schüler kopiert wurde, hörten wir schon.[172] Diesem Umstand ist mit Sicherheit große Bedeutung zur Ermittlung Ažbès künstlerischer Handschrift beizumessen, zumal Iwan Grohar, ebenfalls ein Ažbè-Schüler aus dem slowenischen Ljubljana, in einem frühen Bild von 1899[173] mit badenden Nixen im Mondschein (Abb. 52) in vereinfachter Form auf Ažbès Malweise in breiter Pinselführung in Form von Bahnen und Schleifen zurückweist. Die Lehrer- und die Schülerarbeit werden insbesondere durch die sich in Fetzen auflösenden Pinselzüge miteinander vergleichbar, mit denen im Bild von Ažbè der leichte, durchscheinende Stoff der Bekleidung der Haremsdame und in dem von Grohar die aufspritzenden und aufschäumenden Wellen des Wassers artikuliert und gleichzeitig theaterhafte Lichteffekte erzeugt werden. Für 1899 ist mit Sicherheit der letzte Studienaufenthalt Grohars in München bei Ažbè bezeugt.[174] Unmittelbar danach kehrte er nach Ljubljana zurück und arbeitete in der Umgebung von Skofia Loka,[175] einer slowenischen Künstlerkolonie. Angesichts dieses Bildvergleichs und der Ableitung von Grohars Malstil in dieser Zeit von dem seines Lehrers kann die Behauptung nicht zutreffen, Grohar hätte von Ažbè nichts gelernt und wäre nur mit ein paar »ermutigenden Ratschlägen«[176] in seine Heimat zurückgekehrt.

Eine andere Eigentümlichkeit des von Ažbè geprägten Stils ist die isoliert an Einzelobjekten schlaglichtartig auftretende Lichtführung. Diese ist zu beobachten in Ažbès Haremsszene wie in den bewegten Wellen von Grohars *Bad der Nixen*, aber auch, in leicht veränderter Form, im dreiteiligen Buschwerk des 1902 entstandenen Gemäldes Grohars, auf dem ein Bauernkarren auf einem ansteigenden Weg in die Dämmerung

55   56

hineinfährt (Abb. 53). Die Eigenart, nach Ažbès Rezept einzelne Pinselzüge mit Licht zu
hinterlegen, um den Gegenstand in seiner präzisen und kompakten Form aufzulösen,
sollte Grohar – wie manchen anderen Ažbè-Schüler – nie mehr ganz verlassen. Nach
verschiedenen anderen Stilphasen kam er um 1909 auf den altbewährten Ažbè-Stil zurück, in lichtdurchtränkten Schleifen und Bahnen zu malen (Abb. 54), und benutzte ihn
zur Abstraktion einer Szene mit einem Schäfer, der vor seiner Herde auf den Betrachter
zukommt (Abb. 55), die im Motiv letztlich auf Bilder von Millet, Segantini oder Daubigny zurückzuführen ist.[177]

Von Jawlensky erfuhren wir, daß die Ažbè-Schüler bemüht waren, dessen Arbeitsweise und Stil in ihre eigenen Bilder zu »übertragen«.[178] Eine kleine Ölskizze von Jawlensky,[179] Ballszene (Abb. 56), die, wie bezeugt ist, in der Silvesternacht 1899 entstand,
veranschaulicht eine besonders enge Anlehnung an Ažbès Malstil in Im Harem. Hier
wie dort werden mit fast abstrakten, breiten Pinselzügen, in Form von Strichen und
Flocken, Personen, Gegenstände und Umgebung angedeutet und erzeugen ein irratio-
nales Lichtgeflimmer. Der Malakt des Künstlers wie auch sein bildnerischer Wille werden im einen wie im anderen Falle nachvollziehbar. Der Malakt wird als Stil zum Dokument. Wie intensiv sich Jawlensky mit der Malweise von Ažbè auseinandersetzte,
belegen einige weitere seiner Werke aus der Zeit vor und nach 1900, wobei das Ölgemäl-
de Tanz im Freien (Abb. 57) ein besonders markantes Beispiel ist.

Bei vielen Ažbè-Schülern ist nachweisbar, daß sie fast immer zu dem Zeitpunkt,
wo sie dessen Schule verließen, in irgendeiner Weise die Art des Lehrers übernahmen,
sich in leuchtenden, manchmal mehr graphisch geführten, manchmal mehr ornamen-
tal geordneten breiten Pinselbahnen auszudrücken. Sehr ausgeprägt trifft man das Až-
bè-Malrezept bei Matej Sternen im Mädchenbildnis (Abb. 58), das um 1902 entstand.
Besonders in Rock und Schürze des Mädchens, aber ebenso in anderen Details der Figur
wie auch am Hintergrund, demonstriert der Künstler eine Malerei, die mittels des Pin-

Abb. 55 Iwan Grohar: Der Hirt, 1910/11

Abb. 56 Alexej Jawlensky: Ballszene, 1899/1900

Abb. 57 Alexej Jawlensky: Tanz im Freien, um 1901

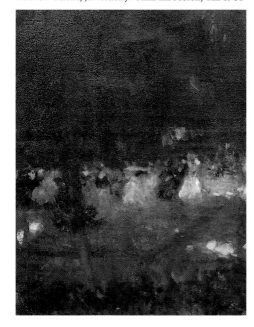

selzuges den Gegenstand auflöst, um dem Betrachter das ästhetische Spiel der von Licht und Farbe getränkten Pinselhandhabung vor Augen zu führen. Die Behandlung von Licht und Pinselführung wurde dem Maler Sternen nahezu zum Selbstzweck, so daß ihm Richard Graef – auch ein ehemaliger Ažbè-Schüler – 1913 einmal schrieb, er solle »nicht zu sehr nur impressionistisch, schon ein bissel Motiv malen ... nicht zu impressionistisch, verstehst Du? ... was sind wir für altmodische Knöpfe geworden, Sternen? ... Malen wir nicht immer noch impressionistisch?«[180] Der Brief von Graef und viele spätere Bilder (Abb. 59) veranschaulichen, daß Sternen zu jenen Schülern Ažbès gehörte, die so nachhaltig durch ihn geprägt und später zusätzlich durch die Malweise von Lovis Corinth so sehr bestätigt und gefestigt wurden,[181] daß sie den Schritt in den Expressionismus nicht mitvollzogen. Mit Argwohn wurden die früheren Studienkollegen beobachtet, wie ebenfalls aus einem Brief von Graef an Sternen aus dem Jahr 1913 hervorgeht: »Aber kennst Du die ›Blauen Reiter‹, Kandinsky, Jawlensky etc., diese Kunsthochstapler? ... Und es ist doch ein Schwindel. Du mein Gott, Sternen, da sind wir noch so jung und gehören schon zum alten Eisen. Aber ich hoffe, wir werden noch einmal modern. Nur zu! Nur fest! Hieß es bei Ažbè.«[182] Deutlicher kann man es wohl kaum sagen, wie überzeugend Ažbè eine Reihe seiner Schüler für viele Jahre geprägt hatte, so daß mancher nicht merkte, wie die Zeit an ihm vorübergegangen war.

Grohar und Sternen sind keine Einzelfälle in der Assimilation von Ažbès Malstil. Ebenso wie Ažbè seine Haremsdame, setzt Ferdo Vesel einen kleinen nackten Jungen (Abb. 60) einem lamettaartigen Lichtgeflimmer aus oder gestaltet mit langen taftbänderartigen Pinselbahnen die Bekleidung des slowenischen Mädchens, das einen Brief in der Hand hält (Abb. 61). Allerdings wendet Vesel[183] die Stilmittel seines Lehrers Ažbè in weicherer Form an als sein Freund Sternen im *Mädchenbildnis* von 1902 (Abb. 58). Deutlicher dagegen, wenn auch wiederum individuell abgewandelt, tritt das Ažbè-Rezept in einem Frühwerk des Österreichers Alfred Graf Wickenburg auf (Abb. 62), der sich aber nur für kurze Zeit von der Malweise Ažbès beeindrucken ließ. Nach dem Tod von Ažbè verließ Wickenburg 1905 München und ging 1906 nach Paris, wo er noch im selben Jahr seinen impressionistischen Malstil sofort aufgab, um sich der flächenbezogenen Malweise der Nabis anzuschließen. Auch der Kroate Josip Račić[184] unterlag Ažbès Einfluß, wie das Bildnis einer im Licht sitzenden älteren Frau belegt (Abb. 63). Doch auch er orientierte sich sofort an der französischen flächenhaften Malweise, als er von München nach Paris übersiedelte.[185]

Am konsequentesten vertrat die Serbin Nadežda Petrović den Ažbè-Stil. Bis zu ihrem Tode 1915 blieb sie ihm treu und variiert ihn verschiedentlich in lasierender wie auch pastoser Malweise. Sie ist ein beredtes Beispiel dafür, wie sehr der bisher bedauerlich schlechte Forschungsstand zur Ažbè-Schule Mißdeutungen zugelassen hat. Dies belegt die äußerst widersprüchliche und undifferenzierte Darstellungsweise, mit der ihre Biographin, Katharina Ambrozić, ihre stilistische Entwicklung und deren Abhängigkeit von ihrem slowenischen Lehrer abhandelt. So kommt es zu Fehleinschätzungen der Einflußnahme Ažbès auf Nadežda Petrović, die zweifelsfrei eine bedeutende und faszinierende Künstlerpersönlichkeit gewesen ist. Ažbè, so sagt Ambrozić, sei als »Schüler der Wiener und Münchner Akademie ein im Geiste Leibls gebildeter Realist,

Abb. 58 Matej Sternen: *Mädchenbildnis*, um 1902

Abb. 59 Matej Sternen: *Frühlingssonne*, 1907

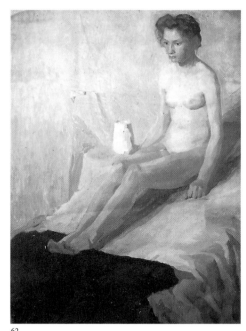

60

61

62

was die wenigen Bilder von seiner Hand beweisen«.[186] Den Beweis allerdings bleibt uns Ambrozić schuldig. Sie stellt eine Behauptung auf, unterzieht nicht einmal die wenigen bekannten Gemälde Ažbès (Abb. 47–50) einer Betrachtung, geschweige denn einer stilkritischen Analyse und läßt weiterhin unberücksichtigt, daß für die heute allgemein übliche Datierung dieser Gemälde ein Zeitraum von nahezu zwanzig Jahren in Anspruch genommen wird – und wo gäbe es einen Künstler, dessen Handschrift sich in einem solchen Zeitraum nicht verändern würde? So nimmt es auch nicht wunder, daß sie die Bedeutung des Bildes *Im Harem* als Schlüsselbild verkennt. Als Solitärerscheinungen des frühen Expressionismus, als Findlinge, den Fauves und den Expressionisten um mehrere Jahre voraus, beurteilt Ambrozić hingegen die Kunst der Ažbè-Schülerin Petrović und erweckt damit den Eindruck, als habe Ažbè zeitlebens »die Malerei als Kunst der festen Form« gedeutet. Dabei beweist dessen Bild *Im Harem* das genaue Gegenteil: Sämtliche Formen werden aufgelöst.

Darüber hinaus muß Marianne Werefkin für die künstlerische Entwicklung der Petrović in München herhalten. Ambrozić legt sich dabei auf den Zeitraum 1898–1901 fest und behauptet, daß »eine gewisse künstlerische Verwandtschaft« zwischen den Bildern von Petrović und Werefkin bestehe. Und dies, obwohl Marianne Werefkin zwischen 1896–1906 kein einziges Bild gemalt hat. Ebenfalls völlig aus der Luft gegriffen und unbewiesen bleibt die Behauptung: »Bedeutender als der Einfluß beider Lehrer [nämlich Ažbè und Grabar'] war für N. Petrović die Begegnung mit den drei Slowenen Grohar, Jakopić und Jama. Stärker dem Impressionismus zugeneigt und auch künstlerisch eigenständiger als Ažbè und Grabar', wiesen sie ihr ... als Maler eine Entwick-

63

64   65   66

Abb. 60 Ferdo Vesel: *Nackter Junge*, um 1897

Abb. 61
Ferdo Vesel: *Brief lesendes Mädchen*, um 1897

Abb. 62
Alfred Wickenburg: *Akt auf dem Bett*, um 1905

Abb. 63 Josip Račić: *Frau am Fenster*, um 1906

Abb. 64 Nadežda Petrović: *Weiblicher Akt*, um 1900

Abb. 65 Nadežda Petrović: *Zigeunerin*, um 1905

Abb. 66
Nadežda Petrović: *Frau mit rotem Tuch*, um 1905

lungsmöglichkeit in einer neuen Richtung.« Und dieses soll sogar zwischen 1898 und 1901 geschehen sein, als die Slowenen gerade München verlassen hatten, um stilistisch zeitlebens ihrem Lehrer Ažbè treu zu bleiben.

Kein einziges der in Deutschland gezeigten Gemälde von Nadežda Petrović ist fest datiert, noch wird für sie der Datierungsnachweis über Skizzen glaubhaft erbracht. Dieser Sachverhalt erschwert natürlich in gewisser Hinsicht die Beurteilung des künstlerischen Werdegangs dieser Malerin. Dennoch ist ihren frühen Bildern, wie denen ihrer Studienkollegen aus der Ažbè-Schule, unschwer abzulesen, daß auch sie der Handschrift ihres Lehrers folgte und sich dessen Empfehlung »mit energischen, weiten Zügen« zu arbeiten, zu eigen machte, darüber hinaus starke Lichtreflexe und Aufhellungen benutzte (Abb. 50, 64–66).

Was Ažbè meinte, wenn er die Schüler dazu ermunterte, nicht zu zaghaft mit dem Pinsel und der Farbe umzugehen, indem er sagte: »Schmieren's nur fest«[187], und welcher Malstil stilistisch damit in Verbindung zu bringen ist, kann Petrovićs *Frauenakt* demonstrieren. Dieses Bild ist insofern aufschlußreich, als es in überzeugender Weise die einzelnen Elemente, die den Ažbè-Stil um 1900 ausmachen, deutlich vor Augen führt. Wie Ažbès Haremsdame ist Petrovićs Frauenakt vor einen dunklen Hintergrund gestellt. Ein Schlaglicht wird zur Modellierung der Figur eingesetzt. Schließlich benutzt Petrović den von Ažbè geforderten breiten Pinsel in kurzen Ansätzen und langen Zügen zur Gestaltung des Rückenaktes selbst, erprobt die geforderte Malweise jedoch zuerst auf den großen freien Bildpartien. Es handelt sich um eine Übung, ein Bild, das etwas von der Unmittelbarkeit der begeisterten Übernahme des Lehrstoffes ausstrahlt.

Daß Petrović Ažbès Schleifen- und Bänderstil auf Dauer übernommen und weiterentwickelt hat, zeigen die Gemälde *Zigeunerin* und *Frau mit rotem Tuch*.

    Auch Jawlenskys Kunst aus der Zeit um und nach der Jahrhundertwende läßt sich
mit Ažbès Bild *Im Harem*, den Bildern von Petrović und anderer Ažbè-Schüler verglei-
chen. *Helene fünfzehnjährig* (Abb. 37) ist 1900 datiert und läßt sich zusammen mit der
Ballszene (Abb. 56) und dem *Tanz im Freien* (Abb. 57) den aufgezeigten Beispielen anfü-
gen. Spätere Bilder wie das Porträt der 1881 geborenen älteren Schwester von Helene,
Maria (Abb. 67), veranschaulichen, daß auch Jawlensky mehrere Jahre lang den einmal
von Ažbè erlernten Malstil praktizierte, ihm aber zweifellos seine individuelle Note
verlieh. Wie lange er ihn pflegte, welche Anerkennung er dadurch erreichte, beschrieb
er – was äußerst aufschlußreich für seinen künstlerischen Werdegang ist – in seinen
›Lebenserinnerungen‹ im Zusammenhang mit dem Bild *Helene im spanischen Kostüm*
(Abb. 68).[188] Jawlensky gibt folgenden Bericht, wodurch das Bild sehr genau zu datieren
ist: »In Anspacki [in Rußland] wurde im Januar 1902 mein Sohn Andrej geboren. Nachdem wir [nach München] zurückgekommen waren, fing ich wieder an zu arbeiten und
zu suchen. Ich malte figurale Bilder nach Modell, meistens nach Helene oder ihrer
Schwester Marie. ... Ich hatte gerade eine lebensgroße Figur von Helene fertig gemalt,
stehend, in grüner Taille und dunkelrotem Rock. Jemand schellte. Nach einer Minute
klopfte es an mein Atelier, ich öffnete die Türe, und herein kam ein großer Mann in
einem alten Paletot, der mit starker Stimme sagte: ›Mein Name ist Lovis Corinth.‹ Er
sagte mir, daß der Maler Lichtenberger, ein sehr begabter Maler, ihn zu mir geschickt
habe. Er betrachtete meine Bilder und sagte, daß ich eines zur Berliner Sezession schik-
ken sollte, wo es auch ausgestellt wurde.«[189]

    Diese Passage ist sehr genau zu datieren. Mit Hilfe der vorausgehenden Erzählun-
gen in den ›Lebenserinnerungen‹ und der Eintragungen in den Meldebögen in München
von Marianne Werefkin und dem Zimmermädchen Maria Nesnakomoff, außerdem der
›Fehlliste‹ der Köchin Helene Nesnakomoff und dem Reisepaß für Marianne Werefkin,
in dem Helene als Begleitperson aufgeführt ist, kann das frühestmögliche Datum für die
Entstehung dieses Bildnisses ermittelt werden.[190] Es steht in Konkordanz zu Jawlenskys ›Lebenserinnerungen‹: »Ungefähr 1901 fuhren wir alle nach Rußland auf ein Gut
im Gouvernement Witebsk ... Das Gut hieß Anspacki ... Ich malte wenig, denn ich bekam hier Typhus und mußte später mit Werefkin auf die Krim fahren, um mich zu erholen ... In Anspacki wurde im Jahre 1902 mein Sohn Andrej geboren. Nachdem wir zurückgekommen waren, fing ich wieder an zu arbeiten und zu suchen.«[191] Erst nach der
Rückkehr aus Rußland malt er Bilder nach Helene und deren Schwester Maria, die dann
Corinth in seinem Atelier sah. Diese Pässe für Werefkin und Helene bestätigen uns die
Abreise nach Rußland für das Jahr 1901. Der Nachtrag auf einem der Pässe bezeugt den
Aufenthalt noch im Ausland für den Oktober 1902. Und der Meldebogen von Maria
zeigt, daß diese damals erstmalig als neues Familienmitglied nach München einreiste.
Diese Daten beweisen eindeutig, daß das genannte Bild in eine Schaffensphase nach Ende November 1902 fallen muß. Danach erst fing Jawlensky »wieder an zu arbeiten und
zu suchen«, um schließlich zu solchen Leistungen wie dem Bildnis *Helene im spanischen Kostüm* zu gelangen. 1903 ist das Bild also frühestens zu datieren. Ein anderes aus

67

68

69

70

71

Abb. 67 Alexej Jawlensky: *Helenes ältere Schwester Maria*, 1903

Abb. 68 Alexej Jawlensky: *Helene im spanischen Kostüm*, 1903

Abb. 69 Dorde Mihajlović: *Dame in Weiß*, 1904

Abb. 70 Dorde Mihajlović: *Frau mit Hut*, 1905

Abb. 71 Dorde Mihajlović: *Dame mit rotem Hut und rotem Kleid*, 1904

dieser Stilphase wurde dann 1904 bei der Ausstellung der Berliner Sezession, für die 1903 Corinth organisatorisch unterwegs war, ausgestellt. Jawlenskys *Helene im spanischen Kostüm* ist ein Schlüsselbild für sein persönliches künstlerisches Schaffen. Zugleich kann es jedoch auch als Zäsur für die Kunstanschauung von Marianne Werefkin gelten, wie wir später sehen werden.

Zunächst sei noch im Zusammenhang mit diesem Bild auf das Werk eines weiteren Ažbè-Schülers, Dorde Mihajlović, hingewiesen,[192] der das Ažbè-Rezept ähnlich wie Jawlensky handhabe. So verdeutlicht der Vergleich der zeitlich eng zusammen liegenden Bilder von Jawlenskys *Maria* (Abb. 67) mit Mihajlovićs *Dame in Weiß* (Abb. 69)[193] die Vorliebe der Ažbè-Schüler, ihre Lichtmalerei auf hellen, nahezu weißen Stoffen von Frauenbekleidungen zu inszenieren. Ein weiteres, 1905 datiertes Bild von Mihajlović, *Frau mit Hut* (Abb. 70), zeigt, wie Ažbès Schleifenrezept sich als Atavismus zur aufleuchtenden Kontur des Hutrandes verwandelt. Mihajlovićs *Dame mit rotem Hut und rotem Kleid* (Abb. 71) von 1904[194] stellt, was Stil und Eleganz der Malerei und gleichzeitig auch der dargestellten Personen anbetrifft, die engste Parallele zu Jawlenskys *Helene im spanischen Kostüm* dar. In beiden Bildern sind die Frauen en face wiedergegeben. Beide Darstellungen zeigen nicht nur im Stil eine ähnliche Auffassung. In der Erarbeitung der Gewandung und auch des Hintergrundes sowie der Bevorzugung der Farbe Rot sind die Übereinstimmungen außerordentlich groß.

Wenn Corinth Jawlensky im Frühjahr 1903 zur Teilnahme an der Ausstellung der Berliner Sezession 1904 aufforderte, so kann man davon ausgehen, daß er einen Gleichgesinnten in ihm sah – einen Impressionisten, der ähnliche Ziele in der Malerei wie er

72

73

74

selbst verfolgte. Einen Expressionisten, für den Jawlensky verschiedentlich fälschlicherweise in jenen Jahren gehalten wird,[195] hätte er ganz bestimmt nicht aufgesucht, um ihm eine Ausstellungschance zu verschaffen. Denn die Aversion Corinths gegen den Expressionismus ist hinlänglich durch seinen Vortrag bekannt geworden, den er 1911 vor der Berliner Freien Studentenvereinigung hielt. Darin griff er diejenigen Maler an, die sich z. B. durch die Kunst der sogenannten ›Primitiven‹ anregen ließen, was ihm weit weniger vernünftig zu sein schien als die Anlehnung an Renaissancemeister wie Botticelli. Den Expressionismus bezeichnete Corinth als »hottentottische Naivität«, als »oberflächliche Spielerei für blasierte Intellektuelle« und machte als Grundübel den mächtigen Einfluß der Franzosen auf die deutsche Kunst für die neuen Tendenzen verantwortlich.[196] Nicht so damals, 1903, als Jawlensky, Ažbè selbst und weitere seiner Schüler von der neuen französischen Kunst im Vorfeld des Expressionismus noch so gut wie unberührt waren.

Als Corinth 1903 in Jawlenskys Atelier das Bild *Helene im spanischen Kostüm* sah, muß er sich durch Jawlenskys Malerei bestätigt gesehen haben. Der Vergleich zu Corinths *Frau Halbe* von 1898 (Abb. 72), *Am Waschtisch* (Abb. 73) oder *Salome* (Abb. 74), beide 1903, zeigt, daß beide Künstler eine gleichgeartete Technik anwenden, indem sie mit freien und breiten Pinselzügen auf der Leinwand arbeiten.[197] Jawlensky und Corinth, aber auch die anderen genannten Ažbè-Schüler sowie der mit Corinth nahezu gleichaltrige Ažbè selbst zeigen sich durch eine A-la-prima-Malerei verwandt. Corinths Malerei wurde wiederholt der Charakter des »Skripturalen« zugesprochen.

Abb. 72 Lovis Corinth: *Frau Halbe*, 1898

Abb. 73 Lovis Corinth: *Am Waschtisch*, 1903

Abb. 74 Lovis Corinth: *Salome*, 1903

Abb. 75
Anders Zorn: *Selbstbildnis mit Modell*, 1896

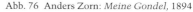

Abb. 76 Anders Zorn: *Meine Gondel*, 1894

Die für Ažbè und seine Schüler beobachtete sich verselbständigende Diktion der Pinselschrift, die sich vom dargestellten Gegenstand löst, ist gerade vor und nach der Jahrhundertwende besonders deutlich bei Corinth anzutreffen. Für Corinth wurde sie so interpretiert, als male er mit »teutonischem Furor!«. Angesichts der aufgezeigten Vergleiche scheint diese von »leidenschaftlichem Brio« erfüllte Malerei allerdings nicht eine nur deutsche Angelegenheit gewesen zu sein, auch Russen, Jugoslawen und der Schwede Anders Zorn praktizierten sie. Als wesentliches Merkmal, durch die Pinseltechnik bewirkt, wurde diesem Stil das Ansehen einer »Textur« und eines »farbigen Formgewebes« bestätigt.[198] Der Farbauftrag auf die Leinwand wurde als »fließend«, »leicht hingeschrieben« erkannt, dem die »lichtglitzernde Nässe der Oberfläche Perlmuttcharakter« verleiht.[199] Dieses trifft aber auch für die Pinselschriften von Jawlensky, Ažbè und manchen seiner Schüler gleichermaßen zu und ist keineswegs nur auf Corinth zu beziehen. Man hat es also mit einem recht internationalen Stil zu tun, der sich vom französischen Impressionismus sehr wesentlich unterscheidet. Es handelt sich um eine ›Naßinnaßmalerei‹, die Corinth in seinem Handbuch ›Das Erlernen der Malerei‹ besonders hervorhebt und für spontanes, temperamentvolles Arbeiten geeignet hält: »Man kann in die Farbe, solange dieselbe auf der Leinwand naß bleibt, immer wieder hereinmalen und korrigieren.«[200] Unwillkürlich denkt man dabei an Ažbès »Schmieren's nur fest!«.

Auch was die Gemeinsamkeit von Zeichnung und Ölmalerei anbetrifft, scheinen Ažbè und Corinth Ähnliches praktiziert zu haben. Wenn Ažbè mit der Zigarrenkorrektur in langen Bahnen und Schleifen schriftartige Zeichen setzte, die seiner Arbeit mit dem breiten Pinsel glichen, so betont Corinth ebenfalls die Gemeinsamkeiten beider Medien: »Ist die Frische des Aufsetzens sowohl beim Zeichnen, wie auch bei allen Malarten das Vorzüglichste, so ist sie bei dem Arbeiten mit Ölfarbe geradezu Bedingung. Dieses Material verträgt nur ein Behandeln – naß in naß –.«[201]

Die Untersuchungen zu Ažbè und seinen Schülern haben ohne Zweifel deren stilistische Nähe zu Corinth nahezu übersehen. Der tradierte Lehrstoff von Ažbè über das Kugelprinzip und die Farbkristallisierung wurde in den Mittelpunkt der Betrachtungen gestellt, wodurch man sich den Blick für Ažbès Kunst selbst verstellte.[202] Ažbès Lehre vom ›Kugelprinzip‹ dürfte ebenso nur bedingt eine Quelle für seine Kunstausübung sein wie es Corinths Buch ›Das Erlernen der Malerei‹ für dessen Malstil ist. Corinths Schrift, richtig verstanden, wollte Anfänger fördern, sie enthält »vieles auf den Akademien Übliche und Altbewährte, das Corinth zum Erwerb des Handwerks lehrte«.[203]

Wenn für Jawlenskys Malweise in der Zeit um 1900 bis 1903 als Parallelerscheinung Corinth namhaft gemacht werden kann und Ažbè als Lehrer in Frage kommt, so darf nicht übersehen werden, daß Jawlensky einen anderen Maler grenzenlos bewunderte, der in der beschriebenen Technik, Naß-in-Naß mit breiten Pinselzügen, malte. Gemeint ist der ehemals mit Lob und Erfolg überschüttete Schwede Anders Zorn,[204] den Jawlensky in seinen Lebenserinnerungen nennt.[205] Dies tut er, um sein Bild *Helene im spanischen Kostüm* stilistisch zu erklären: »Ich war damals etwas beeinflußt von Anders Zorn.«[206] Daß er dessen Bilder schon früher bewundert hatte, geht ebenfalls aus seinen Lebenserinnerungen hervor.

Bildvergleiche (Abb. 75, 76) veranschaulichen die enge Verwandtschaft der Handschriften verschiedenster Künstler, die in vielfältiger Weise miteinander Kontakt hatten. Da sich Jawlensky mehrere Jahre lang diesem Stil anschloß, gelang es Marianne Werefkin in dieser Zeit nicht, ihn künstlerisch in eine andere Richtung zu lenken. Dies sollte erst wieder möglich werden, als beide zusammen 1903, im Entstehungsjahr von *Helene im spanischen Kostüm*, nach Frankreich reisten und Werke von van Gogh und den Neoimpressionisten kennenlernten.

»Ich bleibe auf meinem Posten«

Während Jawlensky unter dem Einfluß von Anton Ažbè und Anders Zorn einen Malstil entwickelte, der ihm als Krönung die Anerkennung von Lovis Corinth einbrachte, kam es zu einer tiefen Entfremdung zwischen ihm und Marianne Werefkin. Das fünfzehnjährige Mädchen Helene, das nach München »zur persönlichen Bedienung der Werefkin mitgekommen war«,[207] wurde 1901 von Jawlensky schwanger. Wie wir schon hörten, wurde diese Angelegenheit als Peinlichkeit betrachtet und mußte in München unerkannt bleiben. Noch fast zehn Jahre nach der Geburt von Jawlenskys und Helenes Sohn Andreas wurde ein Geheimnis aus den wirklichen Familienverhältnissen von Jawlensky gemacht. Um die wahre Vaterschaft, das wahre Alter von Helene und die Geburt des Kindes zu vertuschen, organisierte die Werefkin eine Reise nach Rußland auf ein sehr einsames Gut namens Anspacki, wo es Jawlensky anfangs »sehr unheimlich« vorkam. Denn das burgartige Schloß Anspacki lag mitten im Wald (Abb. 77), war unmöbliert und jahrelang nicht bewohnt worden. Nur große Uhus hausten dort, die, ehe man sich einrichtete, vertrieben werden mußten.[208] Am 5. Januar 1902 wurde in Anspacki Jawlenskys und Helenes Sohn Andreas geboren. Wie seine Mutter Helene reist er dann ohne eigene Papiere und wird auf dem Reisepaß der Werefkin, von dieser abhängig, aufgeführt. Auch von der Mitnahme von Helenes älterer Schwester Maria nach München und der merkwürdigen Verwechslung der Geburtsdaten beider in den Meldebogen war schon die Rede. Arbeit- und Wohnungsgeber für Helene und Maria war ›Excellenz Werefkin‹. Den Rußlandaufenthalt 1901/02 gibt Jawlensky in seinen ›Lebenserinnerungen‹ mit einem Jahr an, das mit den Daten des Reisepasses der Werefkin übereinstimmt.[209]

Marianne Werefkin hatte sicherlich nicht vorausgeahnt, daß der Familienzuwachs ihr Verhältnis zu Jawlensky in einem so starken Maße belasten würde, daß darüber ihr beider Freundschaftsverhältnis schon damals fast zerbrach. Jawlensky wandte sich der Mutter und seinem Sohn so nachhaltig zu, daß die Werefkin darüber vereinsamte. Neben ihren Tagebüchern schreibt sie ihre ›Lettres à un Inconnu‹, die ›Briefe an einen Unbekannten‹, und kommentiert sie: »Ich schreibe, damit mein Herz nicht bricht vor maßlosem Schmerz, von solcher Trauer, daß dadurch alles von Gott gegebene Glück vergiftet wird.«[210] In diesen Briefen hält sie fast täglich Zwiesprache mit ihrem »höhe-

Abb. 77 Schloß Anspacki, 1902

ren Ich«, schildert Tagesereignisse, Erlebtes und Gedachtes, vor allen Dingen klärt sie das Verhältnis ihrer Liebe zu Jawlensky und ihrer Kunst. Chronologisch sind sämtliche Eintragungen nachvollziehbar, oftmals auf den Tag genau datiert. Für die Zeit zwischen 1901 bis 1905 finden sich in diesen Heften Aufschlüsse über bestimmte Personen und Situationen. Einer der letzten Sätze lautet: »Ich habe mein ganzes Herz Jawlensky zur Verfügung gestellt, der im Grunde der Alleinige und wirklich Einzige meines Lebens ist.« Und sie endet die ›Briefe an einen Unbekannten‹ mit den Worten: »Ich schaute in mein Herz, dort sah ich Ruhe, ich kann dieses Heft schließen.« Das war im November 1905. Die ›Briefe‹ waren bislang fast die einzige authentische Quelle, die benutzt wurde, das Werk der Werefkin zu analysieren. Mißverständnisse und Fehlinterpretationen waren fast durchweg unvermeidbar, da wichtige Passagen nicht übersetzt wurden, folglich unberücksichtigt blieben. Keine einzige Abhandlung verfolgte den Hinweis der Werefkin, die mehrfach betont, daß sie in Frankreich ihren Stil und Weg gefunden habe. Daß ein Zusammenhang zwischen Malen und Schreiben bestand, bzw. daß das eine das andere ausschließen konnte, schien kaum einer Überlegung wert.

Über ihre neuen Familienverhältnisse und das getrübte Verhältnis zu Jawlensky klagt die Werefkin: »Es ist doch traurig, in die absolute Einsamkeit zurückzukehren ... Alles zwischen uns ist unnatürlich, und dies bei ganz einfachen Beziehungen. Aber wie schmerzt es! Schwer ist es mir zwischen Kinderstube und Anrichte zu atmen. Ich spreche nicht gegen die Dienerschaft, aber dagegen, daß ich nichts mit ihnen gemein habe. Wirklich allerhand nagt an mir ... Bereits seit einem Jahr von Jawlensky kein vertrauter Laut, und wir leben Seite an Seite, im Grunde einander fremd ... nutzlos ... Vor zwei Jahren war es ein Kampf, es war eine Qual, aber es gab noch Glauben ... Ich bin aus seinem Leben ausgeschlossen, bin Kommissionär, bin Komfort ... mit Ergebenheit erfülle ich alle Forderungen ... Ich muß fröhlich sein, obgleich in meiner Seele absolute Traurigkeit herrscht. In seinen Augen gibt es keinerlei Grund, um traurig zu sein. Wir sind unter einem Dach – und Schluß! ... Ich wollte alles hingeben für den von mir geliebten teuren Menschen ... Ich half Jawlensky sich auf die Füße zu stellen ... Ich trage auf meinen Schultern diesen mich erdrückenden Alp: Liebe ohne Liebe, Ehe ohne Ehe, Kameradschaft ohne Kameradschaft, Freundschaft ohne Freundschaft ...«[211]

Von den Problemen, die die Werefkin fast erdrückten, schien Jawlensky kaum Notiz genommen zu haben, denn in seinen Lebenserinnerungen findet sich darüber nicht einmal eine Andeutung. Für die Zeit nach der Ažbè-Schule und der Reise 1905 nach Frankreich läßt sich höchstens eine allgemeine Unzufriedenheit und Unausgeglichenheit aus seinen Erzählungen herauslesen, die er mit seiner Malerei in Verbindung bringt. Er spricht davon, daß er »sucht«, »probiert und Stilleben malt«, noch keine »eigene Sprache«[212] gefunden habe.

Während dieser Jahre der menschlichen und künstlerischen Isolation und der Enttäuschung über Jawlensky ist die Werefkin immer wieder versucht, ihre Malerei aufzunehmen. Bis sie den Mut dazu findet, sollen noch mehrere Jahre vergehen, denn es kommen ihr jedes Mal Zweifel, daß sie als Frau überhaupt befähigt sei, ausübender Künstler zu sein. In ihren Tagebüchern berichtet sie darüber: »Wird wirklich der Künstler in der Frau die Oberhand gewinnen, oder wird das Schaffen, an das ich so glaubte, in mir umkommen? Ja, ich habe mich so unsichtbar, so zu einem Nichts gemacht, daß etwas Stolzes in mir rebellierte – Leben aus zweiter Hand! Bin ich wirklich ein echter Künstler, den meine Selbstquälereien nicht vernichten können? Was für ein Verbrechen habe ich mir selbst angetan! Mein Gott, schon bei dem Gedanken, was ich aus diesen zehn Jahren gemacht habe, sträuben sich die Haare. Der Glaube an mich selbst fehlte, ich wollte, dachte, mit fremden Händen zu schaffen, aber jetzt – spät, spät, spät. Zehn Jahre kann man nicht zurückrufen, die Kräfte sind nicht dieselben. Aber in der Seele ist ein Protest, ein grausamer, unerbittlicher, wie eine Welle steigt der Haß gegen mich selbst. Ist es möglich, daß in mir ein echter Künstler war und ich an ihm vorbeischaute? Solch eine Kraft in der Seele und eine solche Kraftlosigkeit in den Händen, und ich wiederhole mir unentwegt wie den Gesang eines Wiegenlieds, monoton: ›Ich liebe, liebe – ich vermag nicht zu lieben‹. Ich konnte kreieren, aber jetzt ist es spät. Und Kälte und Finsternis schauen durch das Fenster des Lebens, Angst und Schrecken, und nachts wende ich nicht die Augen von einer furchtbaren Vision, ob es nicht möglich wäre, die verlorene Zeit aufzuholen. Ob es nicht möglich wäre, mit Kopf und Herz sich in die Liebe hineinzuwerfen ... Finster und kalt arbeitet der Kopf, und wieder erdrückt mich die verhängnisvolle Kraftlosigkeit, die zum Schweigen zwingt. Vielleicht ist die Zeit nicht vorbei, vielleicht kann man noch mit toller Arbeit, mit Anspannung aller bewußten Kräfte sich aus der um den Hals gezogenen Schlinge losreißen. Vor der Leinwand erfaßt mich Leidenschaft ... ich werde mich bemühen, mit toller Arbeit mir die Kunst zurückzuholen, aber, wenn die Hände mir machtlos sinken, so soll Gott mir Demut geben.«[213]

Erst auf einer Frankreich-Reise 1903 in die Normandie und nach Paris findet Werefkin wieder Vertrauen zu Jawlensky und ihrer Mission, ihn zu einem Künstler zu machen, der ihre Ideen umsetzen könne. Zuvor war sie durch das Unverständnis ihrer Freunde so zur Einsamkeit verurteilt gewesen, daß sie sich einen abstrakten Gesprächspartner, den ›Inconnu‹, schaffen mußte: »Jedem habe ich die Hand gereicht, damit er aufwärts steigen könne. Jedem habe ich die Vollkommenheit gezeigt, damit er an sie glaube und sie sehe. Aber sie wollten die Wahrheit und verstanden niemals, daß einzig das Trugbild der Vollkommenheit die erstrebte Wahrheit ist. Ich wollte ihnen neue Horizonte geben, neue Götter, einen neuen und jungen Glauben, die Schöpferkraft. Aber sie verstanden mich nicht. Da habe ich dich, du Unbekannter, zur einzigen Liebe erkoren, so wie ich mich selbst als einzigen Traum nahm. Durch dieses doppelte Licht bin ich zu dem geworden, was ich bin. Nichts in der Welt der Realität schien mir würdig, diesen Traum zu ersetzen. Da habe ich in mich selbst geschaut und habe die Werte vertauscht. Ich habe aus meinem eigenen Ich den schönen und einzigen Gott gemacht und aus dir die höchste Tröstung.«[214]

In ihrem Drang zur Kreativität erfindet Marianne Werefkin Begebenheiten, in die sie sich selbst und ihre Freunde als Zuschauer oder Schauspieler einbezieht: »Wenn irgend etwas oder irgendeiner mir manchmal Antwort gibt, dann fühle ich mich im siebten Himmel. Mein Stück hat dann Erfolg gehabt. Ich tue nichts. Aber mein Gehirn ist in ständiger Tätigkeit und läßt mich alle Leben leben. Ich bin schöpferisch tätig vom Morgen bis zum Abend und vom Abend bis zum Morgen. Ich schaffe die Menschen, die um mich sind, ich schaffe die Empfindungen, die ich erprobe, oder die ich hervorrufe. Ich schaffe die Verhältnisse und die Eindrücke. Ein Leben ist wenig für die Menge der Dinge, die ich empfinde, und ich erfinde mir andere in mir und außer mir.«[215] Die Werefkin kann beobachten, daß sie durchaus Erfolg hat, wenn sie sich beständig müht, ihre Freunde nach ihrem Willen und ihrer Vorstellung zu erziehen und zu formen, mag es ihr manchmal auch schwerfallen: »Je erbitterter der Kampf ist, um so mehr wachsen die Kräfte, und ich selbst werde größer, denn was ich an Idealität gebe, das wächst mir an Realität zu. Sie verwirklichen meine Wünsche, meine Gedanken, mein Sinnen und Trachten, das Ideal, den Gott in mir.«[216]

In ihrem Sendungsbewußtsein vergleicht sie sich mit Jeanne d'Arc, die sich in einem männlichen Metier zur Führerin einer Männergesellschaft gemacht hat: »Ich bin die starke Jungfrau, die man im Kampfe liebt, nicht die, die man beschützt und zu der man zärtlich ist. Das ist Ruhm, aber auch Kälte. Liebe ohne Zärtlichkeit. Anstrengung ohne Ruhe. Ein sehr schönes Leben, aber auch ein sehr übermenschliches. Und ich bin doch nur eine Frau, mehr als das, nur ein Kind ... Ich bin Trägerin einer Idee, die von mir jegliches Opfer verlangen kann. Mein Werk, das schon sehr im Gange ist, ist noch nicht vollendet. Das wahre große Kunstwerk, der Stern einer neuen Renaissance, ist noch nicht geschaffen. Ich bleibe auf meinem Posten.«[217] Je mehr Anklang die Werefkin bei ihren Freunden findet, desto leichter fällt es ihr, auf einen Fundus von erarbeiteten Vorstellungen zurückzugreifen. Der Wunsch reift in ihr, diese in Bilder umzusetzen. Doch ist sie noch nicht davon überzeugt, daß sie selbst dazu berufen sei. Ständig hemmen sie Zweifel: »Alle Bilder, die ich seit langem in mir trage, stehen wieder auf. Visionen und Farben, alles dreht sich in mir und um mich. Heute am Morgen brannten mir die Pinsel in den Händen. Oh, welche Qual! ... Ich möchte arbeiten. Das ist mein glühender Wunsch. Ein wütendes Verlangen beißt mir ans Herz, mit der Farbe umzugehen ... Wozu führt es, wenn ich arbeite, selbst wenn ich gut arbeite? Zu einigen Werken, die vielleicht nicht schlecht sind. Nein, dazu liebe ich meine Kunst zu sehr. Wenn ich selbst nicht arbeite und mich nur ganz dem widme, an was ich glaube, wird das wahre und einzige Werk entstehen, der Ausdruck des künstlerischen Glaubens, und das wird für die Kunst eine große Eroberung sein. Dafür ist es wert gelebt zu haben ... Ich bin ein energisches Wesen, intelligent und Künstlerin, ich habe eine schöpferische Seele, und ich bin der Trägheit verfallen, dem Nichtstun. Ich habe mir selbst nicht vertraut ... Ich bin zur Hure geworden und zur Küchenmagd, zur Krankenpflegerin und zur Gouvernante, nur um der großen Kunst zu dienen, einem Talent, das ich für würdig hielt, das neue Werk zu verwirklichen ... Wie wiederum ins Leben treten? Die Zeit ist dahin, und der Glaube ist geschwunden. Nur die Leidenschaft bleibt und grollt in mir mit wahnsinnigem Verlangen. Ich will arbeiten bis zur Tollheit. Und neben mir sagt die unbeirrbare, boshafte und widersprechende Stimme der Vernunft, daß das ein Wahnsinn ist.«[218]

Während sie sich noch nicht entschließen kann, wieder mit Pinsel und Palette zu arbeiten, hilft sie aber anderen, ihre Zweifel zu überwinden. Dabei erlebt sie freilich bittere Enttäuschungen und Anfeindungen: »Eine geheime Gewalt zwingt mich, allen die Hand hinzuhalten, die suchen und zögern, und irgend etwas sagt mir, daß es gut ist, meine Hand zu nehmen und zu halten ... Was habe ich für seltsame Freundschaften! Man liebt mich, und man flieht mich. Und nach Jahren kommt man wieder, um mir zu sagen, daß ich die einzige, die wahre Liebe sei und daß man mich immer geliebt habe. Die Menschen kamen immer zu mir, um mir zu sagen, daß ich ihr Stern sei, daß sie ohne mich im Leben nicht weiterkämen. Und ich, törichterweise stellte ich mich in ihren Dienst, damit sie wüßten, wohin gehen, dafür hielt ich das Licht des Ideals, und ich erleuchtete ihren Weg, und sie gingen dahin und hatten keine Furcht mehr. Mit unermüdlicher Hand hielt ich das Licht. Dann dachten sie nicht mehr an mich, bekämpften mich sogar ... Meine Schwäche ist es, immer noch zu glauben, einen Gefährten für die Reise in das Land der Chimären zu finden.«[219]

Reise nach Frankreich 1903

Im Lauf des ersten Halbjahres 1903 verbessert sich das angeschlagene Verhältnis zwischen Werefkin und Jawlensky. Sie wird wieder zuversichtlich und zusehends optimistischer: »Ich bin ein Stück weitergekommen ... Im Kampf mit meinem Ich habe ich alle meine Kräfte wiedergewonnen ... Ich habe die Rechnung meines Lebens beglichen ... Ich empfinde eine große Genugtuung über meine Widerstandskraft ... Ich bin beruhigt, denke an meine Reise und packe die Koffer.«[220] Das ist Mitte August 1903. Die gemeinsame Reise geht nach Frankreich, in die Normandie und nach Paris. Sie muß außerordentlich harmonisch verlaufen sein, denn die Werefkin berichtet: »In dem so geliebten Paris gingen wir Seite an Seite. Und niemals mehr sah ich alles so schön wie damals, als deine Hand die meine hielt. Wir gingen durch die stinkenden Straßen des Quartier Latin. In der Ferne die schiefen Häuser, und vor uns eine Orgie von Farben. Die Schaufenster mit ihren kleinen roten und braunen Glasschildern. Die Blumenkübel auf den Karren an den Straßenecken. Ein Damenhut. Ein Kinderwagen. Die orangefarbenen Räder einer Droschke. Der Blumenmarkt und die Seine zu unseren Füßen, diese Seine, die immer farbenprächtig gekleidet ist und alles Rohe mit ihren bleifarbenen Wellen einhüllt. Wir gingen in die Notre Dame. Und das blitzende Feuer der Fenster stieg mir zu Kopf und versetzte mich in einen künstlerischen Rausch. Und ich schickte in diesem wunderbaren Tempel ein geheimes Gebet zum Himmel, daß die Schönheit und die Liebe immer bleiben möchten.«[221]

Schon am Meer in der Normandie verwandelten sich für sie die Bekümmernisse und Leiden der Jahre zuvor »in Töne und Farben, und ich spiele mit ihnen wie der wandernde Mond mit den schwarzen Blumen der Wolken. Oh, wie viele neue Bilder haben mein Herz reicher gemacht. Da siehst du das Wunder der Kunst. Da stehen ganze Welten in mir auf, immer neu und immer anders. Welche Galerie von Bildern, welches Museum voller Reichtümer! Und ich bin ihr Schöpfer. Ich kann sie alle vernichten und zugleich wieder erstehen lassen. Ich habe meine Augen in Tränen gebadet, und jetzt lache ich ... im Angesicht des Mondes, der so traurig scheint. Und das Bild, das Bild meiner Seele, wächst und erfüllt meine Augen mit seinem Glanz ... Die Freude ... ist ebenso schön wie das Leiden, wenn sie bis zu ihren höchsten Höhen steigt. Denn die Freude ist das höchste Leiden. Wer alles verloren hat, weint, aber er hofft. So ist der Mensch. Wer alles erreicht hat, jubelt, aber er zittert.«[222]

Marianne Werefkin weiß, daß sie noch am Anfang der Ausbildung von Jawlensky steht. Gleichzeitig weiß sie, daß sie bei ihm nichts erzwingen kann, und so lehrt sie ihn behutsam, mit ihren Augen die ihn umgebende Welt zu sehen. »Ich lebe nur mit dem Auge. Alle meine Gedanken stehen in seinem Dienst. Alles, was das Auge sieht, sage ich dem, der es hören will, ich stelle es in den Dienst des Künstlers, der unter meiner Hand heranwächst.«[223] Sie läßt Jawlensky die Landschaft in einer Weise erleben, die das einmal Geschaute künstlerisch verwandelt hat: »Ich habe sie vielleicht selbst geschaffen, diese poetische Normandie, wo alles Musik der Linien und Farben ist und alles in Poesie getaucht. Rosige Dünen und dunkelgrüne Hügel säumen den Weg. Ein Streifen blauen Himmels, an dem die Sterne glitzern und der kaum erwachte Mond über unseren Häupten schwebt. Kein Laut, einzig die Musik der Düfte, der Geruch des Geißblatts und der Ruch von totem Laub ... Und ich sehe mit aller Deutlichkeit in der Erinnerung, wie sich das Rot der Dünen mit dem Blau des Himmels vermählt, ich sehe den kleinen kalten Stern aufblitzen und zarte Wolken am Horizont dahinziehen, ich sehe das silbrige trockene Gras sich über das Gold des Sandes ausbreiten und die so unendlich feine Linie der Dünen die Reinheit des Himmels begrenzen. Ich höre von fern das Rauschen der Wogen und in der Nähe das Zirpen der Grille. Ich sehe die blauen Schatten in den goldenen Buchten, die Spuren der unermüdlichen Wellen im Sand. Ich sehe das unermeßliche, traumhafte Land, ernst und schweigsam, rein und schön.« Nun ist sie sicher, daß Jawlensky ihre Empfindung und ihre Sicht teilt: »Wie war er schön, dieser Abend, in der erhabenen Pracht der Dünen, unter dem gestirnten Himmel, dessen Blau nicht reiner sein konnte als sein Herz. Welche innigen Worte gab die wahre und große Leidenschaft diesem so starken und kindlichen Manne ein. Ich hatte als Künstler meine Freude an der Übereinstimmung des Rahmens mit dem Bild der Gefühle.«[224]

Trotz der bunten Bilder, die die Werefkin im Gespräch mit Jawlensky für diesen entwirft, wagt sie sich selbst noch nicht wieder an Pinsel und Farben. Ihr ist bewußt, daß eine neue Malerei nur mit neuen Mitteln entstehen kann. Sie scheut sich, sich an deren Entwicklung zu beteiligen, da sie eine hohe Verantwortung gegenüber dem bereits Geleisteten früherer Künstlergenerationen empfindet. »Die weiße Leinwand vor sich, das ungeschaffene Werk im Kopf, muß jeder geborene Künstler den Blick der Größten auf sich ruhen fühlen. Sagen, was niemals gesagt ist, ist der Grund aller künstlerischen Schöpfung. Aber außerhalb seiner Arbeit kann sich der Künstler nur demütig auf die Knie werfen vor allen Großen, die vor ihm waren. Man braucht nicht in ihre Schule gehen in dem vergeblichen Wunsch, ihre Tricks zu übernehmen, ihr Werk allein ist ständig Lehre, weil es den Weg bezeichnet. Man muß von ihnen lernen, die Natur zu bewältigen und die künstlerische Persönlichkeit zu enthüllen. Es ist töricht, die Meister durch ähnliche Werke wieder zum Leben erwecken zu wollen. Man muß sich mit ihrem Geist durchringen. Die Kunst besteht nicht nur im Machen, sie ist eine Weltanschauung. In ihrem Licht ist das ganze Leben ein anderes wie für den gewöhnlichen Menschen. Deshalb können sich auch nur die echten Künstler wahrhaft kennen und bewundern. Rembrandt wäre in unseren Tagen auch nur Rembrandt, denn das Werk des

Meisters ist sein Selbst. Aber um der Rembrandt unserer Tage zu sein, müßte er sich neuer Mittel bedienen, die eine neue Zeit ihm gibt.«[225]

In Ehrfurcht und Demut betrachtet Marianne Werefkin die Geschichte der Kunst und sieht sich selbst – was sehr aufschlußreich ist – in der Rolle des Lehrers der Fauves, Gustave Moreau, den sie nicht als Schrittmacher der neuen Kunstgeschichte einschätzt: »Aber wer kein Riese ist, muß wenigstens seine Seele allen Dingen offenhalten. Man denke an Gustave Moreau. Wenn man nicht selbst schaffen kann, muß man wenigstens zu verstehen trachten. Man muß schon sehr groß schaffen, um das zur Offenbarung zu bringen, was man nicht verstehen kann.«[226]

Jawlensky vollzieht nach der Reise eine jähe Entwicklung. Während er im selben Jahr, 1903, kurz zuvor noch ein *Stilleben mit Äpfeln* (Abb. 78) in einer hochstieligen Obstschale in der von Ažbè gelehrten ›Naßinnaß‹-Technik gemalt hat, benutzte er für ein späteres *Stilleben* (Abb. 79) eine völlig andere Technik. Die Malweise ist trocken und erlaubt keine langen Pinselzüge mehr. Das Licht, das früher wie Perlmutt in den einzelnen Pinselbahnen und Lachen reflektiert wurde, ist in diesem und anderen späteren Bildern nicht mehr anzutreffen. Ebenso tauchen auch die Glanzlichter, die er besonders gern als Lichteffekte auf der glatten Oberfläche der Glasur von Porzellan zu setzen pflegte, nicht mehr auf. Seine Interpretation der Erscheinung von Licht in der Natur hat sich seit der Frankreichreise verändert. Das Licht in seinen Bildern scheint aus der Farbe selbst herauszuleuchten und ist nicht mehr auf eine Beleuchtungsquelle zurückzuführen. Auch seine Technik der Pinselführung hat sich verändert. Wo er kurz zuvor noch Gegenstände und Flächen mit langen Pinselzügen bezeichnete, benutzt er jetzt ganz kurze Pinselhiebe, die nicht mehr gestrichen, sondern einzeln und isoliert gesetzt werden.

Ein besonders bemerkenswertes Bild nach diesem Neuanfang ist das Stilleben *Bagatelles* (Abb. 80),[227] das sich durch eine außerordentliche Farbintensität auszeichnet. Vor einem blauen Hintergrund plaziert er links eine japanische Puppe, rechts eine aufrecht stehende Ananas mit vielen verschiedenen Orangetönen, dazwischen einen roten und einen grünen Apfel. Am unteren Ende bildet ein roter Querstreifen den Bildabschluß. Es ist unschwer zu erkennen, daß Jawlensky auf seiner Frankreichreise die Pointillisten entdeckt hatte und sich an diesen orientierte. Mit neben- und übereinandergesetzten kleinen Farbflecken überzieht er die Bildfläche wie mit einem Konfettiregen, in einer Weise, wie diese Malmethode von vielen französischen Malern (Abb. 81) in der Nachfolge von Georges Seurat, Paul Signac oder Camille Pissarro gehandhabt wurde. Jedoch ist seine Technik – was man erst bei ganz genauem Hinsehen mit der Lupe entdecken kann – ganz anders geartet als die der Franzosen, die die Theorien der Physiker Chevreul und N. O. Road in Malerei umsetzen wollten. Während jene ihre Bilder nach dem Prinzip der Teilung der Farbtöne malten unter ausschließlicher Verwendung von Spektralfarben, indem sie entsprechend den Theorien der beiden Physiker die Farben ungemischt in Punkten auf die Leinwand auftrugen[228], mischt Jawlensky auf raffinierte Art und Weise die Farben in einem einzelnen Punkt. Er nimmt verschiedene Farben unvermischt gleichzeitig in ein und demselben Pinsel auf und setzt sie in einem einzigen Malakt als Strich oder Punkt ins Bild, den er durch Drehung manchmal zu einem Wir-

Abb. 78
Alexej Jawlensky: *Stilleben mit Äpfeln*, um 1903

Abb. 79 Alexej Jawlensky: *Stilleben*, 1903

Abb. 80 Alexej Jawlensky: *Bagatelles*, 1903/04

Abb. 81 Louis Hayet: *Die Nacht*, um 1889

bel formt und auch plastisch gestaltet. Auf diese Weise entwickelt er eine Art ›Millefiori-Maltechnik‹, die als sein besonderer Beitrag zum späten Neoimpressionismus zu werten ist, die aber in einer Weiterentwicklung auch zu seinem Markenzeichen werden soll. Der Forderung von Paul Signac: »Das Ziel der Farbenzerlegung ist, der Farbe höchstmöglichen Glanz zu geben, durch die Mischung der nebeneinandergesetzten Farbteile im Auge farbiges Licht zu erzeugen«,[229] kommt er in völlig neuartiger Weise nach. Interessanterweise – und das ist symptomatisch für Jawlensky – schweigt er auch in seinen ›Lebenserinnerungen‹ über die Anreger und Quellen seiner Kunst. Delacroix, der als Vater des Divisionismus angesehen werden kann,[230] wie auch die Pointillisten selbst, waren ihm zumindest durch die Werefkin längst bekannt. Was Jawlenskys ›Millefiori-Technik‹ anbetrifft, besonders klar zu beobachten in den hellen Punkten, die das Muster des Gewandes des japanischen Püppchens in *Bagatelles* bilden, so verdankt er diese ganz sicherlich Beobachtungen, die er auf seiner Reise nach Venedig 1899 mit Marianne Werefkin, Ažbè, Kardovsky und Grabar' bei den Glasbläsern von Murano machte. Diese spezielle Maltechnik Jawlenskys stellt einen der vielen Versuche dar, den Neoimpressionismus neu zu beleben, dem zum Beispiel Camille Pissarro schon längst abgeschworen hatte.

An van de Velde schrieb Jawlwenski 1896: »Ich glaube, mein lieber Freund, es ist meine Pflicht, Ihnen aufrichtig zu schreiben, wie ich meine Versuche beurteile, die ich mit der divisionistischen Malerei unseres verstorbenen Freundes Seurat gemacht habe. Kurz gesagt, ich kann nicht mehr zu den Neo-Impressionisten gerechnet werden, nachdem ich die systematische Anwendung der Theorie des Divisionismus aufgegeben und in mühevoller, strenger Arbeit wiedergefunden habe, was ich verloren hatte. Ich habe eingesehen – ich spreche nur in meinem eigenen Namen –, daß es unmöglich ist, meine raschen Eindrücke festzuhalten, um Leben, Bewegung zu geben; unmöglich, den tausendfältigen Formen der Natur nachzugehen, unmöglich oder zu schwer, meiner Formensprache Charakter zu geben, ohne leer zu werden – ich habe auf den Neo-Impressionismus verzichten müssen, es war hohe Zeit. Wahrscheinlich war ich für diese Kunst nicht geschaffen, sie gibt mir das Gefühl der Gleichgültigkeit, des Todes! Ja, mein Freund, des Todes. Ich finde in ihr keine Harmonie und auch nicht modernes Leben. Zweifellos ist das große Bild Signacs ein lobenswerter und mutiger Versuch, aber ich finde es nicht überzeugend, im Gegenteil.«[231]

Von den Neoimpressionisten und der für ihn so bedeutenden Reise nach Frankreich erfahren wir von Jawlensky selbst nichts. Auch über sein ganz großes Vorbild – van Gogh –, dessen Werke er damals kennenlernt, schweigt er. Fänden sich nicht ab und zu aufschlußreiche Aufzeichnungen in Werefkins Tagebüchern, so wäre die künstlerische Entwicklung Jawlenskys – und auch der Stand des Wissens der Werefkin um Neuerungen in der Kunst zwischen 1900 bis 1906 – nur sehr schwer rekonstruierbar. Auf jeden Fall wurde van Gogh die große Leitfigur für Jawlensky und durch ihn auch für andere Künstler. Gabriele Münter bekennt dies ganz freimütig: »Wenn ich ein formales Vorbild hatte ..., so ist es wohl van Gogh durch Jawlensky.«[232] Sein eigenes Werk ist ganz sichtbar durch Bildvorlagen bis in die Handschrift – und den Pinselduktus – hinein von van Gogh abhängig (Abb. 82, 83). Dieser Einfluß macht sich etwa von 1904 an in sehr

starkem Maße bemerkbar, nachdem er sich vom Impressionismus gelöst hat, und
reicht bis 1908, als er die ausgeprägte Malweise Gauguins und dessen Nachfolger übernimmt. Ausschlaggebend für die plötzliche Hinwendung zu van Gogh war die Frankreich-Reise. Von Bedeutung in der Jawlensky-Forschung ist in diesem Zusammenhang
immer wieder das Gemälde *La maison du père Pilon* von van Gogh, das ehemals gemeinsamer Besitz von Werefkin und Jawlensky gewesen ist. Jawlensky muß an diesem
Bild gehangen haben wie an einer Reliquie. Dies geht aus mehreren Äußerungen hervor.
Zum Beispiel vermißt er von allem, was er bei Ausbruch des Ersten Weltkrieges in
München zurücklassen muß,[233] die »schöne Landschaft von van Gogh« am meisten:
»Ich wollte unbedingt meinen van Gogh in der Schweiz haben.«[234] Der Maler Cuno
Amiet mußte ihm unter schwierigen Bedingungen noch 1914 das Bild in die Schweiz
schaffen.

Zwischen 1903 und 1908 also[235] arbeitete Jawlensky im Stil van Goghs, der dem
Neoimpressionismus sehr nahekommt. Den Hauptvertretern dieser Stilrichtung,
Signac, Seurat und Pissarro, war van Gogh sehr verpflichtet. Ihnen verdankte er eine
neue Sehweise, außerdem eine Aufhellung und Änderung seiner Palette, sowie die Me-
thode, Bilder in Tupfen zusammenzusetzen. Die zwei nur sehr kurzen Erwähnungen
van Goghs in Jawlenskys ›Lebenserinnerungen‹ sind höchst aufschlußreich. Die eine ist
jene obengenannte Bemerkung, daß er keinesfalls auf seinen van Gogh in der Schweiz
verzichten möchte. Die andere zeigt, daß sich Jawlensky mit geradezu missionari-
schem Eifer für sein Idol einsetzte. Dies sogar im Zusammenhang mit einem gestande-
nen Künstler, seinem ehemaligen St. Petersburger Lehrer Ilja Repin: »Rjepin verstand
neue Kunst überhaupt nicht ..., ich erinnere mich, als er einmal in München bei mir
war, sprach er wütend gegen Cézanne und van Gogh. Man konnte ihn gar nicht überzeugen.«[236] In seiner Begeisterung und seinem Engagement für van Gogh scheint er völlig
blind dafür, daß Repin, als er damals nach München kam, bereits an die siebzig Jahre alt

Abb. 82 Alexej Jawlensky: *Selbstbildnis*, 1904

war und ein künstlerisches Lebenswerk hervorgebracht hatte, das ihn zum erfolgreich-
sten russischen Realisten seiner Zeit hatte werden lassen. Es ist zu natürlich und verständlich, daß der Neuerer van Gogh Repin damals nichts mehr geben konnte. Jawlensky blieb dies bis in seine letzten Lebensjahre unverständlich, wie wir aus seinen Aufzeichnungen von 1937 ersehen. Hieraus wird zugleich aber auch deutlich, daß van
Gogh Jawlensky als Vorbild bis zu seinem Lebensende erhalten geblieben ist.

Abb. 83 Vincent van Gogh: *Selbstbildnis*, 1887

Betrachtet man Jawlenskys *Selbstporträt mit Zylinder* (Abb. 82) aus der Zeit um
1904 im Vergleich zu van Goghs *Selbstbildnis* von 1887 (Abb. 83), so dürfte klarwerden,
daß Jawlensky die Arbeiten von van Gogh bis ins Detail studiert haben muß.[237] Ohne
Zweifel kannte er das Selbstbildnis von van Gogh und benutzte es als Vorlage. Bei den
Übereinstimmungen in Kleidung, Haltung und Pinselführung wird man annehmen
müssen, daß Jawlensky sogar während der Arbeit eine Abbildung vorgelegen hat. Leider
sind wir nicht darüber informiert, ob es sich dabei um ein Photo, einen Druck oder möglicherweise sogar um eine eigene Nachzeichnung gehandelt hat. Dies wäre durchaus
naheliegend, da wir wissen, daß Jawlensky früher oftmals Bilder kopierte. Es wäre auch
nicht außergewöhnlich, wenn er sich mit dem Zeichenstift Motive und Stil van Goghs
zu eigen gemacht hätte. Im Gegenteil, das Arbeiten nach geschätzten künstlerischen

84

85

Abb. 84 Alexej Jawlensky: *Kirch-Eiselfing bei Wasserburg*, 1906/07

Abb. 85
Vincent van Gogh: *Landschaft in Auvers*, 1890

Vorbildern würde ganz dem Vorgehen van Goghs entsprechen, der Millet, Delacroix und andere Maler studienhalber kopierte.[238]

Auch andere Bildvergleiche bestätigen Jawlenskys intensive Auseinandersetzung mit seinem Vorbild. Das Bild des Dorfes *Kirch-Eiselfing*[239] bei Wasserburg am Inn (Abb. 84) von 1906/07 nimmt eindeutig Bezug auf Landschaftsdarstellungen von van Gogh aus dem Jahr 1890 (Abb. 85). Zweite hat auf diesen Sachverhalt aufmerksam gemacht und bemerkt, daß beide Künstler »weitgehend identische Bildmittel einsetzen ..., der Vergleich zeigt einen sehr ähnlichen Aufbau, in der Durcharbeitung des Details, dann aber auch Brüche und Verwerfungen, wechselnde Rhythmen und eine spannungsgeladene Beziehung der Einzelheiten wie Blumen, Bäume, Wegmarkierungen zur übergreifenden Gesamtform. Die Landschaft mutet fremd und leer an und ist von retardierenden und beschleunigten Bewegungsströmungen durchpulst, die mit dem quellenden Gewölk kontrastieren.«[240] Bei einem weiteren Bild von Jawlensky, *Sommertag*[241] (Abb. 86), das Leinz[242] als den Wasserburger Ortsteil Burgstall identifizieren konnte, wurde ebenfalls eine Ähnlichkeit mit dem Werk von van Gogh festgestellt: »In der Lebendigkeit der Modellierung bleibt van Gogh als Vorbild spürbar ... Die Bevorzugung reiner, leuchtender Farben ... gemahnt an die Maler von Pont-Aven (Gauguin). In die gleiche Richtung deutet auch Jawlenskys Bestreben, jeweils größere Formenkomplexe zusammenzufassen.«[243] Die Gauguin-Bemerkung muß jedoch nicht von van Gogh wegführen, denn dieser ist in seinen Bestrebungen nicht unbedingt von der Schule von Pont-Aven zu trennen. Dies macht unser Vergleichsbeispiel, *Der Garten Daubigny's* (Abb. 87), deutlich. In der Art, wie einzelne Bildpartien gestaltet werden, um sich gegen andere abzuheben, wie einzelne Bäume akzentuiert hervortreten, sind beide Bilder sehr ähnlich. Ebenso übereinstimmend ist das Bedürfnis, Häuser mit der Vegetation zu verklammern und diese einzubinden. In einem Brief an Emile Bernard schildert van Gogh 1888 seine Arbeitsweise, die Jawlensky in *Sommertag* übernommen zu haben scheint: »Indem ich

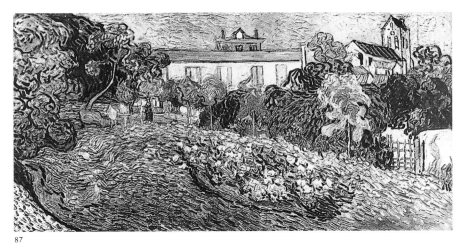

86   87

stets direkt an Ort und Stelle arbeite, suche ich in der Zeichnung das festzuhalten, was
wesentlich ist. Dann fülle ich die durch Konturen – ob sie nun zum Ausdruck kommen
oder nicht, auf alle Fälle aber sind sie gefühlt – begrenzten Flächen.«[244] Daß van Gogh an
dem Stil der Maler von Pont-Aven teilhatte, geht zum Beispiel aus einem anderen Brief
an Bernard hervor, wo er von einer »Art Effekte, wie die von Glasfenstern gotischer Kirchen«[245] spricht. Und aus einem etwas späteren Brief an Gauguin wird ersichtlich, daß
er sich dessen Malweise bedient, um sie mit der seinen zu verschmelzen: »Und es freut
mich enorm, daß Sie sagen, das Portrait der Arleserin, das streng auf Ihrer Zeichnung ba-
siert, habe Ihnen gefallen. Ich versuchte, Ihrer Zeichnung respektvoll treu zu bleiben ...
Es ist eine Synthese der Arleserin, wenn Sie so wollen. Da Arleserinnen-Synthesen selten sind, so nehmen Sie dies als ein Werk von Ihnen und mir, als eine Zusammenfas-
sung unserer gemeinsamen Arbeitsmonate.«[246] In diesem Sinne wird man auch Jawlenskys Arbeiten sehen müssen, in denen er sich van Gogh zum Vorbild nimmt.

Abb. 86 Alexej Jawlensky:
Sommertag (Blick auf den Dreikreuzberg in Burgstall,
Wasserburg am Inn), 1907

Abb. 87
Vincent van Gogh: *Der Garten Daubignys*, 1890

Marianne Werefkins frühe Entdeckung des Lichtproblems

Wenn die Werefkin mehrfach – während sie selbst nicht malte – betonte, daß sie von
morgens bis abends künstlerisch tätig sei, so wird dies wohl kaum an einem anderen
Beispiel so deutlich, wie an einer Bemerkung, die sie fast beiläufig in ihrem Tagebuch
notierte. Die Eintragung erfolgte im November 1903, einige Wochen nach der Rückkehr von der Frankreich-Reise: »Lichtenberger versteht die Farbe nur, wenn sie ausge-
breitet ist. Er kennt nicht den einfachen Wert der Farbe. Er ist ein wahrer Künstler. Das
habe ich schon bei seinem ersten Werk erkannt, das ich vor vier Jahren gesehen habe.
Seither geht er unbeirrt und sehr ernsthaft seinen Weg. Aber seine deutsche Natur, alles
zu klassifizieren und in Paragraphen zu fassen, ist die Ursache dafür, daß ihm mancher-

lei entgeht. Er sieht in Toulouse-Lautrec, in Zuloaga Zeichner. Er merkt nicht, daß die Zeichnung bei ihnen nur die Ergänzung der Farbe ist, daß die Farbe bei ihnen einen inneren Wert hat ohne Rücksicht auf ihre Umgebung. Es ist das Grün in allen seinen Abstufungen neben einer Skala von Violett. Der Einfluß der Luft, der Beleuchtung ist durch die Kraft des Künstlers zurückgehalten. Die Farbe ist schön, so wie sie ist, oder vielmehr, weil sie der Künstler so will. Lichtenberger sieht die Farbe durch die Luft, durch die Beleuchtung. Er sieht sie als empfindsamer Künstler in all ihrer Differenziertheit. Aber das ist nur ein Standpunkt, wie es der andere auch ist, die Farbe durch sich selbst zu sehen. Lichtenberger ist klug und gar nicht borniert wie sonst die Deutschen. Aber er ist so sehr in sich eingeschlossen als Deutscher. Man spürt bei ihm nicht die Möglichkeit, auszubrechen.«[247]

Es ist eine höchst aufschlußreiche Passage. Sie informiert uns, daß der Werefkin zu diesem Zeitpunkt Toulouse-Lautrec, der zu den bedeutenden Neueren der modernen Malerei zählt, längst geläufig war, und darüber hinaus, daß sie ihn nicht wie ihre Münchener Freunde als Zeichner beurteilte. Anders als diese hat sie bereits erkannt, daß der Linie in der Malerei Toulouse-Lautrecs eine der Farbe dienende Funktion zukommt. Es ist in diesem Zusammenhang interessant, daß die Werefkin den Spanier Ignacio Zuloaga, der damals in Paris lebte und in ganz Europa bekannt war,[248] in einem Atemzug mit Toulouse-Lautrec nennt, der ebenfalls mit Gauguin und Rodin befreundet war und zusammen mit den Nabis ausgestellt hatte.

Von entscheidender Bedeutung innerhalb der Entwicklung des Expressionismus ist, daß der Werefkin die Bedeutung des Lichtes als eine Funktion der Farbe – und nicht nur als Beleuchtung der Gegenstände – bereits 1903 klar war und Anlaß zur Kritik an den Arbeiten von Malerfreunden gab, die sie sonst durchaus schätzte. Dies war nahezu zwei Jahre, ehe die Fauves – Matisse, Derain und andere – diese aufsehenerregende Entdeckung gemacht hatten. Innerhalb des Münchner Freundeskreises setzt sich die Erkenntnis der Werefkin, daß Licht und Schatten Farbe sind und die Malerei keines Beleuchtungslichtes bedarf, erst sieben bis acht Jahre später durch. Zeuge ist Franz Marc, der am 12. Dezember 1910 an seine spätere Frau Maria schreibt: »Alles stand bei mir bisher auf einer organischen Basis, nur die Farbe nicht. Fräulein Werefkin sagte Helmuth [Macke; Bruder von August] letzthin: die Deutschen begehen fast alle den Fehler, das Licht für Farbe zu nehmen, während die Farbe etwas ganz anderes ist und mit Licht, d. h. Beleuchtung, überhaupt nichts zu tun hat. Der Satz geht mir im Kopf herum, er ist sehr tiefsinnig und trifft, glaube ich, in der ganzen Frage den Nagel auf den Kopf.«[249] Bedenkt man, daß Marc kurz zuvor »die Farbe noch zur Beleuchtung und Illustrierung der körperlichen Einzelteile brauchte«,[250] und wie sehr er sich in dieser Zeit mit dem Problem der Farbe auseinandersetzt, was sich in seinem Briefwechsel mit August Macke[251] sehr gut verfolgen läßt, so kommt in diesem Zusammenhang einem weiteren Ausspruch von Marc eine ganz besondere Bedeutung zu. Nur einen Monat nach dem genannten Brief, am 17. Januar 1911, schreibt Marc wiederum an Maria: »In Kunstsachen begreift man erst, wenn man dafür reif ist.«[252] Nach diesem Zeitpunkt erst entwickelt sich die Malerei von Marc zu einer farbigen Freiheit, die ihr eine weltweite Wertschätzung und den unverrückbar festen Platz in der Kunstgeschichte eingebracht hat. Im Ge-

gensatz zu vielen anderen Münchner Malerfreunden – auch Jawlensky, wie man immer
wieder feststellen muß – war Marc, der die Werefkin damals erst ein knappes Jahr kannte, ein Künstler von rascher Auffassungsgabe. Von daher werden die wiederholten Kla-
gen der Werefkin darüber, daß sie nicht verstanden wurde, verständlich.

Marianne Werefkin sagte von Reinhold Lichtenberger[253] – der nur einige Monate
zuvor den Impressionisten Corinth zu dem damaligen Impressionisten Jawlensky geschickt hatte – im Zusammenhang mit der Anwendung von Beleuchtungslicht, daß er
nicht so »borniert wie sonst die Deutschen« handle und denke. Sie verwies damit unmißverständlich auf die Quelle ihrer Erkenntnis, nämlich die Franzosen. Diesen billig-
te auch Franz Marc bei aller Skepsis und Kritik die wesentlichen Impulse zu, die zur
Entwicklung der modernen Kunst geführt haben, indem er sagte: »Wir verdanken ihnen
doch fast alles; und das Letzte ist gewiß am wahrsten …«[254] Denn das Verständnis zumindest sehr vieler deutscher Maler, die die Farbe als Funktion des Lichtes verstanden,
scheint nachhaltig durch Goethes Definition geprägt worden zu sein: »Die Farben sind
Taten und Leiden des Lichts.«[255]

Die für den Expressionismus so fundamentale Entdeckung, daß es in der Malerei
künftig keinen Dualismus von Licht und Finsternis – kein Beleuchtungslicht – mehr
geben darf, wird allgemein auf das Jahr 1905 datiert. Damals, im Sommer 1905, arbeiten
Marquet, Manguin und Camoin, durch Matisse angeregt, in der Nähe von St. Tropez.
Matisse und Derain gehen zum ersten Mal nach Collioure, einem kleinen Hafen am
Mittelmeer (Abb. 88, 89). Dort, unter der südlichen Sonne, stoßen sie auf die Schöpferkraft der Farbe, die, vom Reflexlicht befreit, als Gestaltungsfarbe zum wohl wichtigsten
Faktor der Malerei des 20. Jahrhunderts werden sollte.[256] Beide Künstler sind von der
Landschaft, dem Fischerdorf Collioure und dem Meer begeistert. Ihre Palette hellt sich
auf, ihre Malweise wird lockerer und farbintensiver, die Handschrift vehementer. Stilistisch können sie sich allerdings noch nicht vom Pointillismus befreien. In Paris zeigen
sie im Herbstsalon, der am 18. Oktober 1905 eröffnet wird, ihre neuen Bilder aus Collioure. Von dort hatte Derain zuvor an seinen Malerfreund Vlaminck über die neue Entdeckung folgendes geschrieben: »Sie besteht darin, daß sie den Schatten verneint. Hier
nämlich ist das Licht sehr stark, sind die Schatten sehr hell. Dieser Schatten ist eine
ganze Welt von Klarheit und Leuchtkraft, die sich dem Sonnenlicht widersetzt. Das alles haben wir beide bis jetzt vernachlässigt, und es wird künftig für die Komposition ein
unschätzbares Mittel sein.«[257]

Matisse berichtete sehr viel später bei einem Interview im Jahr 1929 über das Farb-
licht, das ihnen 1905 in Collioure zum ersten Mal bewußt wurde. »Das waren damals
unsere Ideen: Konstruktion durch farbige Fläche; Streben nach Intensität durch Farbigkeit, wobei das Stoffliche gleichgültig bleibt; Reaktion gegen die Auflösung der Lokal-
farbe durch das Licht. Dieses wird nicht ausgeschaltet, es findet seinen Ausdruck nunmehr durch den Akkord farbintensiver Flächen. Mein Bild ›La Musique‹ hat ein schönes
Blau für den Himmel, das blaueste Blau, das man sich vorstellen kann. Die Fläche war
so von Farbigkeit gesättigt, bis das Blau – das heißt: die Idee des absoluten Blau – vollkommen in Erscheinung trat, ebenso das Grün der Bäume und das vibrierende Zinnober
der Körper. Mit diesen drei Farben erzielte ich einen leuchtenden Akkord und zugleich

88

89

Abb. 88
Henri Matisse: *Landschaft bei Collioure*, 1905

Abb. 89 André Derain: *Collioure*, 1905

die Reinheit der Farbigkeit. Die Form richtete sich nach den Farben. Denn das Bild spricht als farbige Fläche, die der Betrachter in ihrer Gesamtheit erfaßt.«[258]

Raoul Dufy erläuterte zu den Intentionen der Fauves in aller Klarheit: »Im Jahr 1905 oder 1906 malte ich am Strand von Sainte-Adresse. Bis dahin hatte ich solche Strandbilder nach der Manier der Impressionisten gemacht; aber nun war ich an einem Punkt angelangt, wo es nicht mehr weiterging. Ich begriff, daß die Natur, wenn ich sie weiterhin so sklavisch nachahmte, mich ins Endlose führen würde ... Ich wählte ein beliebiges Motiv ... und begann meine Farbtuben und Pinsel einer Musterung zu unterziehen. Wie komme ich dahin, so überlegte ich, mit diesen Mitteln nicht das wiederzugeben, was ich sehe, sondern nur das, was ist, was für mich existiert – meine Wirklichkeit? Denn darum ging es mir. Ich fing also an, die Natur danach auszuwählen, was mir gefiel ... Das Ergebnis überraschte mich sehr. Ich begriff sofort, daß ich gefunden hatte, was ich – vielleicht unbewußt – gesucht hatte ... An jenem Tag in Sainte-Adresse ... bin ich ganz spontan auf das Problem gestoßen, das mich seitdem nicht mehr losgelassen hat. Ich habe mein System entdeckt, und dessen Theorie lautet: Dem Sonnenlicht nachzulaufen, ist Zeitverschwendung! Das Licht in der Malerei ist etwas ganz anderes, es ist das Licht, das durch Gliederung, Komposition und Farbe entsteht.«[259]

Mit der Forderung nach Eliminierung des Beleuchtungslichtes machten die Fauves Front gegen die Impressionisten. Ihr eigentliches Thema war ja die Entdeckung des Lichtes schlechthin, und wo wurden Licht und Luft fast gleichwertig einem Gegenstand behandelt. Sie dienten dem flüchtigen Eindruck, der Impression.[260] Gleichzeitig wendeten sich die Fauves aber auch gegen die Neoimpressionisten, deren Vertreter Alfred Sisley sich einmal zu Gunsten des Beleuchtungslichtes folgendermaßen geäußert hatte: »Sie sehen, daß ich für die Verschiedenheit der Faktur innerhalb desselben Bildes bin. Das entspricht nicht ganz der landläufigen Meinung, aber ich halte es für richtig, besonders wenn es sich darum handelt, einen Beleuchtungseffekt wiederzugeben. Denn wenn die Sonne auch gewisse Teile der Landschaft zarter erscheinen läßt, so hebt sie doch andere schärfer hervor. Diese Beleuchtungseffekte, die in der Natur zu einem fast stofflichen Ausdruck kommen, müssen auf der Leinwand stofflich wiedergegeben werden. Die Gegenstände müssen in ihrem besonderen Verwebtsein dargestellt werden, zumal müssen sie in Licht getaucht sein, wie es auch in der Natur der Fall ist.«[261]

Unbestreitbar hat Marianne Werefkin die Entdeckung, daß das Beleuchtungslicht in der Malerei für ihre Zeit als anachronistisch und der Entwicklung einer neuen Malerei hinderlich zu betrachten sei, weit früher gemacht als die Fauves. Sie stellte das Thema erstmalig in München bei ihren Freunden zur Diskussion und wird zumindest von den deutschen Malern ihres Kreises mißverstanden, wie ihrer Tagebucheintragung zu entnehmen ist. Im Zusammenhang mit dem farbimmanenten Licht verweist sie auf die Quellen dieser Entdeckung, nämlich auf Toulouse-Lautrec und Zuloaga, die wiederum im engen Gedankenaustausch mit van Gogh, Bernard und insbesondere Gauguin die von den Fauves als eigenständige Sensation propagierte Erkenntnis erarbeitet hatten. Auf Umwegen ist zu erschließen, daß die Fauves auf die gleichen Künstler zurückgreifen, deren Leistungen die Werefkin selbstlos und neidlos nennt und anerkennt, nämlich jene der ›Schule von Pont-Aven‹.

Es scheint so, daß die Diskussion in der modernen Kunst um die Bildwürdigkeit von Licht und Schatten 1888 mit einer Frage von Emile Bernard an Gauguin ihren Anfang nahm. Gauguin, der sich damals bei van Gogh in Arles aufhielt, antwortete im November 1888: »Sie streiten mit Laval über die Schatten und fragen, ob sie mir nicht völlig Wurst sind. Soweit es sich um Verdeutlichung des Lichtes handelt – ja. Sehen Sie sich doch die Japaner an, die doch wunderbar zeichnen können: Welch ein Leben in freier Luft und Sonne ohne Schatten! Sie benutzen die Farbe, um die verschiedenen Töne zu kombinieren, sie erzielen alle Harmonien, können Wärme damit ausdrücken usw. ... Ich lehne soweit wie möglich alles ab, was Illusion schafft, und da der Schatten das täuschende Gegenbild der Sonne ist, bin ich geneigt, ihn fortzulassen. Wenn dagegen in Ihrem Bilde der Schatten eine notwendige Funktion erfüllt, so ist das eine ganz andere Sache: Sie malen an Stelle einer Gestalt nur ihren Schatten. Das ist eine originelle Idee, deren Seltsamkeit Sie einkalkuliert haben. – So ist es auch vom Künstler wohlüberlegt, wenn er auf das Haupt der Pallas einen Raben setzt und nicht etwa einen Papagei. Also, mein lieber Bernard, verwenden Sie Schatten, wo Sie es für nötig halten, oder lassen Sie sie fort, es ist ganz gleich, solange Sie sich nicht zum Sklaven des Schattens machen. Umgekehrt, Sie sind Herr über ihn. Ich drücke mich sehr vage aus, aber Sie müssen zwischen den Zeilen lesen.«[262]

Im Streit zwischen Bernard und Laval um Licht und Schatten und Beleuchtungslicht gibt sich Gauguin als Lehrer zu erkennen und bleibt es auch für viele Generationen von Künstlern, auch wenn sie auf eine eigene Entdeckung pochen und seinen Namen nicht zitieren. Ebenfalls 1888 demonstrierte Gauguin auf einer großen Holztafel,[263] was er mit Worten an Bernard zum Ausdruck gebracht hat (Abb. 90). Diese zeigt drei kleine rosa-graue Welpen, drei tiefblaue Gläser und einige Früchte – alles unter

Abb. 90 Paul Gauguin: *Stilleben mit drei jungen Hunden*, 1888

Mißachtung von Proportionen, Größenverhältnissen und natürlichen Farben. Gauguin erweist sich als Herr über den Schatten, indem er ihn aus dem Bild verbannt.

Nicht nur mit ihrer Erkenntnis zur Interpretation der Behandlung von Licht und Farbe in der Malerei ist die Werefkin den Fauves voraus. Wenn die Fauves 1905/06 maßgeblich daran Anteil hatten, die Farbe von ihrer beschreibenden Funktion[264] zu emanzipieren, so wird man zu berücksichtigen haben, daß die Werefkin schon weit früher, 1903, darauf hinwies: »Die Farbe hat einen inneren Wert ... ohne Rücksicht auf die Umgebung ... die Zeichnung ist nur Ergänzung der Farbe ... Die Farbe entscheidet über die Form ... Im Bereich der Farbe muß man sich immer an die organische Form halten, um nicht in den Bereich der Unmöglichkeit zu geraten. Je starkfarbiger ein Eindruck ist, je weniger ist reale Form möglich. Die Farbe löst die bestehende Form auf. Man muß eine ihr eigene Form finden.«[265] Mit diesen Sätzen stellt sie ein Gebot auf, das über die Fauves hinaus für viele Jahre Gültigkeit haben sollte. Es hat ganz nachdrücklich Jawlenskys Malerei beeinflußt und auch noch 1912 in Kandinskys Buch ›Über das Geistige in der Kunst‹ seinen Niederschlag gefunden.[266]

Auch von den »Schocks«,[267] die die Fauves bei den Betrachtern ihrer Bilder auslösen wollten, um besondere Empfindungen hervorzurufen, sprach die Werefkin bereits 1903. Seiner saloppen Art gemäß bezeichnete Derain die Farben, die er so benutzte, wie sie aus der Tube kamen, als »Dynamitpatronen«,[268] während Matisse in diesem Zusammenhang an Zündungen des Gefühls erinnerte, die im Innern der Dichter Bilder entstehen lassen. Sehr ähnlich und beispielhaft erklärte die Werefkin: »Die Kunst, das sind Funken, die durch die Reibung des Individuums mit dem Leben entstehen ... Zwei elektrische Drähte rufen einen Funken hervor. Dieser Funke kommt also von zwei Drähten, die ihn hervorbringen. Aber wenn er einmal da ist, dann ist der Funke etwas ganz anderes als die Drähte. So auch die Kunst. Sie ist das Produkt des Lebens und des Individuums. Sie entsteht durch den Schock, den empfangenen Eindruck ... Damit der starke Charakter des Eindrucks gewahrt bleibe, ist es notwendig, daß er einen ihm gemäßen Ausdruck findet, so wie der Schrei dem Schmerz entspricht, das Lachen der Freude und die Träne der Trauer. Heuchlerisches Schreien, Lachen und Weinen ist ekelerregend. Und ebenso der falsche, gewollte und gequälte Ausdruck in der Kunst. Es handelt sich nicht um Realismus, sondern um Aufrichtigkeit. Aufrichtig muß das Kunstwerk sein, manchmal von einer naiven Aufrichtigkeit, meistens aber von einer gewollten und bewußten Aufrichtigkeit. Diese Aufrichtigkeit ist es, die uns die Waffen gegen die Tradition der Schule ergreifen läßt. Sie ist es, die den Künstler so streng in der Wahl seiner Ausdrucksmittel werden läßt. Die Wahrheit in der Kunst steht nur in Verbindung mit dem Eindruck und seinem Ausdruck. Die Wahrheit der Kunst erstreckt sich also auf den empfangenen Eindruck und die erfundene Form.«[269]

So hat Marianne Werefkin ihren Freunden in Gesprächen schon 1903 alle wesentlichen Erkenntnisse als Voraussetzung zur Entstehung des Expressionismus angeboten. Daß diese, insbesondere Jawlensky, das Angebot nicht nutzten, ist aus heutiger Sicht nur schwer verständlich. An dieser Stelle wird man sich zunächst wohl mit der Erklärung von Franz Marc begnügen müssen, der bei der Erörterung all dieser Probleme 1911 einmal sagte: »In Kunstsachen begreift man erst, wenn man dafür reif ist.«[270]

Frankreich-Aufenthalt 1905

Abb. 91
Alexej Jawlensky: *Garten in Carenteque*, 1905

Fast das gesamte Jahr 1905 verbrachten Marianne Werefkin und Alexej Jawlensky in Frankreich: ihr längster Frankreich-Aufenthalt. Jawlensky gibt in seinen ›Lebenserinnerungen‹ recht genaue Zeitangaben: »Im Frühling 1905 fuhren wir alle nach der Bretagne ans Meer nach Caranteque [Abb. 91–92] ... Ich malte dort viele Landschaften ... und bretonische Köpfe ... Zehn von diesen Bildern wurden im Oktober desselben Jahres im Salon d'Automne in der russischen Abteilung ausgestellt ... Von der Oktoberausstellung in Paris sind wir nach Südfrankreich in die Provence und Sausset am Mittelmeer gefahren, wo wir bis Weihnachten blieben ... Über Genf sind wir nach München zurückgefahren.«[271] Es war jenes Jahr, von dem Marianne Werefkin später sagte: »Ich ging für ein Jahr nach Frankreich, fing alles von neuem an und in einigen Monaten hatte ich den Weg gefunden, den ich jetzt gehe.«[272]

Offensichtlich war damals noch nicht geplant, daß die Werefkin selbst wieder künstlerisch tätig werden sollte. Wahrscheinlich hatte sie eher an eine intensive Studienreise für Jawlensky gedacht, denn sie führte ihn in die künstlerische Heimat von Gauguin, in die Bretagne, von dort nach Paris, dem Angelpunkt des modernen Kunstgeschehens, und schließlich in die Provence, wo van Gogh unter dem Eindruck der südlichen Sonne seine weltberühmten Bilder gemalt hatte. Die Wahl der Aufenthaltsorte ist bestimmt kein Zufall. Sie übten einen nachhaltigen Eindruck auf Jawlensky aus und stimulierten ihn zu neuem und intensivem Schaffen, wie aus seinen ›Lebenserinnerungen‹ zu erfahren ist: »Hier arbeitete ich sehr viel. Und ich verstand, die Natur entsprechend meiner glühenden Seele in Farben zu übersetzen ... Die Bilder waren glühend in Farben. Und mein Inneres war damals zufrieden ... Zum erstenmal habe ich damals verstanden zu malen, nicht das, was ich sehe, aber das was ich fühle.«[273] In der Tat, Jawlensky produzierte in diesem Jahr Bilder von einer nie zuvor gekannten Farbintensität, auch seine Handschrift wurde lockerer und persönlicher gegenüber dem Vorjahr, aber sie bleibt im Duktus (Abb. 93–94) den Neoimpressionisten und vor allem van Gogh in einer so strengen Weise verhaftet, daß man unwillkürlich auch an den Fauve Maurice Vlaminck denkt, der den Holländer so hoch einschätzte, daß er sagte: »Ich liebe van Gogh weit mehr als meinen Vater.«[274] (Abb. 95)

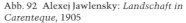

Abb. 92 Alexej Jawlensky: *Landschaft in Carenteque*, 1905

Zehn der Bilder, die Jawlensky in der Bretagne gemalt hatte, wurden im berühmten Salon d'Automne von 1905 gezeigt, jene Ausstellung, die die Fauves mit einem Schlag durch einen Skandal berühmt gemacht hat.[275] Der Kritiker Louis Vauxelles sagte damals angesichts eines konventionellen Kinderköpfchens des Bildhauers Albert Marquet inmitten der ungewohnten farberuptiven Bilder von Matisse, Derain, Friesz, Manguin, Puy, Camoin, Valtat und dem ›Fauvette‹[276] Girieud den Satz: »Donatello zwischen den wilden Tieren [Fauves]«[277] und verhalf damit ungewollt diesen Malern zu ihrem Gruppennamen, der in der Kunstgeschichte zum Begriff wurde. In derselben Ausstellung in einem Sondersaal, hatte Diaghilew, der große Förderer und Interpret aller russischen Kunst, u. a. die Bilder von Jawlensky und Kandinsky präsentiert.[278]

Über dem Skandal, den die französischen Künstler mit ihren Gemälden entfachten, übersah man in der Kunstgeschichte fast völlig, daß außer den Russen noch weitere

Abb. 93 Alexej Jawlensky: *Der Buckel*, 1905

Abb. 94
Alexej Jawlensky: *Die Werefkin im Profil*, um 1905

93   94

ausländische Gruppen an dieser Ausstellung beteiligt waren, nämlich Engländer und
Amerikaner.[279] Man übersah außerdem, daß zumindest Jawlensky – was die Modernität seiner Bilder betraf – einen künstlerischen Rang erreicht hatte, der nahezu an den
von Matisse und anderer Fauves heranreichte.[280] Matisse stellte 1905 auch sein be-
rühmtes, 1904 in St. Tropez entstandenes[281] Gemälde *Luxe, calme et volupté* (Abb. 96)
aus, das Signac aus der Ausstellung heraus kaufte. Schon dies allein weist – wie im Falle
des Besuches von Corinth bei Jawlensky – auf die Anerkennung eines gleichgesinnten
Künstlers als Vertreter einer ganz bestimmten Malrichtung – hier der Neoimpressionisten – hin. Das Bild selbst, es bedarf keiner besonderen Erörterung, ist ganz der malerischen Auffassung der Pointillisten verpflichtet, der Jawlensky seit 1903 ebenfalls huldigte. Die Bilder von Matisse und Derain, die 1905 in Collioure entstanden waren (Abb.
88, 89), zeigen eine neue Auffassung des Pointillismus. Die einzelnen Farbtupfer waren
nicht nur heller und farbintensiver geworden, sondern wurden viel freier als zuvor behandelt. Sie entwickelten sich zu einzelnen größeren Farbformen als selbständige Aussagen. Die Farbe emanzipierte sich zusehends, löste sich aus der dienenden Funktion
als beschreibendes malerisches Mittel und bekam das Recht auf eigene Ausdrucksmöglichkeiten. Darüber hinaus werden die früheren einzelnen Farbpunkte, die sich 1905 zu
Farbstrichen und -hieben entwickelten, durch das Stehenlassen der unbehandelten, ro-
hen Leinwand oder Malmappe voneinander getrennt.[282] Auch dies unterstreicht die
Eigenständigkeit der Farbe. Der Vergleich verschiedener Bilder aus diesem Zeitraum
von Jawlensky (Abb. 97), Vlaminck (Abb. 98) und Matisse (Abb. 99) zeigt eine äußerst
enge Parallelität.

95

96

Bei dieser Ausstellung des Salon d'Automne von 1905 waren noch weiter in der Kunstentwicklung fortgeschrittene Bilder der Fauves zu sehen, entstanden unter dem Einfluß der Rezeption der Lehren von Gauguin. Diese allerdings manifestieren einen deutlichen Abstand in der Fortschrittlichkeit der Malerei zwischen den Fauves und Jawlensky, denn dieser malt noch drei Jahre später, 1908, im Stil der Neoimpressionisten, was uns durch das Zusammentreffen mit dem deutschen Maler Curt Herrmann[283] und dem Holländer Jan Verkade belegt ist.[284] Gauguin und sein Rezept, Farben in Konturen zu spannen, praktizierte Jawlensky erst 1908. Jawlensky war sich bei seinem zweiten Frankreich-Aufenthalt sehr wohl bewußt, daß er im Vergleich zu anderen Künstlern nicht in der allervordersten Linie der Avantgarde stand. Er war nicht der kühle Analytiker und Stratege, wie etwa Kandinsky, der mit Überlegung von der Werefkin neues Gedankengut zu übernehmen vermochte. Er brauchte, wie fast bei allem, zuerst eine Bestätigung von Fremden, die er wegen ihres Ansehens akzeptierte. Auf der Rückreise von Südfrankreich machte er in Genf einen Besuch bei Ferdinand Hodler, den er offensichtlich seit 1897 kannte, als diesem in München eine Goldmedaille für seine Bilder *Die Nacht* und *Eurhythmie* verliehen worden war.[285] In seinen ›Lebenserinnerungen‹ gesteht er ein, daß er damals einige Probleme in der Kunst noch nicht selbständig gelöst hatte: »Ich suchte ihn [Hodler] in seinem Atelier auf und sprach mit ihm sehr leidenschaftlich über alles, was mir in der Kunst nicht ganz klar war ... Er war damals schon auf dem Weg zur Berühmtheit. Er hatte damals schon die goldene Medaille bei der großen internationalen Ausstellung in München verliehen bekommen.«[286] Selbst aus armen Verhältnissen stammend, bewunderte er die Erfolgreichen, 1905 Hodler ganz ähnlich wie um 1900 den schwedischen Modemaler Anders Zorn. Es ist aufschlußreich, daß er von dem Gespräch, das in größerer Runde geführt wurde – »dieser Abend mit

Abb. 95 Maurice de Vlaminck: *Zirkus*, 1906

Abb. 96
Henri Matisse: *Luxe, calme et volupté*, 1904

Abb. 97 Alexej Jawlensky: *Porträt Marianne Werefkin*, um 1905

Abb. 98
Maurice de Vlaminck: *Frauenporträt*, um 1905

97   98

Abb. 99 Henri Matisse: *Rue à Collioure*, 1905

Hodler, seiner Frau und Marianne Werefkin war einer der interessantesten Abende, die ich je erlebt habe« – nichts Wesentliches zu berichten weiß, sondern nur Nebensächlichkeiten für berichtenswert hält, z. B. daß der Genfer Hotelier »ganz außer sich war«, den berühmten Hodler zu Gast zu haben, und »den ganzen Abend voller Bewunderung sagte: ›Das ist Hodler, das ist Hodler!‹«[287] Man kann sehr sicher sein, daß ein wesentlicher Teil des Gespräches mit Hodler von der eloquenten Werefkin bestritten wurde, während Jawlensky wohl nur als staunender Zuhörer fungierte, wie in dem Bild von Gabriele Münter *Zuhören* (Abb. 167).

Das, was Jawlensky in der Kunst noch nicht ganz klar war, war die Bedeutung von Gauguin, dessen Bilder Matisse und andere Fauves 1905 gerade entdeckt hatten. Sein Einfluß auf die Weiterentwicklung der Fauves wurde wichtiger als der von van Gogh oder den Neoimpressionisten.[288] Bei dieser Neuorientierung der Fauves scheint dem Bildhauer Aristide Maillol, der sich 1893 den Nabis angeschlossen hatte, die Vermittlerrolle zugekommen zu sein. Im Sommer 1905 besuchte dieser von Collioure aus mit Matisse Daniel de Monfreid, den treuesten Freund von Gauguin,[289] auf seinem katalonischen Landsitz in Saint Clément.[290] Dort bei de Monfreid, der eine Sammlung der letzten Arbeiten von Gauguin aufbewahrte,[291] bekam Matisse den entscheidenden Anstoß, seine Bilder unter neuen Gesichtspunkten zu gestalten. Unter dem Eindruck dieses Besuches[292] malte er das *Offene Fenster in Collioure* (Abb. 100), das ebenfalls im Salon d'Automne ausgestellt war.[293] In diesem Werk vollzieht sich sehr deutlich die Wandlung vom Pointillismus zu Gauguins Flachmalerei,[294] in der nur wenig später (Abb. 101) nahezu wörtlich die Nabi-Ästhetik übernommen wird: Ein Bild ist vor allem anderen eine plane, von Farben in einer bestimmten Anordnung bedeckte Fläche, und

der Bildgegenstand wird nicht reproduziert, sondern durch bildnerische Äquivalente re-
präsentiert.[295] Diese und ähnliche Bilder brachten noch 1905 den Fauves die Anerkennung des Nabis und wichtigsten Theoretikers von Gauguin, Maurice Denis, ein: »Das
ist die Malerei außerhalb jeder Zufälligkeit, der reine Vorgang des Malens ... Das ist
wahrhaft das Suchen nach dem Absoluten.«[296]

Auch Hans Purrmann, der 1905 den Salon d'Automne besucht hatte, war fasziniert, wie sich der Wandel des Malstiles von Matisse vollzog. Das Bild *Offenes Fenster
in Collioure* findet auch bei ihm eine besondere Erwähnung: »Breitfleckig gemalt, ohne
den Eindruck neoimpressionistischer Technik zu vermitteln, mit fast rein den Tuben
entnommenen Farben, denen jedoch nicht mehr das materielle Aussehen anhaftete und
die eher ein koloristisch mildes Licht der ganzen Leinwand provozierten.«[297]

Die Malerei der Fauves gelangte aus dem Neoimpressionismus über die Bewunderung für van Gogh schließlich zu den Maximen von Gauguin, ehe sie zu weiteren
Freiheiten aufbrach (Abb. 102–105). Wie die beiden Künstler verstanden wurden, defi-
nierte Vlaminck: »Die Kunst van Goghs ist menschlich, sensibel, lebendig – die Kunst
Gauguins dagegen kommt aus dem Gehirn; sie ist intellektuell und stilisiert.«[298]
Van Gogh und Gauguin sind auch die Hauptquellen, auf denen in München und Dresden die Expressionisten aufbauen. Jawlensky nahm bis 1908 trotz Kenntnis der neuesten Arbeiten der Fauves die Position von van Gogh ein, während die Werefkin den
Neuanfang ihrer Malerei 1906 im Stil von Gauguin vollzog. Wie sie ihre Vorbilder verarbeitete, berichten die Tagebücher: »Der Alltagsmensch genießt das Leben und ist
sich immer gleich, ob er auf den Pariser Boulevards lustwandelt oder im Münchner Hof-
bräu Bier trinkt. Das Leben, das er um sich schafft, ist immer dasselbe. Hier und da ge-
selliger oder eleganter, hier und da steifer und langweiliger, im großen und ganzen aber
immer das gleiche. Wenn jemand nicht eine eigene Auffassung vom Leben hat, so sieht
er weder in Paris noch in Rom ... etwas anderes als das, was alle sehen.

Abb. 100 Henri Matisse: *Das offene Fenster in
Collioure*, 1905

Abb. 101
Henri Matisse: *Dame auf der Terrasse*, 1906

Abb. 102 Maurice de Vlaminck: *Der Gärtner*, 1905

101

102

103

104

Abb. 103 André Derain: *Der Tanz*, 1906

Abb. 104
André Derain: *Figuren auf einer Wiese*, 1906

Abb. 105 Raoul Dufy: *Plakate in Trouville*, 1906

Nur von dem Augenblick an, wo der Mensch sich befähigt fühlt, jeden Eindruck in sich selbst umzuwerten, jedes Erlebnis in seiner Seele neu zu gestalten, nur von diesem Augenblick an kann er als Individuum gelten. Hat er die Fähigkeiten, diesem Neuempfinden eine Form zu geben, so ist er Künstler. Für jeden echten Künstler sind die Errungenschaften der größten seiner Vorgänger oder Zeitgenossen nur ein historischer Schatz, an dem er mehr als die anderen Freude hat. Dieser Schatz kann ihm lediglich als Wegweiser dienen, damit er sich nicht im Zweifel verliere. An den gewesenen Größen erkennt man die sich stets gleichbleibenden Bahnen der alten Kunst. Jedoch ein begnadeter Künstler ist nicht in der Lage, einem anderen etwas nachzumachen, da er überhaupt nicht nachempfinden kann. Das künstlerische Denken ist eine Deutung des Lebens in Farbe, Form und Musik und hat nur Wert, wenn es persönlich ist. Wenn sich jemand eine gewisse Malweise aneignet, so hat er sich bei weitem noch nicht die Lebensauffassung des betreffenden Meisters angeeignet, denn wenn er es getan hätte, wäre er halt nicht mehr er selbst. Da jedoch jeder geistig gesunde Mensch unfähig ist, seine Persönlichkeit aufzugeben, kann dies überhaupt nicht geschehen. Selbst die Massenmenschen hegen die Illusion, ein selbständiges geistiges Dasein zu führen.

Die Welt des Künstlers ist in seinem Auge, dieses wiederum schafft ihm eine Seele. Dieses Auge zu erziehen, um dadurch eine feine Seele zu erlangen, ist die höchste Pflicht eines Künstlers. Das Große der Kunst liegt nicht in dem schon Geschaffenen, sondern in allem, was noch zu schaffen ist. Wäre die Kunst durch das Vorhandene erschöpft, würde die Kunst keinen Sinn haben. Nur das in ihr liegende, nie zum Vorschein gebrachte Element, nach dem sich alle Hände recken, das keiner zu ergreifen weiß, das ist ihr Element. Es ist das ›Nichtvorhandene‹, das jedes Künstlers Auge zu sehen glaubt, das jedes Künstlers Seele ins Leben hineindichtet.

Wäre die schöne Frau die Realisation des Ideals der Liebe, so wäre die Liebe selbst ein einfaches, mathematisch lösbares Problem. Die Liebe ist aber nicht die Frau, obgleich diese ihr als Objekt dient. Die Liebe ist das Suchen nach einem Etwas, das überhaupt nicht existiert, und wenn dieses Etwas sein könnte, so wäre es mit der Liebe für alle Zeiten zu Ende. So steht es auch mit der Kunst: Das Schönste an ihr ist alles, was nicht ist, was nicht sein kann, was nur in Träumen und Regungen die Seele durchstreift, wonach man vergebens hascht. Dieses ungreifbare Element der Kunst ist aber ihr ganzer Daseinsgrund, es ist das Prisma, das alle Farben des Lebens unter diesem oder jenem Winkel in der Seele des Künstlers bricht. Es ist der Fantast, der die bestehenden Formen auflöst, um statt ihrer Gebilde aufzubauen, die jeder Hauch verschönt, die aber jede Willensbildung weiter aufbauen kann. Und die Welten, die aufeinanderstürzen, verwehen, um wieder zu entstehen. Das ist die Fata-Morgana, die jeder echte Künstler mit sich führt, durch die er verhindert wird, das wahre, sachliche Leben zu sehen. Treu und rechtschaffen seine Visionen in Wort und Form, in Laut und Farbe wiederzugeben, sich aus Leibeskräften zu bemühen, ihnen näher und näher zu kommen, darin liegt das ganze künstlerische Schaffen. Hieraus versteht sich, wie tief, wie unüberwindbar der Abgrund ist, der zwischen der Alltagsauffassung des Lebens und dessen künstlerischer Deutung liegt.«[299]

Die Werefkin hat 1905 die Konsequenz aus diesen Erkenntnissen gezogen. Sie beendet ihre ›Briefe an einen Unbekannten‹ mit den Worten: »Ich schaute in mein Herz, dort sah ich Ruhe, ich kann dieses Heft schließen«, vertauschte die Feder mit Bleistift, Pastellkreide und Pinsel und nahm ihre Malerei wieder auf.

Die neue schöpferische Periode

Seit Marianne Werefkin 1906 wieder malt, findet sie nur noch ganz selten Zeit für regelmäßige Tagebuchaufzeichnungen. Während sie schon die ersten Bilder in Skizzenbüchern entwirft, notierte sie: »Ich brauche Blumen über den Abgründen, die ich sehe, um Täuschungen, um trauriges Wissen zu verhüllen. Wie fern bin ich von der Welt der Wirklichkeit, die so sehr meine Freude ausmachte. Jetzt brauche ich eine imaginäre Welt, einen freien Schöpfer, die ich mir zu meiner eigenen Genugtuung ausdenken kann. Die Wirklichkeit ängstigt mich. Um ihr Medusenhaupt nicht zu sehen, schöpfe ich mit vollen Händen in meiner Phantasie – und Tatsachen verwandeln sich in Märchen und Hoffnungen; Geglaubtes und Unmögliches helfen mir, das zu leben, was ist.

Abb. 106 Marianne Werefkin: *Felsen*, 1906

Ich bin mehr denn je Künstler. Meine Kunst, die ich aus Liebe und höchster Achtung niederlegte, kehrt größer denn je zu mir zurück. Wenn Gott mich ruft, so bringe ich ihm eine irrende Seele, berauscht von einem Traum, in welchem ich einen Strahl vom Thron des Ewigen sich auf die Erde verirren und alle Dinge durchdringen sah. – Was war, was ist, was sein wird, ist eins in diesem Licht. Und so wie die feurigen Himmelskörper in der Unendlichkeit um einen weißglühenden, unbekannten Mittelpunkt kreisen, so steigt dieser Gedanke des Lichts wie ein flammendes Feuer in Funken, in leuchtenden Punkten und Garben von Lichtern zur Sonne des Herrn empor. Oh, mit beiden

Abb. 107 Marianne Werefkin: *Luftwesen*, 1906

Abb. 108 Marianne Werefkin: *Die Welle*, 1906

Abb. 109 Marianne Werefkin: *Frau am Kreuz*, 1906

107

108

109

Händen will ich einen winzigen Teil dieser Flamme nehmen, mein Herz wärmen und mein Blut nähren, um sie strahlend ... zu gestalten, damit ich nicht in das schwarze Loch sehe, das der Tod neben jedem Leben gräbt. Geblendet von Licht will ich durch die Gefahren schreiten und Licht in den Schatten bringen: Licht, mehr Licht!«[300]

Von den Ängsten und Bedrängnissen, von denen sie hier spricht, zeugen auch noch eine Reihe Blätter ihrer ersten Skizzenbücher (Abb. 106–109). Felsen am Meer haben unheimliche Gesichter, phantastische Wesen schweben durch die Lüfte, ein hilfloser Mensch wird von einer Welle erfaßt. Es handelt sich um alpdruckartige Traumbilder, von denen sie früher nur gesprochen hat. In gewisser Weise erinnern sie auch an Bilder von Alfred Kubin (Abb. 110), den Werefkin schon 1903 als einen der wenigen nannte, von denen sie sich verstanden fühlte: »Ganz anders ist es bei Kubin, einem Österreicher. Das ist einer, mit dem man sich unterhalten kann, einer, der deine Gedanken versteht, der den Weg geht, den er will. Seine Kunst ist stark und höchst persönlich. Er versteht es, eine nie gesehene Form für die ungewöhnlichsten Ideen zu finden. Ich wünschte, daß er ebensoviel Freude an der Unterhaltung mit mir fände, wie ich an seiner.«[301]

In anderen Darstellungen, wie *Frau am Kreuz* (Abb. 109), scheint sie ebenso wie Paul Gauguin[302] oder James Ensor, der in einer Kreuzigungsdarstellung die Inschrift auf dem Kreuz INRI mit ENSOR vertauschte[303], auf ihren ganz persönlichen Leidensweg in der Kunst anzuspielen. Als Teil ihrer Vergangenheitsbewältigung ist sicherlich auch die Darstellung der geheimnisvollen weiblichen Wesen zu werten, die mit Bäumen verwachsen zu sein scheinen (Abb. 111), und an verschiedene Bilder von Paul Klee oder Giovanni Segantini erinnern. Der Tod, der einen schlafenden Mann aufschreckt (Abb. 112), kann sich wiederum auf ihre Visionen und Erinnerungen der letzten Jahre beziehen, ebenso der Ertrinkende, der von einer Frau im roten Kleid mit einer Schlinge ans Ufer gezogen wird (Abb. 113). Etwas Unheimliches hat auch die Szene, in der einer Frau am Tisch von sieben Männern, die nur durch Arme und Hände im Bild präsentiert sind, zugetoastet wird (Abb. 114).

In der Folgezeit aber orientieren sich die künstlerischen Arbeiten Werefkins nach den Grundsätzen Gauguins und der Nabis, jener Künstlergruppe, die seit 1888 unter dem Einfluß Paul Gauguins geraten war und dessen Ideen zur Verbreitung in ganz Europa verhalf.[304] Eine große Bedeutung kam damals einem kleinen Bildchen (Abb. 115) zu, das Paul Sérusier unter der Anleitung von Gauguin 1888 in der Bretagne in dem Ort Pont-Aven gemalt hatte. Wie ein Prophet war er mit diesem Bild, das den Titel *Talisman* erhielt, in Paris in der Académie Julian erschienen[305] und erläuterte den Freunden daran die neuen revolutionären bildnerischen Gedanken Gauguins. Eine der wichtigsten Devisen formulierte der Nabi Maurice Denis: »Man muß sich erinnern, daß ein Bild – ehe es als die Darstellung eines Schlachtrosses, einer nackten Frau oder irgend einer beliebigen Anekdote erkannt wird – im wesentlichen eine plane Fläche ist, überzogen mit Farben, die in einer bestimmten Ordnung zueinander stehen.«[306] Wie für die Fauves sollte die Fläche als vorherrschendes Gestaltungselement in Zukunft für alle fortschrittlichen Maler an Bedeutung gewinnen. Ein wesentlicher Schritt vom Realismus zu einem neuen Bildorganismus, der auf rein formalen Mitteln aufbaute, war damit getan.

Was Sérusier in seinem Bild *Talisman* – das zunächst fast gegenstandslos wirkt, jedoch den Bois d'Amour von Pont-Aven darstellt – als neues Programm veranschaulichte, faßte Denis in Worte und verdeutlichte diese gleichzeitig durch seine Kunst. In seinem Gemälde *Sonnenlicht auf der Terrasse* von 1890 (Abb. 116) werden seine bildnerischen Grundsätze besonders deutlich. Dargestellt ist in der Mitte des Bildes, zunächst schwer erkennbar, eine Figur inmitten einer großen roten Farbfläche. Rechts am Bildrand sind als vertikale Elemente drei Baumstämme zu erkennen, die ein dichtes, dunkles Laubdach entwickelt haben, so daß dieses wie ein Baldachin über das gesamte Bild reicht, um den Blick in der Mitte, wie durch ein Guckloch, freizugeben. Der Malstil von Maurice Denis ist der sogenannte ›Cloisonnismus‹, der letztlich auf einen frühen aquarellierten Holzschnitt *Die Anbetung der Hirten* von Emile Bernard von 1885 zurückgeht,[307] dessen Erfindung aber verschiedentlich auch dem Maler Louis Anquetin zugeschrieben wird.[308] Der Cloisonnismus zeichnet sich im wesentlichen dadurch aus, daß

Abb. 110 Alfred Kubin: *Der Elefant*

Abb. 111 Marianne Werefkin: *Baumwesen*, 1906

Abb. 112 Marianne Werefkin: *Der Tod schreckt einen Schläfer*, 1906

111

112

Abb. 113 Marianne Werefkin: *Ertrunkener*, 1906

Abb. 114 Marianne Werefkin: *Der Toast*, 1906

eine Farbfläche durch Konturen gegen die nächste abgegrenzt wird, so daß fließende Übergänge von der einen zur anderen Farbe nicht möglich werden, ganz wie in der Emaillekunst des Zellenschmelzes, wo Metallstege die einzelnen Farben trennen. Van Gogh, der sich diesem Malstil anschloß, sagte: »Was ich wollte, waren Farben wie auf Glasfenstern und eine Zeichnung in festen Linien«,[309] denn er fühlte sich durch die Malerei in Konturen an die Trennungslinien der Bleiruten in den Glasfenstern mittelalterlicher Kirchen erinnert.

Schatten als Folge von Beleuchtungslicht, das die Gegenstände im Bilde von Denis modellieren und dreidimensional gestalten könnte, gibt es nicht. Die Schatten sind zur Farbe geworden, aus ihnen kommt das Licht. Das Flächenhafte der Malerei unterstreicht Denis noch durch die scharfe Silhouettierung der Bäume, wobei er auf eine Beobachtung von Paul Cézanne zurückgreift, der 1876 an Camille Pissarro aus L'Estaque schrieb: »Die Sonne ist hier so fürchterlich, daß mir scheint, als ob alle Gegenstände sich als Silhouetten abhöben, und zwar nicht nur in Schwarz und Weiß, sondern in Blau, in Rot, in Braun, in Violett. Ich kann mich täuschen, doch scheint mir, als sei dies das Gegenteil von Modellierung.«[310]

Genau diese Beobachtung, die Cézanne schon so früh machte, setzt die Werefkin – weit pointierter als Maurice Denis – in ihrem Bild *Wasserburg* von 1907 (Abb. 117) ein, um den Flächencharakter und die praktizierte Theorie zu betonen. Schon mit dem bildnerischen Mittel der Silhouette schafft sie Spannung, indem sie der Buschgruppe links eine recht ruhige, kugelige Form gibt, während sie die Baumgruppe rechts als steiles Dreieck aufragen läßt. Die Form des spitzen Dreiecks ist vielfach und scharfkantig aufgebrochen. Es steht labil auf den beiden dünnen Stämmen; demgegenüber ist die quellende Kugelform der Büsche im linken Bildteil auf einem festen und stabilen Sockel verankert. Die Buschgruppe links vermittelt Festigkeit, Sattheit und Ruhe und hat außerdem den Charakter des gemächlich Wuchernden. Die Bäume rechts im Bild, gemeint sind zweifellos Nadelbäume, haben durch ihre sägezähneartige Silhouette etwas Aggressives, sind schnell von Jahr zu Jahr sichtbar in Schüben in den Himmel gewachsen. Mit der Erde sind sie nur durch einen dünnen Stamm verbunden. Sie wirken fast wie die schlanke Turmspitze einer gotischen Kirche, die mit Krabbenverzierungen besetzt ist. Das oberste Ende der Bäume bildet ein Kreuz. Das ist sicherlich kein Zufall, da es sich um ein häufig wiederkehrendes Motiv in Werefkins Bildern handelt.

Schon an dieser Stelle ist zu beobachten, daß die Werefkin rein dekorativ künstlerische Bildelemente ihrer Vorbilder untersucht, weiterentwickelt und mit Bedeutungsinhalten anreichert. Wie Formen nutzt sie auch Farben, um zu bestimmten Aussagen zu gelangen. Letztlich ist die Aussage in diesem Bild der Dualismus von Hell und Dunkel, von Oben und Unten, wobei auffallenderweise die Helligkeit im oberen Teil zu finden ist. Der Vordergrund der Erde liegt im Schatten. Ein langer, menschenleerer Weg, der durch die Schraffur Stufen zu haben scheint, führt aus dem Schatten zum Licht, in dem die Stadt erscheint. Die Bedeutung, die in diesem Bild steckt, ist zu erahnen. Das markanteste Gebäude der Stadt ist eine Kirche. Um zu ihr gelangen zu können, muß der Fluß im Mittelgrund überwunden werden. Die Kirche selbst wird überragt durch einen erleuchteten Bergrücken. Und dieser durch die Wipfel der gotischen Baumgruppe, die mit ihrer obersten Baumspitze am Himmel ein Kreuz bildet. Dieses bezieht sich wiederum bedeutungsvoll auf die kreisrunde Scheibe der Sonne als Symbol der Vollkommenheit.

Abb. 115 Paul Sérusier: *Talisman*, 1888

Marianne Werefkin handhabt hier auch ganz souverän die Gesetzlichkeit der drei Grund- und Komplementärfarben, auf die August Macke beispielsweise erst 1910 stieß und deren Beherrschung ihm Probleme aufgab, wie er im Dezember 1910 an Franz Marc schrieb: »Ich hab es mir herausgenudelt aus meinen Eingeweiden.«[311] Die Werefkin verzichtet schon 1907 oftmals auf die gleichzeitige Verwendung aller drei Grundfarben – Gelb, Rot und Blau – im Zusammenhang der Komplementärkontraste Violett, Grün und Orange. In vielen ihrer Bilder wendet sie weniger als diese sechs Farben an, um gezielt sogenannte »Schocks« beim Betrachter auszulösen. Daß sie in diese Farbskala die beiden ›Nichtfarben‹ – Schwarz und Weiß – mit einbezieht, hat sie 1905 bereits deutlich zum Ausdruck gebracht: »Ich verstehe so gut die Idee van Goghs, das Weiße und Schwarze als zwei Farben zu behandeln und nicht als den Schatten, der mit dem Licht entgegengesetzt ist. Er hielt wenig von dem Credo der Koloristen, für die das Schwarze die Abwesenheit und das Weiße die Vereinigung aller Farben ist. Das Weiße und das Schwarze sind für van Gogh Werte, die den leuchtendsten Farben seiner Palette gleichwertig sind, sie sind zwei positive Werte.«[312] Wenn Else Lasker-Schüler einmal sagte: »Marianne spielt mit den Farben Rußlands Malen«[313] und die Farben als »treue Spielgefährten« der Werefkin bezeichnete, so ist zu bestätigen, daß sie tatsächlich, ganz im Gegensatz zu Franz Marc oder August Macke, von Anbeginn ihrer neuen Malerei spielerisch und sicher mit den Farben umgeht. Drei der Grundfarben – Gelb, Rot, Blau – setzt sie in ihrem Bild *Wasserburg* ein; Gelb und Blau jedoch so als Dominanten, daß diese gegensätzliche Qualitäten im Sinne von Rivalen erhalten. Blau ist die Silhouette der Bäume und Büsche. Im Gelb erstrahlt der Bergrücken, der den hochgezogenen Horizont

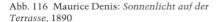

Abb. 116 Maurice Denis: *Sonnenlicht auf der Terrasse*, 1890

Abb. 117 Marianne Werefkin: *Wasserburg*, 1907
(Siehe auch Farbtafel 7)

bildet. Das Gelb hat eine so starke Leuchtkraft, daß es die Häuser von Wasserburg in einer Weise überstrahlt, die deren feste Umrißlinien – ganz im Gegensatz zu denen der Bäume im Vordergrund des Bildes – auflöst. Ebenso saugt das Gelb die dritte Grundfarbe Rot nahezu auf, die nur eine untergeordnete Rolle zur Bezeichnung der Dächer der Gebäude spielt. Nur eine einzige Komplementärfarbe ist mit Sicherheit im Bild zu bestimmen, nämlich das Violett des Weges. Dieses Violett verbindet die Werefkin jedoch dergestalt mit dem Blau der Baumsilhouetten, daß sie zusammen eine Einheit bilden. Das Auge sucht den Ausgleich der Farben, die Komplementärfarben Grün und Orange, ist irritiert und bleibt in Bewegung. Von den beiden ›Nichtfarben‹ Schwarz und Weiß taucht nur das reine Weiß in der kreisrunden Sonnenscheibe auf, von der alle Strahlkraft ausgeht.

Mit der eigentümlichen Strahlkraft der Farbe kommt Marianne Werefkin der Devise von Maurice Denis nach. Mit Gelb und verwandten Tönen gestaltete sie die in der Ferne liegenden Partien des Bildes – die im Realismus etwa im blaugrauen Dunst dargestellt sein würden – und bewirkt dadurch, daß diese nach vorne expandieren und dem Betrachter entgegenkommen. Während Gelb die Eigenschaft, sich auszudehnen, suggeriert, ziehen sich Blau und verwandte Töne scheinbar in sich selbst zurück und drängen in die Tiefe des Bildes hinein. Indem sie diese Farben im Vordergrund benutzt, entsteht eine Sogwirkung für den Betrachter, die seinen Blick in das Bild hineinzieht, während gleichzeitig das Gelb aus dem Hintergrund auf ihn zukommt. Unter Nutzung der optischen Eigenschaften dieser beiden Farben löst Werefkin in raffinierter Weise das Problem des Räumlichen einer Landschaftsdarstellung und gelangt zur geforderten Flächigkeit in der Malerei.

Es ist immer wieder auffallend und für Marianne Werefkin eigentümlich, daß sie für Landschaftsdarstellungen, für diese Gattung der Malerei, die traditionsgemäß das Breitformat fordern würde, das wesensfremde Hochformat benutzt. Somit können Bilder wie *Wasserburg* nicht als reine Landschaftsdarstellungen betrachtet werden. Denn ganz augenscheinlich dient ihr die Landschaft als Folie und Vorwand, um symbolhaft auf nicht sichtbare Welten der Seele und des Geistigen hinzuweisen. In diesem Zusammenhang sei daran erinnert, daß ihr vielfach zitierter Ausspruch: »J'aime les choses qui ne sont pas«[314] zu einem ihrer Markenzeichen wurde. Angesichts des Bildes *Wasserburg* fühlt man sich aber auch an die Lehren von Paul Gauguin erinnert: »Ein Rat: Kopieren Sie die Natur nicht zu sehr. Kunst ist Abstraktion, holen Sie diese aus der Natur, indem Sie sie träumend betrachten, und denken Sie mehr an die Schöpfung als an das Resultat. Der einzige Weg zu Gott ist, das zu tun, was unser göttliche Meister tut: zu erschaffen ...«[315] Das Hochformat spielt zum Verständnis vieler Bilder der Werefkin eine ganz entscheidende Rolle. Fast zehn Jahre später erst sollte Jawlensky auf ihre Erfahrungen mit dem Landschaftsbild im Hochformat zurückgreifen. Er entwickelte damals seine sogenannten *Variationen auf ein landschaftliches Thema*[316] im Hochformat und schrieb darüber an den Nabi Willibrord Verkade: »Ich fing nun an, einen neuen Weg in der Kunst zu suchen ... Ich verstand, daß ich nicht das malen mußte, was ich sah, ... sondern nur das, was in mir, in meiner Seele lebte ... Und die Natur, die vor mir war, soufflierte mir nur. Und das war ein Schlüssel ...«[317]

Die sehr frühe Assimilation der Lehren Gauguins, seiner Freunde aus der Schule von Pont-Aven und der Nabis durch Marianne Werefkin belegen weitere Bildvergleiche. *Der Viehmarkt* (Abb. 118), ebenfalls 1907 entstanden, weist auf Vorbilder wie Emile Bernards *Bretonische Frauen auf einer Wiese* (Abb. 119) zurück. Ähnlich flächenhaft sind Mensch und Tier dargestellt. Sie haben keine Schatten und wirken, als seien sie wie einzelne Scherenschnitte als Collage verarbeitet worden. In gleicher Weise werden zwei Figuren dekorativ in den Vordergrund gerückt und vom Bildrand beschnitten. Das Fehlen der Schatten, welche Gegenstände gewöhnlich nach außen werfen und wodurch zwischen diesen und dem Boden die Illusion des Räumlichen erzeugt wird, ist beiden Bildern gemein. Aber darüber hinaus sind die Böden hochgeklappt, so daß die Figuren auf diesen nicht mehr im rechten Winkel stehen. Die Perspektive ist aufgelöst.

Auch was Marianne Werefkin mit »Ehrlichkeit in der Malerei« meinte, demonstrierte sie in *Der Viehmarkt:* Früher, zu ihrer »russischen Rembrandtzeit«, malte sie mit dem tradierten feinen Material der Ölfarbe. Seit ihrem Neuanfang 1906 machte sie davon keinen Gebrauch mehr. Damit schließt sie sich ebenfalls den Nabis an, die den »falschen Glanz der Ölfarbe«[318] ablehnten und diesen durch den Gebrauch absorbierender Grundierungen milderten oder gleich zur Temperafarbe griffen. Sie entwickelte eine Reihe von Mischtechniken, indem sie manchmal scheinbar willkürlich Aquarell- und Gouachefarben mit Bleistift, Buntstift, Pastell und Kreide in ein und demselben Bild gebrauchte, so auch in *Der Viehmarkt.* Indem sie die verwendeten Malmaterialien erkennbar im Bild stehen läßt, gibt sie nicht nur Auskunft über ihr künstlerisch handwerkliches Vorgehen, sondern beläßt den Materialien ihre Eigenständigkeit. Mit Vorliebe aber malte sie von 1906 an mit Temperafarben, die in Opposition zu der traditionellen Ölmalerei zu sehen sind. Wie man damals zur Malfläche zurückgefunden hatte, so entdeckte man auch die Malmaterie Tempera als besonders hervorhebenswert, zumal sie dem Cloisonnismus entgegenkam.[319] Denn die Tempera läßt keine grenzenlosen Übergänge von der einen zur anderen Farbe zu. Außerdem unterscheidet sie sich vom Öl durch ihre höhere Leuchtkraft. Bereits um 1900 war die Temperamalerei in München häufig im Gespräch und wurde von vielen Malern erprobt. Werefkin, die mit ihrer sensiblen Intuition die neuen Tendenzen und Erkenntnisse zu dieser Zeit schon entdeckt hatte, scheint damals Jawlensky die Temperamalerei aufgedrängt zu haben. Doch fiel ihm diese Technik nicht leicht. Der Ažbè-Schüler und Malerfreund Dmitrij Kardovsky schilderte später sehr anschaulich, wie sich Jawlensky, dessen Atelier damals einem chemischen Labor glich, mit der Temperatechnik herumquälte: »Aber jetzt kommt eine Sensation. Jawlensky hat immer gestöhnt und gestöhnt, konnte der Temperatechnik einfach nicht Herr werden, – kommt eines Morgens und verkündet, er werde jetzt [wieder] in Öl malen.«[320] Daß Jawlensky sich entschloß, zur Ölmalerei zurückzukehren, war sicher von grundsätzlicher Bedeutung für sein Lebenswerk. Werefkin scheint dagegen keinerlei Schwierigkeiten mit Tempera gehabt zu haben; als sie nach zehnjähriger künstlerischer Abstinenz ihre Malerei wieder aufnahm, blieb sie für immer bei dieser Technik.[321]

In dem Bild *Herbst (Schule)* (Abb. 120) von 1907 demonstriert sie die Leuchtkraft dieses Farbmittels, aber auch den Umgang mit den drei Grund- und Komplementärfar-

Abb. 118 Marianne Werefkin: *Der Viehmarkt*, 1907 (Siehe auch Farbtafel 10)

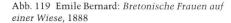
Abb. 119 Emile Bernard: *Bretonische Frauen auf einer Wiese*, 1888

120

121

Abb. 120 Marianne Werefkin: *Herbst* (Schule), 1907
(Siehe auch Farbtafel 13)

Abb. 121 Marianne Werefkin: *Die Steingrube*, 1907
(Siehe auch Farbtafel 11)

Abb. 122 Marianne Werefkin: *Der Biergarten*, 1907

Abb. 123 Maurice Denis: *Le cidre*, um 1893

ben und den beiden ›Nichtfarben‹. Beim ersten Blick ist kaum zu bemerken, daß sie die Farben ganz kalkuliert einsetzt, um dem Bildganzen eine bestimmte und unverwechselbare Grundstimmung zu verleihen. Indem sie die dunklen Töne – Schwarz und Blau für den Berg, den Wald, den See, die Baumstämme, die Gewänder der Figuren und den oberen Teil des Himmels sowie das Violett des Weges – quantitativ bildbeherrschend gestaltet und das schrille Gelb in der Wiese und das tönende Rot der Dächer des Dorfes fast versteckt, bekommt die Darstellung einen traurigen Unterton, zumal das zwischen Gelb und Rot vermittelnde Orange des Himmels von schwarz-violetten Gewitterwolken motivisch fast überzogen wird. Das Weiß, das an Leuchtkraft das Gelb noch über-

122

123

treffen kann, benutzt sie nur sparsam, läßt es in der Wiese und der Kleidung der Figuren und den Häusern des Dorfes punktuell aufblitzen. Außerdem verwendet sie Weiß für Konturen, die nach der strengen Regel des Cloisonnismus eigentlich schwarz sein sollten. Aber sie setzt sich darüber hinweg, verarbeitet die Kontur zu eigenständigen Linien, die ganz verschiedene Ausdrucksqualitäten erreichen können. Ganz zart, fast nur angedeutet, begleitet eine weiße Linie den Kamm des bewaldeten Bergrückens links. So dünn und unscheinbar wie diese Linie zunächst erscheint, so lebendig ist sie doch durch ihre besondere Formgebung als aufgeregt auf- und abschnellende Fieberkurve. Eine ruhigere, ausgeglichenere Form hat die weiße Linie, die als Kontur des rechten Berges gemächlich von links den Berg hinaufführt und in sich selbst anschwillt. Diesen beiden Konturlinien gegenüber haftet jener, die den See weiß umrandet, etwas Träges und in sich Ruhendes an. Kahle Bäume und letzte Blüten auf den Wiesen bestätigen die schwermütige Farbstimmung. Die Schulklasse in ihrer einförmigen Reihung auf dem Nachhauseweg von einem Ausflug wiederholt das Bildthema als melancholischen Ausklang eines Zeitablaufes.

Was Linien anbelangt, so mißt Marianne Werefkin, ebenso wie van Gogh und Gauguin, diesem zeichnerischen Element im Bild, wenn sie nicht ausschließlich dem Cloisonnismus dienen, eine ganz besondere Bedeutung zu. Van Gogh erkannte deren spezifische Ausdrucksmöglichkeiten und behauptete einmal: »Wo Linien ... gewollt sind, beginnt das Bild«[322], und Gauguin ergänzte: »Es gibt edle Linien, andere sind trügerisch usw. Die gerade Linie gibt das Unendliche, die gebogene begrenzt die Schöpfung ... Die Farben sind infolge ihrer Macht noch aufschlußreicher.«[323] Die Werefkin macht in vielen Bildern, was oft übersehen wird, die Linie zum Hauptthema und Mittelpunkt ihrer Darstellung. So zum Beispiel in dem Bild *Steingrube* von 1907 (Abb. 121), wo die Farbe Gelb als Linie die dunkelblaue Silhouette der unmodulierten Baumkette links umgrenzt. Sie bewegt sich in einem hektischen und unregelmäßigen Auf und Ab entlang der Umrißlinie der Baumgruppe, blitzt manchmal nur kurz auf, um dann wieder in dickerer oder dünnerer Form weiterzuspringen. Wie bei einem Wechselgesang antworten dieser von links kommenden Linie die kurzen, nicht zusammenhängenden Gelbtöne, die wie auf den Sprossen einer Leiter in und an der rechten Baumgruppe vertikal in die Höhe führen. Alle diese Linien atmen in ihrem arabeskenhaften Verlauf eine Poesie, eine unmittelbare Aussagekraft feinster seelischer Stimmungen, wie sie höchstens noch die Musik kennt.

Für Gauguin, seine Malerfreunde von Pont-Aven und die Nabis übten die Trachten, die Gebräuche und Lebensgewohnheiten der Bewohner der Bretagne eine besondere Anziehungskraft aus. Sie haben sie und die Landschaft studiert und in ihren Bildern verewigt. Ihrem Vorbild folgten die Werefkin, Jawlensky und später die Mitglieder der ›Neuen Künstlervereinigung München‹, wenn sie die bayerische Landschaft und deren Menschen darstellten. Daß die Werefkin Maurice Denis kannte, macht etwa ihr *Biergarten* (Abb. 122) im Vergleich mit seinem *Le cidre* (Abb. 123) deutlich, auch verschiedene ihrer Skizzen (Abb. 124), die in Aufsicht einen Waldboden zeigen, aus dem die Vertikalen von Baumstämmen ohne Äste, Blätter und Früchte ragen, sind verwandt mit Denis' *Akt im Walde* (Abb. 125).

124

125

126

127

Abb. 124 Marianne Werefkin: *Im Wald*, 1907

Abb. 125 Maurice Denis: *Akt im Walde*, 1894

Abb. 126 Edvard Munch: *Der Schrei*, 1895

Abb. 127 Marianne Werefkin: *Die Landstraße*,
1907 (Siehe auch Farbtafel 12)

Über ihn berichtet sie mit keinem Wort, wie sie auch über ihre Kenntnis von Edvard Munch schweigt, dessen Werke sie ebenso gut kannte. Durch ihre Korrespondenz[324] mit dem Kunsthistoriker Hugo Kehrer in München aus dem Jahre 1929 erfahren wir, daß dieser damals in einer Vorlesung einen Vergleich zwischen Werefkins Tempera-Gemälde *Die Landstraße* (Abb. 127) und Munchs Lithographie *Der Schrei* (Abb. 126) zog und die Verwandtschaft beider Künstler analysierte. *Die Landstraße* ist heute im Besitz des Asconeser Werefkin-Museums und hängt gewöhnlich an exponierter Stelle im Treppenhaus. Es ist das erste Gemälde, auf das der Besucher trifft, wenn er die Stufen zur Werefkin-Sammlung hinaufsteigt, und es wird ihm wohl zu einer seltsam beeindruckenden Begegnung werden. Denn schon die große Form der aus dem Unendlichen herausführenden Straße hat etwas Unwirkliches. Kurz vor dem unteren Rahmenteil verbreitet sie sich ganz plötzlich und scheint in der Realität des Treppenaufganges ihre Fortsetzung zu finden. Im Bild selbst ist die Straße so angelegt, daß sie als vereinzelte Form wahrgenommen werden kann, die zum Symbol wird, zu einem Gebilde, das einem umgestülpten Trichter ähnelt. Aus diesem fließt die Binnenzeichnung jedoch nicht heraus. Man glaubt hingegen, diese einem Sog ausgesetzt zu sehen, dem selbst die drei Figuren ausgeliefert sind. Alles weist nach oben zu der Straßenverengung, zum Horizont und zum Himmel. Wie kleine, ebenfalls nach oben gerichtete Pfeile nehmen die Pfosten am Wegrand das Motiv der Frauen in abstrahierter Form wieder auf. Diese Frauen, eine mystische Dreiheit suggerierend, kommen dem Betrachter zwar entgegen, verschließen sich ihm jedoch gleichzeitig. In Umkehrung der Figur bei Munch, die sich dem Betrachter gegenüber in jeder Hinsicht öffnet und ihn in aggressivster Weise anspricht, verhalten sich Werefkins Frauen stumm. Sie schließen die Augen, den Mund, verschränken die Arme und weisen den Beschauer zurück. Sie erwecken den Eindruck des Entrückten und Überirdischen und wirken wie eine geheimnisvolle Erscheinung.

Der Betrachter rätselt, was Marianne Werefkin mit dem Bild gemeint haben kann. Bei näherer Kenntnis ihrer Werke muß man annehmen, daß hinter jedem ihrer Bilder eine bestimmte Aussage steht. So fragt man sich in diesem Falle: Ist das Bild eine Metapher ihres eigenen Sendebewußtseins für eine neue Kunst? Sind die drei Frauen vergleichbar den drei Männern, die, von ferne kommend, sich Abraham nähern, um diesem die Geburt eines Sohnes zu verkünden? Man muß bei der Analyse dieses Bildes sehr ernsthaft in Betracht ziehen, daß die Werefkin einige Jahre zuvor die Prophezeiung niedergeschrieben hatte: »Die Kunst der Zukunft ist die emotionale Kunst.«[325] In welcher Rolle sie hierbei ihre Aufgabe sah, sprach sie ja ebenfalls klar aus: »Ich bin Trägerin einer Idee ... Das wahre große Kunstwerk, der Stern einer neuen Renaissance, ist noch nicht geschaffen.«[326]

128

Die Begegnung mit Munch war sehr nachhaltig. Marianne Werefkin verarbeitet in ihrem Werk mehrere Jahre lang die Einflüsse seiner Bilder aus den verschiedensten Epochen. Für ihr Gemälde *Sonntagnachmittag* (Abb. 128) von 1908 benutzte sie zweifelsfrei Munchs *Selbstbildnis mit Weinflasche* (Abb. 129) von 1906. Jedoch setzt sie das Gemälde von Munch nach eigenem Empfinden, Willen und Erleben um, analog einer Erklärung Munchs: »Ich male nicht, was ich sehe, sondern was ich sah«[327], die weitgehend den programmatischen Forderungen Gauguins und seiner Schüler von Pont-Aven entspricht. Bemerkenswert sind die Vertauschungen und Veränderungen, die sie in ihrem Bild gegenüber der Vorlage vornimmt. Sie verlegt die Begebenheit von einem Innenraum in eine Landschaft, vielleicht einen Garten. Die in starker perspektivischer Verkürzung gesehenen zwei Tischreihen bei Munch gestaltet sie zu nur einer Tischreihe um, wobei sie auffallenderweise Munchs drei Tische auf sechs verdoppelt. Diese Tische, die in schneller Stufenfolge zum hohen Horizont führen, werden zum Hauptthema des Bildes. Die Überbetonung ihrer perspektivischen Konstruktion steht in merk-

129

130

131

132

Abb. 128
Marianne Werefkin: *Sonntagnachmittag*, 1908

Abb. 129 Edvard Munch: *Selbstbildnis mit Weinflasche*, 1906

Abb. 130 Marianne Werefkin: *Zwillinge*, 1909
(Siehe auch Farbtafel 36)

Abb. 131 Edvard Munch: *Das Erbe*, 1897-99

Abb. 132 Edvard Munch: *Das Erbe*, 1897-99

Abb. 133 Marianne Werefkin: *Der Mann*, 1909

Abb. 134 Edvard Munch: *Hände*, um 1893

133

134

würdigem Kontrast zu der silhouettenhaften und flächigen Gestaltung der Bäume rechts. Bei Munch schauen die Dargestellten aus dem Bild heraus, bei Werefkin kehren sie dem Betrachter den Rücken zu. Bei Munch ist zumindest ein Tisch gedeckt, und Kellner warten auf die nächste Bestellung und weitere Gäste; bei Werefkin sind die Tische leer, die Gäste werden nicht bedient. In beiden Bildern gibt es keine Kommunikation, weder zum Betrachter noch unter den Dargestellten. Es sind Erzählungen der Einsamkeit, Verlassenheit und Leere.

Auch ein anderes Bild der Werefkin mit dem unverfänglichen und harmlosen Titel *Zwillinge* (Abb. 130) von 1909 ist auf eine Anregung von Munch zurückzuführen. Er hat eine Lithographie (Abb. 131) und ein Gemälde (Abb. 132) mit dem Titel *Das Erbe* zwischen 1897 und 1899 geschaffen. Für ihn war eine eigene Beobachtung der Anlaß, dieses Thema bildlich darzustellen. Für sie hingegen war es das Vorbild des Künstlers, der vor ihr Großes geschaffen hat, wie sie des öfteren betont hat. Munch hatte mit einem Arzt zusammen das Krankenhaus Saint-Louis in Paris besucht und dort eine in Tränen aufgelöste Mutter mit ihrem Kind kennengelernt, das von einer schweren Krankheit befallen war.[328] Er war von der Begegnung erschüttert und stellte sie dar. Die Werefkin ihrerseits ist von der Schilderung Munchs so ergriffen, daß sie wiederum sein Bild verarbeitet. Sie nimmt dem Bild fast alles, was ein Bild überhaupt ausmachen kann, nämlich die drei Grundfarben, die alle anderen Farben erst durch Mischung gebären können. Als Zugeständnis, kaum bemerkbar, taucht die eine Grundfarbe im Bild – Blau – an unwesentlicher Stelle, ganz versteckt, als Konturierung der Sitzbank auf. Aber das Blau kann bei diesem Thema nur symbolisch auf Transzendentes, auf die Hoffnung auf ein Leben nach dem Tode hinweisen. Die übrigen Farben im Bild, das Grün der Tür, das Orange der Wand und das Orange der Sitzbank, sind nur Möglichkeiten, wenn reale Vorausset-

zungen, nämlich die entsprechenden Grundfarben in ausreichendem Maße, zu ihrer
Schaffung vorhanden sind. Die Realität kennzeichnet die Werefkin durch die beiden
›Nichtfarben‹ Schwarz und Weiß – Licht und Schatten – in ihrer letzten Konsequenz:
Leben oder Tod. Wieder verdoppelt sie Gesehenes: hier sind es zwei alte Frauen in Trau-
er- oder Witwenkleidung, die Täuflinge auf dem Schoß halten. Die eine trägt einen
Schleier und schwarze Handschuhe. Sie hält ihr Kind mit geöffneten Händen, während
sie nach dem Kind der anderen blickt. Die andere faßt demgegenüber ihr Kind mit
einem Gestus, bei dem Handrücken gegen Handrücken geführt ist. Der Betrachter ist irritiert. Die Frage, auf welche Darstellung Munchs sich die Werefkin hier bezieht, beant-
wortet ihr Gemälde selbst. In Munchs Lithographie taucht links ein Anschlag auf, der
in seinem Gemälde rechts zu sehen ist und aus drei einzelnen Zetteln besteht. Durch
den Umdruck und eine Vereinfachung in der Lithographie kam er auf die andere Seite
des Bildes. Werefkin gestaltete dieses Motiv zu einer grünen Türe um. Das Motiv der
Sitzbank, von der in Munchs Gemälde an der rechten Seite deutlich das Bein zu sehen
ist, übernimmt sie an der gleichen Stelle, womit deutlich wird, daß sie sich mit ihrem
Bild auf das Gemälde und nicht auf eine vielfach reproduzierte Graphik ihres großen
Vorbilds bezieht.

Die Empfindungs- und Ausdrucksweise von Edvard Munch muß jener von Marianne Werefkin sehr verwandt gewesen sein, denn immer wieder, bis ins hohe Lebensalter,
greift sie auf seine Bilder zurück. Sie verändert sie, indem sie zum Beispiel männlich
und weiblich vertauscht und vermutlich auf selbsterlebte Situationen überträgt, in denen sicherlich immer wieder Jawlensky und ihre Beziehungen zu ihm eine große Rolle
spielten (Abb. 133–136). Selbst noch in einem Bild aus der Zeit um 1930 (Abb. 137) findet eine Vorlage von Munch ihren Widerhall. Dieses Gemälde eines Wanderers, der
durch eine Schlucht geht, die von merkwürdigen Felskegeln gebildet wird, wirkt zwar
geheimnisvoll, aber eigentlich doch vordergründig. Erst der Titel *Le forfait*, das Verbrechen oder der Frevel, macht es unheimlich und veranlaßt den Beschauer zum Nachdenken und genauen Hinsehen. Und der Vergleich mit Munchs *Der Mörder* (Abb. 138) und
die Kenntnis, wie Werefkin Munch verarbeitete, verschafft dem Bild dann etwas wirklich Unheimliches.

Neben europäischen Vorbildern, die im Werk der Werefkin eine Rolle spielen,
taucht verschiedentlich die japanische Kunst als Anreger auf. Allerdings sind diese Einflüsse so versteckt, daß man sie kaum rekonstruieren könnte, hätten Jawlensky und
Werefkin nicht öfters mit denselben Motiven gearbeitet. Da Werefkin im Gegensatz zu
Jawlensky nur selten Porträts gemalt hat, bedürfen gerade sie einer besonderen Aufmerksamkeit. Merkwürdig nimmt sich innerhalb ihres Gesamtoeuvres das Bildnis des
Tänzers Alexander Sacharoff (Abb. 139) aus. Das Gesicht ist ganz zur Maske vereinfacht. Die übertriebene Mimik läßt es fast zur Fratze werden. Dem Beschauer wird sie
erst verständlich, wenn er sich vergegenwärtigt, daß Sacharoff auf der Bühne stand und
mit klaren Vereinfachungen in Gesichtsausdruck wie auch Gestik auf Fernwirkung arbeiten, also übertreiben mußte, um beim Publikum verstanden werden zu können. Als
das Bild entstand, war er fast täglich bei Werefkin und Jawlensky im Atelier, um seine
Rollen einzuüben. Jawlensky berichtet in seinen ›Lebenserinnerungen‹: »Seine ganze

Abb. 135
Marianne Werefkin: *Tragische Stimmung*, 1910
(Siehe auch Farbtafel 43)

Abb. 136 Edvard Munch: *Der Traum*, 1900

137

138

Abb. 137 Marianne Werefkin: *Le forfait (Das Verbrechen)*, um 1930 (Siehe auch Farbtafel 114)

Abb. 138 Edvard Munch: *Der Mörder*, 1911

Abb. 139 Marianne Werefkin: *Der Tänzer Sacharoff*, 1909 (Siehe auch Farbtafel 37)

Ausbildung im Tanz hatten wir zusammen besprochen.«[329] (Abb. 140) Ungewöhnlich und fremd mutet auch Sacharoffs Gewandung an, die den Oberkörper in den Schulterpartien einschnürt, gleichzeitig sich aber in einem weiten Ausschnitt zur Brust öffnet. Ganz plötzlich ragt aus der Gewandschlinge, die den Oberkörper umschließt, der linke Unterarm Sacharoffs steil nach oben. Mit kaprizierter Hand- und Fingerhaltung zeigt er dem Beschauer eine schmetterlingsartige Blüte. Vergleichbare bildliche Darstellungen von Männern in Frauenrollen finden sich nur in den Holzschnitten der japanischen Kunst. Und diese sammelten die Werefkin[330] und Jawlensky[331], wie vor ihnen die französischen Impressionisten und van Gogh, oder nach ihnen August Macke und Franz Marc.[332] Wie eng Werefkin und Jawlensky zusammen arbeiteten und die Posen des Ausdruckstänzers studierten, veranschaulicht besonders der Vergleich des Werefkin-Bildes (Abb. 139) mit Bleistiftskizzen von Jawlensky (Abb. 141–142) oder seinem Bildnis *Alexander Sacharoff* im Münchner Lenbachhaus (Abb. 143). Das am stärksten an japanische Vorbilder angepaßte Bildnis des Tänzers von Jawlensky[333] aber ist sein Gemälde *Dame mit Fächer* (Abb. 144). Über die Wiedererkennbarkeit Sacharoffs in den Bildnissen der Werefkin und Jawlenskys hinaus bestätigt August Mackes Frau, daß Sacharoff auch für andere Frauenbildnisse Jawlenskys Modell war: »In München besuchten wir den Maler Alexej Jawlensky ... Er malte damals großformatige, starkfarbige Bilder, als Modell saß ihm oft der Tänzer Sacharoff, den er zu diesem Zweck als Frau und Spanierin mit Fächer und Mantilla verkleidete. Wir lernten ihn einmal dort kennen ...«[334]

Was die Bezüge des Sacharoff-Bildnisses der Werefkin zur japanischen Kunst anbelangt, so erklärt zum Beispiel ein Holzschnitt von Toshusai Sharaku (Abb. 145) die Gewandung des Tänzers als Kimono mit weitem Brustausschnitt und streifenbesetztem engen Umhang, aus dem heraus mit deutlicher Zeichensprache der Hände gestikuliert wird. Auch die starke Hervorhebung von Augen, Augenbrauen, Nase und Mund als Ausdrucksträger in einer markant vereinfachten Form findet sich in japanischen Holzschnitten mit Schauspielerdarstellungen vorgebildet. Neben der Veranschaulichung einer Körpersprache in klaren Gesten der Haltung und Mimik wurde im japanischen Holzschnitt auch besonderer Wert auf die Darstellung der Zeichensprache mit Armen, Händen und Fingern gelegt. Sacharoff hält mit spitzen Fingern in sensibler Berührung den dünnen Stiel einer besonderen Blume und erläutert sie dem Betrachter. Auch diese Art der Präsentation von Blumen durch Schauspieler oder schöne Frauen findet sich immer wieder in japanischen Holzschnitten (Abb. 146).

Die japanische Holzschnittkunst hat in vielfacher Weise die europäische Malerei seit dem Impressionismus beeinflußt. Ganz besonders hat sie die Maler von Pont-Aven, die Nabis und viel später die Expressionisten in ihrem Stilwillen des Cloisonnismus bestätigt. Es ist bekannt, daß sich van Gogh ganz besonders für die japanische Kunst begeistert hat. In Anlehnung an diese Kunst entstanden während seiner Pariser Jahre Gemälde, deren japanische Vorlagen van Gogh fast wörtlich zitiert. An seinen Bruder Theo schrieb er später einmal: »Meine ganze Arbeit baut sich ein wenig auf den Japanern auf.«[335] Arles und den Süden Frankreichs, wohin van Gogh 1888 gereist war, sieht er als Ersatz für einen erträumten Aufenthalt in Japan: »Wer ginge nicht nach Japan, das will heißen, nach dem Süden, der einen für Japan entschädigt. Ich glaube jedenfalls, daß nach all diesem die Zukunft für die neue Kunst im Süden zu holen ist ... Der Blick ändert sich, man sieht mit einem japanischen Auge, man spürt ganz anders die Farbe, ebenso habe ich die Überzeugung, daß ich durch einen langen Aufenthalt hier meine Persönlichkeit heraushole.«[336]

Abb. 140 Marianne Werefkin, Alexej Jawlensky (oben), Alexander Sacharoff (links) und Helene Nesnakomoff (vorne), 1909

Abb. 141
Alexej Jawlensky: *Alexander Sacharoff*, 1909

Abb. 142
Alexej Jawlensky: *Alexander Sacharoff*, 1909

141   142

Abb. 143
Alexej Jawlensky: *Alexander Sacharoff*, 1909

Abb. 144
Alexej Jawlensky: *Dame mit Fächer*, 1909

143

144

Am Beispiel des Gemäldes *Der Tänzer Sacharoff* war zu beobachten, daß der Einfluß der Kunst Japans auf die Werefkin, ähnlich wie bei Munch oder Denis, konkret faßbar ist. Andere Gemälde lassen diesen Einfluß eher vermuten, als daß er formal bestimmt werden könnte. Manchmal ist dies nur über den Umweg des Vergleiches mit Bildern von Jawlensky möglich, der sich in jenen Jahren die japanische Kunst noch nicht in dem Maße anverwandelt hatte, wie die Werefkin es vermochte. Daß das Ge-

Abb. 145
Toshusai Sharaku: *Schauspielerbildnis*, um 1793

Abb. 146
Katsushika Hokusai: *Mädchen mit Blume*, um 1802

145

146

mälde *Der rote Baum* (Abb. 147) – eines der ganz wichtigen Schlüsselbilder im Œuvre
Marianne Werefkins – mit der japanischen Kunst zu tun haben könnte, ist zunächst
kaum zu vermuten. Denn auch die Skizzen (Abb. 148–149) zu dem Gemälde liefern
hierfür keinerlei Anhaltspunkte. Sie veranschaulichen jedoch sehr eindrucksvoll, wie
Werefkin ein Motiv vor der Natur als Gedächtnisstütze aufnimmt und sich einer Bildidee nähert, um schließlich eine Entscheidung für eine radikale Veränderung vorzuneh-
men. Die einzelnen Bildelemente, Mensch, Baum, Kirche und Berge, sind zwar erhalten
geblieben, aber die Anlage von zwei bildbestimmenden Bergen, die durch eine tiefe
Schlucht getrennt sind, wird zu einem einzigen Berg verschmolzen. Als Motiv bleibt,
allerdings wesentlich verändert und verkleinert, die Schlucht erhalten, am Gipfel des
Berges, als ein Atavismus, der fast das Aussehen eines Kraters eines ehemals tätigen
Vulkans angenommen hat. Dieser ist ein erster Hinweis auf den Holzschnitt *Kiefer vor
dem Fuji* (Abb. 150) von Katsushiga Hokusai, der ebenfalls einen wesentlichen Einfluß auf den Prozeß der endgültigen Bildwerdung bei der Werefkin gehabt hat. Als wichtige weitere Beobachtung zu ihrer Arbeitsweise ist zu vermerken, daß sie dem Bild,
das sie im Breitformat als Landschaftsbild in den Skizzen angelegt hatte, plötzlich ein
ganz entschiedenes Hochformat verliehen hat. Und dieses deutet, wie bei vielen anderen ihrer Bilder, auf einen hohen Symbolgehalt des Gemäldes hin. Was den Fuji anbetrifft, so ist allgemein bekannt, daß er als der heilige Berg gilt, der keineswegs allein
aus ästhetischen Gründen im öffentlichen Leben Japans von alters her eine herausragende Rolle spielte.

Die Verwandtschaft des Bildes der Werefkin mit der Fuji-Darstellung von Hokusai
ist weiterhin durch eine bestimmte Bergdarstellung von Jawlensky identifizierbar. Von
etwa 1910 an benutzte er interessanterweise immer wieder mit besonderer Vorliebe
einen vereinzelten Berg als Thema seiner Landschaftsbilder.[337] Unter den Berg-Darstel-
lungen fällt das Bild *Kiefer in Orange* (Abb. 151) allein dadurch auf, daß es zu den ganz
seltenen Landschaftsdarstellungen dieser Zeit gehört, die Jawlensky ungewöhnlicher-

Abb. 147 Marianne Werefkin: *Der rote Baum*, 1910
(Siehe auch Farbtafel 48)

Abb. 148 Marianne Werefkin: *Der rote Baum*, 1910

Abb. 149 Marianne Werefkin: *Der rote Baum*, 1910

148

149

Abb. 150
Katsushiga Hokusai: *Kiefer vor dem Fuji*, 1835

weise im Hochformat gibt. Sehr dekorativ und großzügig verteilt er die einzelnen Bild-elemente, reduziert und vereinfacht. Im wesentlichen besteht die Ikonographie dieses Gemäldes aus einem einzelnen, fast in die Bildmitte gesetzten, alles überragenden Berg. Das Motiv des Berges wird wiederholt und findet sich in der unteren Bildhälfte – flacher und kleiner ausgebildet – wieder. Aus diesem Hügel ragt ein Baum heraus, der sich ga-belt und im Bildgefüge eine nicht zu übersehende Diagonale schafft. Ohne die *Kiefer vor dem Fuji* von Hokusai ist weder Werefkins *Roter Baum* noch Jawlenskys *Kiefer in Orange* zu denken. In Jawlenskys Berg-Bild mit einem vereinzelten Baum und dessen Funktion der diagonalen Bildteilung klingt sehr deutlich der Holzschnitt des Japaners nach. Wir können beobachten, daß Jawlensky der Vorlage motivisch sogar bis ins Detail treu bleibt, indem er den kleinen Erdhügel übernimmt, aus dem die Kiefer heraus-wächst. Die gleichen Elemente tauchen wieder in dem Werefkin-Bild auf, werden aber so stark verändert, daß ihre Ableitung nicht mehr erkennbar ist. Außerdem werden neue inhaltliche Bezüge – zum Beispiel zwischen dem Menschen, dem Berg und der Kir-che – hergestellt, die nur sehr wenig mit dem Naturverständnis des Japaners zu ha-ben. Außerdem ist unschwer zu erkennen, daß die Kiefer, die bei Hokusai eine dekora-tive Aufgabe hat, von Jawlensky als solche – nur in der Ausrichtung der Diagonalen ver-ändert – als Zitat übernommen wird, aber erst von der Werefkin aus dieser dienenden Funktion erlöst und zum Lebensbaum aufgerichtet wird.

Jawlensky und der Cloisonnismus

Abb. 151 Alexej Jawlensky: *Kiefer in Orange*, 1910

Während die Werefkin bereits spielerisch mit dem Cloisonnismus und seinen Farben umgeht, dessen Konturen schon wieder zu eigenständigen Linien mit individuellen Ausdruckswerten auflöst, malt Jawlensky noch in Farbflecken wie die Neoimpressio-nisten und im Stil von van Gogh (Abb. 152). Obwohl er Seite an Seite mit ihr – in Was-serburg oftmals sogar vor dem gleichen Motiv – arbeitet, nimmt Jawlensky 1907 so gut wie nichts von den neuen Errungenschaften ihrer Malerei zur Kenntnis. Unangefoch-ten malt er im pointillistischen Stil, was Kandinsky schon in einem Brief an Gabriele Münter 1905 bespöttelt: »Offengestanden finde ich es mit dem Tupfenmalen bei Jaw-lensky nicht ganz richtig. Diese Art kann sich jeder nehmen, wenn er Lust dazu hat.«[338] Es scheint ganz so, als sträube und wehre er sich gegen die Werefkin. Später dann in Murnau huldigt er plötzlich dem Cloisonnismus in einer Weise, daß er zum Lehrer für Gabriele Münter wird. Sie folgte ihm ganz spontan und berichtete ihrem Biographen Eichner so lebendig von seiner damaligen Überlegenheit, daß dieser zu dem Urteil kommt: »Zweifellos war Jawlensky, als die Gruppe in Murnau ihre Arbeit aufnahm, der Fortgeschrittenste. Er wußte schon, wie man modern malt. Er hatte das Verfahren der Schule von Pont-Aven gelernt, die Farbflächen in Konturen zu spannen.«[339] Eichners Urteil wird auch durch Briefe Kandinskys bestätigt, die er aus Paris an Jawlensky in Wiesbaden schickt.

152

153

Zu welchem Zeitpunkt und durch wessen Anstöße Jawlensky dann doch zum Cloisonnismus kam, klärt unter anderem ein Bericht des Malermönchs Willibrord Verkade, der 1906–1908[340] in München wohnte. Mit dem Berliner Maler Curt Herrmann besuchte Verkade eines Tages dessen Privatausstellung im Kunstverein: »Während er mir seine neo-impressionistischen Werke zeigte, kam ein 40jähriger, etwas gedrungener Mann mit kindlich freundlichem Gesicht auf uns zu. Er rühmte die Ausstellung sehr und sagte, er sei von ähnlichen Bestrebungen geleitet.«[341] Dieser Mann war natürlich Jawlensky. Wir erfahren somit, daß Jawlensky 1908, als er mit Verkade und Herrmann zusammenkam, noch neoimpressionistisch malte. Zur Bestimmung der einzelnen Stilphasen von Jawlensky ist die Quelle höchst aufschlußreich, denn sie belegt, daß er erst nach dem Besuch von Verkade dem »Verfahren der Schule von Pont-Aven ... die Farbflächen in Konturen zu spannen«[342] folgt. Verkade berichtet über die Begegnung im Münchner Kunstverein weiter: »Beim Abschied hinterließ er seine Adresse und bat uns, ihn am Sonntagmorgen zu besuchen. Ich war nicht wenig überrascht, als ich sonntags darauf im geräumigen Atelier in der Giselastraße stand. An der Wand hingen eine Reihe sehr farbiger Landschaften und Stilleben, die von einem starken Temperament zeugten.« Jawlensky dürfte damals seine jüngsten Arbeiten im Atelier aufgehängt haben. Weiterhin berichtet Verkade: »Von jenem Tag an arbeitete ich öfters im Atelier des Russen ... Es war für Jawlensky und mich jedesmal eine große Freude, wenn uns in München Gelegenheit geboten wurde, Werke der neueren und neuesten französischen Kunst zu sehen ... Die Zimmermann'sche Kunstausstellung veranstaltete im Frühjahr 1908 eine kleine van Gogh-Ausstellung. Durch das große Entgegenkommen der Witwe

154

Abb. 152 Alexej Jawlensky: *Stilleben mit Petroleumlampe*, 1907

Abb. 153 Curt Herrmann: *Park des Schlosses in Pretzfelden*, um 1908

Abb. 154
Willibrord Verkade: *Selbstbildnis*, 1906/07

Abb. 155 Paul Sérusier: *Unter Bäumen*, 1909

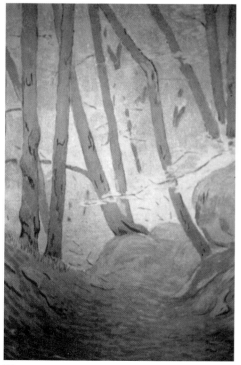

155

des Theo van Gogh konnte Jawlensky ein kleines, sehr schönes Gemälde erwerben.« Es handelte sich um das Gemälde *La maison du père Pilon*.[343]

In welchem Monat des Jahres 1908 der Nabi Verkade (Abb. 154) mit dem Neoimpressionisten Herrmann (Abb. 153) auf Jawlensky traf, schildert er ebenfalls: »Von noch größerer Bedeutung wurde für mich die Bekanntschaft mit dem Russen Alexej Jawlensky. In der zweiten Hälfte des Februar lud mich Redakteur Schwarz von der ›Kunst für Alle‹ zu sich ein und stellte mich dem Berliner Maler Curt Herrmann vor.«[344]

Ein weiterer Gauguin-Schüler hielt sich seit Dezember 1907 in München auf, nämlich Sérusier (Abb. 155), der unter Anleitung von Gauguin das Bild *Talisman* (Abb. 115) gemalt hatte. Vermutlich hat Verkade Werefkin und Jawlensky von seinem Aufenthalt in München erzählt, vermutlich sind sie auch mit ihm zusammengetroffen. Auf jeden Fall sah Verkade Sérusier: »Anfang Dezember des vergangenen Jahres war Freund Sérusier gekommen. Er mietete auf drei Monate ein Atelier und arbeitete fleißig ... Ich konnte mit seiner neuen Theorie der kalten und warmen Töne nichts anfangen. Das führte eine gewisse Entfremdung herbei, die eigentlich nie mehr ganz aufgehoben wurde.«[345]

Fest steht, daß sich Verkade hier in der Datierung nicht irrt, denn der Aufenthalt von Sérusier während der Wintermonate 1907, der im Zusammenhang des Cloisonnismus von Jawlensky von Bedeutung ist, wird von dem Maler Hugo Troendle bestätigt: »Ich lernte den Maler Paul Sérusier im Jahre 1907 in München durch den mir befreundeten Benediktinermönch und Maler Willibald Verkade, einen Schüler von Paul Gauguin, kennen ... Verkade bat nun Sérusier, den Winter anstatt in Paris in München zu verleben, und ich mietete ihm daselbst in der Kaulbachstraße ein Atelier. Diese Einladung von uns war nicht ohne Selbstsucht, hofften wir doch von Sérusier, dem großen Klassiker und Anreger der Schule von Pont-Aven, allerhand zu lernen ... Verkade und ich hatten aus Gaudi in seinem Atelier ein Stilleben à la Cézanne aufgestellt: einen irdenen Krug, eine Serviette, einige Äpfel und Gemüse. Sérusier setzte sich zu unserer Belustigung gleich am ersten Tag davor und begann zu malen. Er malte ganz ausgezeichnet, und wir lernten an diesem von uns aufgestellten Objekt sogleich seine Theorien der Harmonie, der Demiteinte, der kalten und warmen Farben und seine Kompositionsweise kennen. Diese Malerei war damals weit weg von dem damals in München üblichen Naturalismus, und es kamen damals viele junge suchende Künstler, um das Opus zu sehen und davon zu lernen.«[346]

Der Bericht von Troendle macht deutlich, daß die Kunde vom Stil und der Lehre der Schule von Pont-Aven bereits nach München gedrungen war und eine große Nachfrage unter Kunststudenten und ausgebildeten Malern bestand, Näheres darüber zu erfahren und zu erlernen. Jawlensky scheint nicht als erster dem neuen Trend gefolgt zu sein. Dies, obwohl die Werefkin seit nahezu drei Jahren die Grundprinzipien der Schule von Pont-Aven vor seinen Augen praktizierte. Es bedurfte wohl erst einer weiteren, sehr gewichtigen Persönlichkeit, die Jawlensky von der Malerei in Punkten und Strichen abbringen konnte. Auch darüber informiert Verkade: »Kurz vor Ostern 1908 nahm mein Aufenthalt in München ein Ende ... An einem der letzten Tage begegnete ich noch dem Maler Ślewiński [Abb. 156], einem Gauguin-Schüler, den ich in den Jahren 1891/92 regelmäßig in der ›Crémerie‹ der Madame Charlotte gesehen hatte. Am Abend vor meiner Abreise saßen Jawlensky und ich noch länger bei ihm und sprachen viel über Gauguin, von dem der Pole zwei schöne Bilder besaß, sein eigenes Porträt [Abb. 157] und eine Landschaft aus Tahiti. ›Gauguin war sehr intelligent‹, sagte Ślewiński u. a., ›und hatte ein großes Selbstvertrauen. Dadurch gelang ihm alles, was er unternahm‹.«[347]

Durch Verkades Bericht erfahren wir mehrerlei in Bezug auf Jawlensky und den bevorstehenden Wandel seiner Malerei: Zum Beispiel anerkennen Verkade wie auch Władysław Ślewiński weiterhin neidlos noch im Jahre 1908 die Führerschaft Gauguins für die Schule von Pont-Aven an. Und Ślewiński, der mit seiner Frau auf der Rückreise von Polen nach Frankreich in München Station macht,[348] führt selbst auf Reisen zwei Bilder von Gauguin wie Reliquien mit sich. Diese zeigte er mit Stolz Freunden, um die Kunst Gauguins zu erläutern. Zu seinen guten Bekannten wurden in München um die Osterzeit 1908 auch Jawlensky und Werefkin, wie uns ein später Brief Jawlenskys vom 9. August 1930 bestätigt: »Viel amüsanter war der alte berühmte tschechische Maler Mucha. Er hatte sehr lange in Paris gelebt und war oft zusammen mit Koke [Gauguin] und Strindberg und noch mit verschiedenen Künstlern, unter anderem Ślewiński, den ich, und unsere Familie, sehr, sehr gut kannten.«[349] Nach dem, was Jawlensky in seinem Brief berichtet, blieb es nicht bei einer einmaligen Begegnung. Man verkehrte privat mit der gesamten Familie – und das Familienoberhaupt war damals die Werefkin, wie Frau Erdmann-Macke beschreibt: »Sie hatte wohl auch die Geldmittel, die zu dem unbekümmerten Künstlerleben nötig waren, aber sie hatte auch die Herrschaft im Hause, sie bestimmte, und nach ihrem Willen mußte alles gehen.«[350] Ślewiński selbst war von München und seinen Begegnungen mit dortigen Künstlern tief enttäuscht und gab darüber ein vernichtendes Urteil ab. Er schrieb an seinen Freund, den irischen Gauguin-Schüler Roderic O'Conor: »Augenblicklich halten wir uns in München auf und werden noch einige Zeit bleiben. Die Atmosphäre ist wenig erfreulich, hier gibt es nur Farbklecker und Bier. Die Farbklecker sind entsetzlich, aber das Bier ist ausgezeichnet. Das künstlerische Niveau ist dermaßen tief, daß man nicht die geringste Lust zu einer Ausstellung bekommt.«[351] Nach Lage der Dinge waren zumindest noch zur Osterzeit 1908 Ślewiński und auch Verkade für Jawlenskys Kunstentwicklung die Gebenden. Darüber geht Jawlensky in seinen ›Lebenserinnerungen‹ großzügig hinweg, wie er auch nur in Nebensätzen erwähnt, was er der Werefkin in seiner Malerei zu verdanken hat. Die Zeitangaben, die er für das Zusammensein mit Verkade – »vom Frühling bis zum Herbst«[352] – gibt, sind ebenfalls äußerst ungenau. Dagegen glaubt man ihm im Hinblick auf die Veränderung seines Malstiles, der doch jahrelang so zäh am Neoimpressionismus festhielt, zu bemerken, daß er mit Verkade unzählige Streitgespräche über Kunst geführt haben muß.

Verkade gab über Jawlensky eine zutreffende Charakteristik, die bestätigt, daß er nicht der nervös und beständig hellwache und fieberhaft suchende und experimentierende Mensch wie etwa die Werefkin war, sondern eher etwas behäbig und hinhaltend, jemand, der sich erst überzeugt auf das verließ, was er sich erarbeitet hatte. »Mein neuer Freund war ein lieber, taktvoll-bescheidener Mensch, der das Natürlich-Naive der russischen Seele unverfälscht bewahrt hatte. Er besaß einen gesunden Sinn für die Freuden

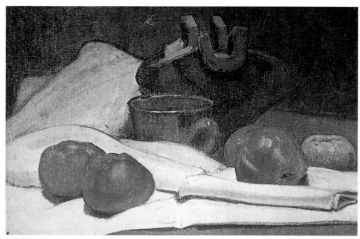

156   157

Abb. 156 Władysław Ślewiński: *Stilleben mit
grüner Tasse*

Abb. 157
Paul Gauguin: *Porträt Władysław Ślewiński*

des Lebens. Die Kunst ging ihm jedoch über alles. Diese aber, richtig geübt, bewahrt und
macht weise.«[353] Auch zum bevorstehenden Stilwandel Jawlenskys zum Cloisonnismus hin sagte er Aufschlußreiches: »Ich habe selten in meinem Leben jemand kennengelernt, der ein so vortreffliches Urteil über Kunst hatte wie Jawlensky, der so sicher das
Beste auszuwählen wußte und solch eine feine Spürnase für das Nächstkommende in
der Malerei besaß.«[354] Und das Nächstkommende war für Jawlensky die Malerei in
Konturen der Schule von Pont-Aven. Der Vergleich des *Stillebens mit Petroleumlampe*
(Abb. 152) als neoimpressionistische Malerei mit dem gleichen Sujet (Abb. 158) in
cloisonnistischer Ausführung führt in krasser Weise Jawlenskys stilistischen Wandel
vor Augen. Wie in einem mit Bleistegen versehenen Fenster grenzen nahezu schwarze,
dicke Konturen die einzelnen Farbflächen der drei Grund- und Komplementärfarben
gegeneinander ab, die sich in dem früheren Bild als ›Konfettiregen‹ zu vermischen
drohten.

Der Lehrstoff der Schule von Pont-Aven, den Ślewiński und Verkade 1908 an Jawlensky vermitteln, fällt bei ihm auf fruchtbaren Boden, zumal er seit zwei Jahren durch
die Werefkin darauf präpariert ist. Im *Stilleben mit Petroleumlampe* gestaltet er ein
sehr dekoratives und ausgewogen-harmonisches Bild. In einem anderen Gemälde, *Still-
leben mit Äpfeln* (Abb. 159), erprobt er Kraft und Aussagemöglichkeiten des neuerwor-
benen Stils.[355] Er inszeniert einen dramatischen Kampf der Formen und Farben um die
Herrschaft im Bild, der die Darstellung überaus spannend macht. Die drei Grundfarben – Gelb, Rot und Blau – werden in dem Bild gegen ihre Komplementärfarben – Violett, Grün und Orange – aufgewogen. Die einzelnen Farben spannt Jawlensky in Konturen und nimmt ihnen damit die Möglichkeit zur Flucht in die Mischung. Sie müssen im
wahrsten Sinne des Wortes Farbe bekennen. Die Bezeichnung ›Stilleben‹ ist eigentlich
irreführend und verniedlicht den Bildinhalt, den Jawlensky veranschaulichen will. Gegen alle Farblogik setzt Jawlensky das Grün, das eigentlich aufgrund seines passiven
Charakters wie eine Ablagerung am unteren Bildrand liegen müßte, übergewichtig und

158

159

massenhaft in der oberen Bildzone ein. Das Grün ist als einzige Farbe im Bild nicht durch eine Kontur präzisiert oder durch eine Binnenform definiert. Somit stellt es sich als unglaublich träges Element dar. Dieses bremst und umklammert zangenartig die vitale Komposition, die sich diagonal von links unten nach rechts oben entwickelt. Dem Grün stellt Jawlensky ein giftiges Rotviolett der Tischdecke gegenüber, das er durch Zickzackformen, wie vom Blitz getroffen, erschüttert. Durch Konturen und angrenzende dunkle Farbflächen ist die Aktivität des Rotviolett nach schräg oben gerichtet. Sie treibt und preßt die Obstschale in das zähe, grüne Farbfeld hinein. Auf ihr liegen die Äpfel, deren vor Energie strotzendes Gelb jeden Moment die Konturen wie Ketten sprengen könnte, um das Grün und das Gesamtbild zu überfluten und überstrahlen. Das Rot spielt in der Gesamtkomposition eine untergeordnete Rolle, ebenso das Blau und seine Komplementärfarbe Orange. Diese Farben veranschaulichen hier Ausgeglichenheit, Harmonie und Zusammengehörigkeit. Ein helles und ein dunkles Blau ergänzen einander in quadratischer Ordnung zum Muster des Kruges. Beide Blautöne finden ihren Gegenklang in den zwei Orangetönen des fast kreisrunden Apfels, der den Krug überschneidet.

Die Überprüfung von Daten im Zusammenhang mit Jawlenskys Erzählung von seiner Begegnung mit Verkade in seinen ›Lebenserinnerungen‹ ist in mehrfacher Hinsicht von Bedeutung, markiert sie doch den wichtigsten und entscheidenden Schritt seiner stilistischen Entwicklung auf dem Weg zum Expressionismus. Wie wir gesehen haben, läßt sich der Zeitpunkt des Zusammentreffens und die Dauer des Zusammenseins mit Verkade ziemlich genau bestimmen: nämlich Februar bis Ostern 1908! Jaw-

Abb. 158 Alexej Jawlensky: *Stilleben mit Petroleumlampe*, 1908

Abb. 159
Alexej Jawlensky: *Stilleben mit Äpfeln*, 1908

lenskys Schilderungen in seinen ›Lebenserinnerungen‹ erwecken jedoch den Eindruck, das Ereignis hätte 1905 stattgefunden: »Im Frühling 1905 fuhren wir alle nach der Bretagne ... Von der Oktoberausstellung in Paris sind wir nach Südfrankreich ... gefahren, wo wir bis Weihnachten blieben ... In München lernte ich in demselben Jahr den Pater Willibrord Verkade ... kennen.«[356] Jawlenskys zeitliche Angabe ist falsch, ebenso die folgende: »Er [Verkade] besuchte mich täglich in meinem Atelier und arbeitete dort von Frühling bis zum Herbst.«[357] Ob Jawlensky die vermeintlichen täglichen Besuche von Verkade von Frühling bis Herbst 1908 – Verkade war ja Ostern aus München abgereist – eventuell mit denen von Ślewiński verwechselte, kann heute nur vermutet werden. Auf jeden Fall war dieser Maler, dem Verkade ein außerordentliches Selbstvertrauen zuschrieb, für Jawlensky so beeindruckend, daß er ihm gleich mehrere seiner Gemälde abkaufte. Diese hütete Jawlensky bis an sein Lebensende wie einen Schatz, ähnlich wie sein Bild von van Gogh.

Malen in Murnau

Das oberbayerische Murnau wird heute in der Malerei als die »Wiege der Abstraktion«[358] bezeichnet. Es waren Gabriele Münter und Wassily Kandinsky, die den ehemaligen Marktflecken zu einem Begriff gemacht haben.[359] Kandinsky hatte Murnau auf einer Durchreise kennengelernt und hielt sich nach seinen Reisen in der Schweiz, Deutschland und Südtirol mit Gabriele Münter im August und September 1908 für erste Malstudien hier auf. Die Münter schreibt darüber: »Murnau hatten wir auf einem Ausflug gesehen und an Jawlensky und Werefkin empfohlen – die uns im Herbst auch hinriefen. Wir wohnten im Griesbräu und es gefiel uns sehr.«[360] Kandinsky fand so großen Gefallen an dem Flecken, daß sich Gabriele Münter 1909 entschloß, dort ein Haus am Rande des Ortes als Sommersitz zu kaufen. Werefkin und Jawlensky waren häufige Besucher (Abb. 160–161), und offensichtlich fühlten sich die beiden Paare hier sehr wohl. Denn München hatte seit der Abreise von Verkade, Sérusier und Ślewiński zumindest für Jawlensky keine sonderlichen Attraktionen zu bieten. Aber was kann den Ort, der damals nur 1700 Einwohner hatte, für die beiden Künstlerpaare so anziehend gemacht haben? Sicherlich kann sein ländlicher Charakter, können die Bauern aus der Umgebung, die mit Rucksäcken zum Markt wanderten, und die Frauen in Tracht[361] einen romantischen Reiz ausgeübt haben. Jedoch dürften in dieser Hinsicht die meisten Orte in der näheren Umgebung Münchens ähnlich ausgesehen haben. Was Murnau für Maler mit einem künstlerischen Anliegen wie Werefkin, Kandinsky, Jawlensky oder Münter so attraktiv machte, war sicherlich nicht die Folklore, viel eher wohl die Farbigkeit des Gesamteindrucks. Denn in wenig anderen Orten Bayerns gab es ganze Straßenzüge, die so konsequent in bunten, aufeinander abgestimmten Tönen gestaltet waren, wie hier.[362] Murnau galt deshalb als bewundernswertes Beispiel von Stadtbildgestaltung. Man beklagte demgegenüber 1907 die Tristheit der deutschen Städte: »Mehr Farbe! so könnte man das bekannte Wort Goethes variieren, wenn man durch die grauen

160

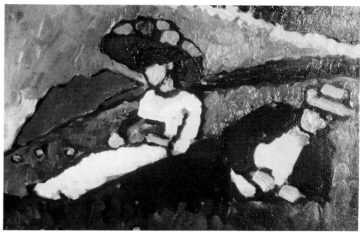

161

Straßen unserer großen und kleinen Städte wandert; alles ist grau, die Häuser, die Straße, auch meist der Himmel. Nüchtern und farblos, wie unser ganzes Leben geworden
ist, sind auch unsere Kleidung, unser Leben und Treiben, sind unsere Kunstäußerun-
gen. War nicht gerade die Kunst eines jeden kulturell hochstehenden Volkes immer
eine farbige? Ja, die Anwendung von Farbe, könnte man fast sagen, kann als Gradmesser
einer Kunstentwicklung betrachtet werden.«[363]

Abb. 160 Marianne Werefkin: *Wassily Kandinsky und Gabriele Münter*, um 1908

Abb. 161 Gabriele Münter: *Werefkin und Jawlensky*, 1908/09

Zu der Zeit, als sich Kandinsky und Münter in Murnau mit zweitem Wohnsitz
niederließen, hatte dieser Ort einen nicht »unbedeutenden Fremdenverkehr« zu ver-
zeichnen und rühmte sich seines »städtischen Aussehens«. Der Ort machte auch in anderer Hinsicht auf sich aufmerksam: »Es ist der Markt in Murnau an der Bahnlinie
München-Garmisch, am Staffelsee. Gegen Süden liegt ein ehemaliges Seebecken, das
Murnauer Moos, im Hintergrunde erheben sich mächtige Bergkuppen, links Herzog-
stand und Heimgarten, weiter rechts der Krottenkopf; rechts lugt das Ettaler Mandl vor,
und von Süden grüßt die Zugspitze, Deutschlands höchster Berggipfel. Der Staffelsee
bietet mit seinen sieben Inseln ein selten schönes Bild. Von Murnau aus ist mit der elek-
trischen Bahn das berühmte Passionsdorf Oberammergau in einstündiger Bahnfahrt zu
erreichen. Östlich und nördlich beginnt sich das Land allmählich zu verflachen.«[364]
An exponierter Stelle also haben sich Kandinsky und Gabriele Münter niedergelassen,
keineswegs abgeschnitten von der Welt. In kürzester Zeit konnte man durch den Bahn-
anschluß wieder in München sein, in der Wohnung, die am 1. Oktober 1908 gemeinsam in der Ainmillerstraße 36 gemietet wurde – vier Zimmer, eine Küche, zwei Kam-
mern, Bad; 1400 Mark Miete im Jahr – für damalige Verhältnisse also recht anspruchs-
voll.[365]

Es war übrigens eine denkmalpflegerische Aktion, die Murnau zu einem Muster-
beispiel der Stadtbildgestaltung werden ließ. »Die Initiative zu dieser Neugeburt Mur-
naus im Sinne einer einstmals im ganzen bayerischen Hochlande üblichen volkstümli-
chen Kunst geht von Professor Emanuel von Seidl aus, der sich hierdurch selbst ein Kul-

162

163

Abb. 162
Wassily Kandinsky: *Baumblüte in Lana I*, 1908

Abb. 163 Gabriele Münter: *Baumblüte in Lana*, 1908

turdenkmal geschaffen hat ... Professor Emanuel von Seidl hat sich zur Aufgabe gemacht, sämtliche Häuser der Marktstraße, ja des ganzen Marktes, mit originellen Hausmalereien oder doch gediegenem Hausanstrich zu versehen und durch einfache geschmackvolle Renovation einheitlich dem Gesamtbilde einzufügen. Während ein Teil der Fassaden nur mit farbigen Fensterumrahmungen versehen ist, zeichnen sich wieder andere durch reichen figürlichen Schmuck aus. Die Mariahilfkirche, ein bescheidenes aber reizendes Bauwerk, wurde in der Mitte des XIX. Jahrhunderts ›restauriert‹, das heißt gründlich verdorben, es wurde ihm ein gotischer, mißverstandener Turm aufgesetzt. Professor von Seidl ließ diesen entfernen und gab ihm die jetzige Gestalt, die Fassade wurde in reizender Art nach seinen Angaben bemalt. Es sind immer mehrere bestimmte Töne, mit welchen der Architekt operiert, dort ist es sattes Rot, dort gelbe, hier blaue und dort wieder violette Töne, welche als Hauptfarbe vorherrschend sind.«[366] Die Folge dieser Aktion war, daß sich viele Fremde in Murnau niederließen und eine rege Bautätigkeit entwickelten. Innerhalb nur weniger Jahre vor dem Ersten Weltkrieg verdoppelte sich die Bevölkerung nahezu.

Bis zu dem Zeitpunkt, als Werefkin und Jawlensky mit Kandinsky und Münter regelmäßig zusammenkamen, um in Murnau gemeinsam zu malen, hatten Kandinsky und Münter noch keine persönliche Handschrift entwickelt. Das Frühjahr 1908 hatten Kandinsky und Münter in Südtirol in Lana, einige Kilometer südlich von Meran, verbracht. Dort beobachteten sie in den Bergen die Baumblüte und stellten sie in impressionistischer Spachteltechnik dar (Abb. 162, 163). Als sie sich dann mit Werefkin und Jawlensky in Murnau treffen, veränderte sich ihr Malstil radikal (Abb. 164, 165). Ganz plötzlich malen sie, systematisch auf den Grund- und Komplementärfarben aufbauend, flächenbezogene Bilder. Manchmal benutzen sie mehr, manchmal weniger das Rezept der Schule von Pont-Aven, die Flächen in Konturen zu spannen, wobei der Malgrund – die Malfläche – manchmal mehr, manchmal weniger unbearbeitet stehen bleibt. Unter Fachleuten herrscht über den Wandel der Malweise von Kandinsky und Münter bis

164   165

zum heutigen Tage immer noch Erstaunen. Die einen scheinen an übernatürliche Ein-
wirkungen des Ortes zu glauben: »Das Wunder der Wandlung vollzog sich in Murnau«,
schreibt Röthel.[367] Demnach müßten mystische Strahlen der Erkenntnis hier auf Kandinsky niedergekommen sein, denn natürliche, menschliche Einflußnahmen schließt
der Autor aus: »Von einer unmittelbaren Abhängigkeit kann nicht die Rede sein.«[368]
Andere wiederum sehen in Klima und Umgebung die Ursache für Kandinskys neue
Arbeitsweise: »Die reine Luft und das glänzende Licht, wie es für das subalpine Klima
typisch ist, schienen die Perspektive zu verkürzen, so daß die Hügel der Gebirge sich in
unbestimmter Ferne wie auf einer schmalen, kristallartigen Ebene auszudehnen schienen. Fern von der Hetze und den Ablenkungen der Stadt bot Murnau Stille und Abge-
schiedenheit. Als hätte sich plötzlich ein Tor geöffnet, erlebte Kandinsky jetzt eine stilistische Befreiung, die einen drastischen Bruch mit seiner jüngsten Vergangenheit darstellte. Plötzlich tat sich ein Weg auf zur Lösung der Dichotomie zwischen seinen impressionistischen Landschaften und den lyrischen Werken, die ihn so lange in ihrem
Bann gehalten hatten.«[369] Da keine sonstigen wundersamen Ereignisse aus Murnau bekannt wurden, wird man die Wandlung der Malerei von Kandinsky und Münter wohl
doch eher auf freundschaftliche Einflußnahme zurückzuführen haben, nämlich von
Werefkin und Jawlensky, der kurz zuvor erst zum Cloisonnismus konvertiert war.

Seit langem ist bekannt, daß sich Gabriele Münter zu den Murnauer Ereignissen,
die die Kunstwelt so berühren, ganz klar und eindeutig geäußert hat: »Ich habe da nach
einer kurzen Zeit der Qual einen großen Sprung gemacht – vom Naturabmalen – mehr
oder weniger impressionistisch – zum Fühlen eines Inhalts, zum Abstrahieren – zum
Geben eines Extraktes. Es war eine schöne, interessante, freudige Arbeitszeit mit vielen
Gesprächen über Kunst mit den begeisterten ›Giselisten‹ [so wurden Jawlensky und die
Werefkin genannt, weil sie in der Giselastraße in München wohnten]. Ich zeigte meine
Arbeiten besonders gern Jawlensky – einerseits lobte er gerne und viel, andererseits er-

Abb. 164 Wassily Kandinsky: *Straße in Murnau mit
Frauen*, 1908

Abb. 165 Gabriele Münter: *Blick aufs Murnauer
Moos*, 1908

klärte er mir auch manches – gab mir von seinem Erlebten und Erworbenen und sprach von ›Synthese‹. Er ist ein netter Kollege. Wir alle vier strebten sehr. Wir waren alle fleißig. Zu einer wundervollen Entwicklung hat es Kandinsky seitdem gebracht.«[370] Ganz unmißverständlich sind auch weitere Äußerungen der Münter, in denen sie darauf verweist, daß sie Jawlensky viele wesentliche neue Anregungen während der Murnauer Jahre verdankt.

So offen, wie sie über ein Lehrer-Schüler-Verhältnis zu Jawlensky spricht, tut es auch Kandinsky später in mehreren Briefen aus Paris an Jawlensky in Wiesbaden. »Ich habe damals viel von Ihnen gelernt und werde Ihnen dafür immer dankbar sein. Es ging mir weniger um den Kopf als um den organischen Zusammenhang, die Einheitlichkeit der Form, die nur im Summarischen existiert.«[371] Während der Murnauer Zeit porträtierte Jawlensky die Malerin Elisabeth Eppstein, ebenfalls eine frühere Ažbè-Schülerin (Abb. 166). Wie Kandinsky lebte sie in den dreißiger Jahren in Paris: »Unlängst war bei uns E. I. Eppstein. Was für eine nette Frau, ein guter, lieber Mensch. Wir sprachen über Sie und erinnerten uns der alten vergangenen Tage und rechneten uns aus, wie lange wir uns kennen. Es ergaben sich vierzig Jahre. Wir erinnerten uns, wie wir beide bei Ihnen Schüler waren.«[372] Zwei Jahre später kam Kandinsky dann in einem Brief vom 11. Juni 1938[373] noch einmal auf sein Schülerverhältnis zu Jawlensky zu sprechen: »Die liebe Fräulein Kümmel benachrichtigt mich immer über Sie ... Wie leid Sie mir und Nina Nikolajewa tun, kann ich nicht mit Worten sagen ... Wir würden Ihnen so gern helfen ... Wir sind tief traurig über Ihre schmerzliche Lage. Wir sprechen sehr oft von Ihnen und denken oft an Sie. Ich erzählte Nina Nikolajewa über unsere wundervollen Zeiten in München, wo Sie mich lehrten.«[374]

Die Zusammenarbeit mit den ›Giselisten‹ und die Seßhaftigkeit in München und Murnau bedeuteten nach den vorausgegangenen Jahren des Hin- und Herziehens und verschiedener Krisen eine Ruhepause in Kandinskys privatem Leben mit Gabriele Münter, wie auch in seinem künstlerischen Schaffen. Denn »als Kandinsky mit Gabriele Münter nach einem Jahr in Paris und einigen Monaten unsteten Wanderns im Frühjahr 1908 Murnau entdeckte, muß ihm zumute gewesen sein, als hätte er endlich sein Paradies gefunden. Von Ende 1905 bis zum Sommer 1907 hatten sie sich außerhalb Deutschlands aufgehalten, darunter einige Monate in Italien und ein Jahr in Paris. Nach einer kurzen Rückkehr in die Gegend von München verbrachten sie die Wintermonate 1907/1908 in Berlin. Und diese Zeit der Wurzellosigkeit war voll von psychologischen Spannungen. Sein Schaffen während des Pariser Interludiums spiegelt noch den tiefen Zwiespalt zwischen der verführerischen Kunst des Dekorativen und dem Anspruch des Naturalismus, denn er schuf in dieser Periode weiterhin Ölstudien nach der Natur. Allmählich wurden seine Ölfarben leuchtender und begannen, sich der intensiven Farbqualität seiner Holzschnitte anzunähern. Dennoch weisen Kandinskys wiederholte Depressionen auf seine Einsicht hin, daß er noch keine befriedigende Lösung dieses stilistischen Konflikts gefunden hat.«[375]

Das »Wunder«, das sich während der Murnauer Zeit mit Kandinsky vollzog, kann nach Lage der Dinge nur darin gesehen werden, daß er in Werefkin eine adäquate Gesprächspartnerin gefunden hatte, mit der er den Stand der gegenwärtigen Malerei und

Abb. 166
Alexej Jawlensky: *Elisabeth Eppstein*, 1910/11

167   168

deren Bedeutung, aber auch eigene Vorstellungen klären konnte. Jawlensky und Münter verstanden und ergänzten sich einander auf ihre Weise bestens, wie nicht nur die schriftlichen Quellen belegen. Wie derer beider Verhältnis wiederum zu Werefkin und Kandinsky zu bewerten ist, davon gibt das Münter-Bild *Zuhören* (Abb. 167) ein beredtes Zeugnis. Die Münter, allem Theoretischen, Geschäftigen und ausführlichen Sitzungen abgeneigt,[376] projiziert ganz offensichtlich ihre eigene Situation auf Jawlensky, den sie in jenem Bildnis in der Rolle des dem Gespräch passiv Zuhörenden zeigt. Eigentlich ist es erstaunlich, daß sich diese beiden Paare in Murnau zusammengetan haben, denn eine ausgesprochene Aversion von Kandinsky gegen Jawlensky ist uns gerade für diese Zeit bezeugt.[377] Diese Tatsache kann nur als ein Beweis angesehen werden, daß Kandinsky sehr an dem Gedankenaustausch mit Marianne Werefkin gelegen war, die er bis ins hohe Alter ganz außerordentlich schätzte, wie aus verschiedenen Briefen an Maria Marc hervorgeht: »Wenn Sie wieder Marianne von Werefkin treffen, bitte ich sie von mir zu grüßen. Ich bewundere sehr ihre Tapferkeit und die immer junge Energie ... Sie trägt eine wunderbare Kraft in sich ...«[378]

Man hat versucht, die Einflüsse für den Stilwandel bei Münter und Kandinsky genauer zu bestimmen. Was die Münter anbetrifft, so ist es immer wieder sie selbst, die auf Jawlensky hinweist, der ihr sein Wissen und seine Ideale vermittelte. Als sie einmal in den Jahren nach der Trennung von Kandinsky für »sich niederschrieb, was für historische Einflüsse sich bei ihrem nachimpressionistischen Ausdruck wohl geltend gemacht hätten, schien ihr nur Jawlensky und das von ihm weitergereichte Vorbild van Gogh in Betracht zu kommen«.[379] Neben van Gogh nannte sie allerdings auch die Schule von Pont-Aven. Darüber hinaus entdeckte man aber auch, daß ihre Bilder eine Verwandtschaft mit Munch aufweisen,[380] die bei der Werefkin so deutlich zu verfolgen ist. Für ihren Lebensgefährten – »Kandinsky wird ganz Kandinsky erst 1908«[381] – verwies man auf ähnliche Quellen: »Zwischen 1908 und 1910 zeigte seine Kunst lineare dekora-

Abb. 167 Gabriele Münter: *Zuhören*, 1909

Abb. 168 Gabriele Münter: *Erma Bossi, Marianne Werefkin, Alexej Jawlensky, Wassily Kandinsky*, 1910/11

tive Züge, die einerseits auf den Einfluß Gauguins und der Fauves, andererseits auf die immer noch starke Anlehnung an den Jugendstil zurückzuführen sind.«[382] Sehr zutreffend zitiert Werner Hofmann die Bedeutung auch der Theorien von Maurice Denis für die weitere Kunstentwicklung Kandinskys: »In Theorie und Praxis hat Kandinsky die von Denis behauptete, von den Fauves und den Kubisten vertiefte Eigenmacht des Bildes, des ›fait pictural‹, absolut gesetzt, indem er ihm ›die divertierende Stütze im Gegenständlichen‹ entzog und den Maler dazu ermächtigte, das ›Reinkünstlerische‹ zum autonomen Wert zu erheben. Man kann sonach eine direkte Linie von Gauguin über Matisse zu Kandinsky ziehen.«[383] Durch eigene Anschauung auf ihren Reisen dürften Kandinsky und Münter weder van Gogh, Gauguin noch Munch unbekannt geblieben sein. Nachweisen läßt sich allerdings, daß deren Einfluß bis zur Murnauer Zeit keinen Niederschlag in ihrem Œuvre gefunden hat, daß es dazu somit erst des Anstoßes Jawlenskys und der Werefkin bedurfte. Wenn in Äußerungen und Briefen Werefkins Name nur selten genannt, dafür aber Jawlensky in den Vordergrund gerückt wird, so ist zu bedenken, daß es ihr ureigenstes Anliegen war, »Jawlensky zu fördern und der Welt als einen großen Künstler vorzustellen«. Sie selbst war immer bereit, einen Schritt hinter ihn zurückzutreten, um ihm gleichzeitig zu soufflieren und den Rücken zu stärken. Ganz bildlich hat Gabriele Münter eine solche Situation in einem Gemälde als Dokument festgehalten (Abb. 168).

Wie die Zusammenarbeit der beiden Künstlerpaare in Murnau aussah, wie welche Vorbilder verarbeitet wurden, macht ein Vergleich deutlich. Durch das Fenster des Hauses von Gabriele Münter konnte man auf die Bahngleise sehen. Das Motiv eines

Abb. 169   Alexej Jawlensky: *Lokomotive*, 1909

Abb. 170   Gabriele Münter: *Eisenbahnrauch*, 1909

169

170

171

172

vorbeifahrenden Zuges haben 1909 alle vier Künstler dargestellt. Jawlensky, der – wie immer wieder berichtet wird – in Murnau den Ton angab, malt das kleine Ölbild *Loko- motive* in den drei Grundfarben, die er komplementär ausgleicht (Abb. 169). In horizon- talen und diagonalen Zonen ordnet er großzügige, leuchtende Farbflächen. Nur wenige und sehr vereinfachte Gegenstände machen die Ikonographie des Bildes aus: ein Haus, Bäume, der Schienenstrang und die Lokomotive, dahinter die Landschaft, Berge und der Himmel. Das Bild wirkt wie die Illustration zu einem Kinderbuch und scheint der Spielzeugwelt zu entstammen.

Münters Bild *Eisenbahnrauch* (Abb. 170) ist poetischer. Von Zug und Eisenbahn- schienen ist in dem Bild nichts zu sehen. Nur die weißen Rauchwolken erinnern daran, daß ein Zug vorübergefahren ist. Das Motiv der Rauchwolken wiederholt die Malerin, indem sie parallel dazu in der Diagonalen ein weißes Wolkenband zeigt, das sich an den Berggipfeln verfängt. Den Bildinhalt, einen Zaun, Bäume, ein Haus und die Berge, ge- staltet sie bizarr und locker. Sie wendet den Cloisonnismus an, aber nicht in seiner streng formalen Form. Die Konturen lösen sich auf. Auch sie folgt in der farblichen Ge- staltung den Regeln des Farbkreises. Hätte sie ihrem Bild nicht den Titel *Eisenbahn- rauch* gegeben, so wäre man geneigt, in ihm nur eine Anlehnung an Jawlenskys Bergbil- der (Abb. 171) zu sehen, in denen einzelne Wolken vor der Kulisse eines Berges vorbei- ziehen. Sicherlich kannte die Münter Jawlenskys eindrucksvolles Bild *Zwei weiße Wolken* von 1909, das sich ganz eindeutig auf japanische Holzschnitte von Hokusai be- zieht.[384] Münters Gemälde verrät aber auch den Einfluß von Munch (Abb. 172), dessen Kunst von der Werefkin mit so großem Nachdruck umgesetzt wurde.

Kandinskys Version *Murnau-Aussicht mit Eisenbahn und Schloß* (Abb. 173) zeigt ebenso wie die Bilder der Malerkollegen eine Verselbständigung von Farbe und Form ge- genüber dem Sujet.[385] Wie sie strebt er »die Befreiung der Farbe von der Linie«[386] an. Und wenn Kunsthistoriker auf die Bedeutung der ›Nichtfarben‹[387] Schwarz und Weiß in

Abb. 171
Alexej Jawlensky: *Zwei weiße Wolken*, 1909

Abb. 172   Edvard Munch: *Eisenbahnqualm*, 1900

Kandinskys Bild anspielen, so dürften diese weniger den »Einfluß graphischer Aus-
drucksformen«[388] verraten als den von van Gogh. Man wird sich in diesem Zusammenhang daran erinnern müssen, was die Werefkin bereits 1905 über die beiden ›Nichtfarben‹ und van Gogh gesagt hatte: »Ich verstehe so gut die Idee van Goghs, das Weiße und
das Schwarze als zwei Farben zu behandeln und nicht als den Schatten, der dem Licht
entgegengesetzt ist. Er hielt wenig von dem Kredo der Koloristen, für die das Schwarze
die Abwesenheit und das Weiße die Vereinigung aller Farben ist. Das Weiße und das
Schwarze sind für van Gogh Werte, die den leuchtendsten Farben seiner Palette gleichwertig sind, sie sind zwei positive Werte.«[389] Darüber hinaus führt bei Kandinsky die ornamentale Behandlung des Lichteinfalls zwischen den Rädern des Zuges wie auch die
ornamentale Behandlung der in kurzen Abständen aus dem Schornstein der Lokomotive ausgestoßenen Rauchwolken motivisch wiederum auf van Gogh (Abb. 174). Auf sehr
ähnliche Weise scheinen in dem einen wie dem anderen Bild ganze Partien durch die
kurze Abfolge gleichgearteter Motive in eine auffallende stürmische Bewegung versetzt
worden zu sein.

Werefkin hat das Motiv *Die Eisenbahn* (Abb. 175) ebenfalls dargestellt. Sie verzichtet auf die Buntheit des gesamten Farbkreises, den ihre Kollegen in vollem Umfange nutzen. Sie gebraucht die beiden ›Nichtfarben‹, Schwarz im blattlosen Baum und
Weiß im Rauch der Lokomotive, weiterhin eine einzige Grundfarbe, und zwar die grell-
ste und farbintensivste, das Gelb für die Landschaft, die nicht näher bezeichnet wird;
schließlich wendet sie als Komplementärfarbe noch ein bräunliches Orange für den
Zug an. Aus dem Farbenkanon ergänzen nur das Schwarz und das Weiß einander. Die
beiden anderen Farben bleiben isoliert, ohne natürlichen Gegenklang, und schaffen so
eine nahezu unerträgliche farbliche Spannung im Bild. Diese erhöht sich noch durch die
formalen Elemente der sich mehrfach durchkreuzenden Diagonalen. Die Anwendung
der Diagonalen als bildgestalterisches Mittel fällt auch in den Eisenbahndarstellungen
der Malerfreunde auf. Jedoch keiner von ihnen benutzte zu jener Zeit die Diagonale mit

Abb. 173 Wassily Kandinsky: *Murnau-Aussicht mit
Eisenbahn und Schloß*, 1909

Abb. 174
Vincent van Gogh: *Landschaft bei Auvers*, 1890

173

174

175   176

der Konsequenz der Werefkin. Die Entschiedenheit, wie sie die Diagonale als abstrakten Bedeutungsträger ins Bild setzt, hat vor ihr Gauguin in seinem berühmten Bild *Jakobs Kampf mit dem Engel* (Abb. 176) an den Tag gelegt. Wie sie die Diagonalen anwendet, sind sie als Symbole der schnellen Bewegung – wie Pfeile, die in verschiedene Richtungen geschossen werden – zu verstehen oder wie Blitze, die hin und her zucken. Hugo von Tschudi, der 1909 als neuer Generaldirektor der Bayerischen Museen nach München gekommen war, fiel sofort auf, daß eine der wichtigsten Bildkonstruktionen der beiden Künstlerpaare die Diagonale war. Kandinsky schrieb darüber später: »Wir hörten, daß Geheimrat Hugo v. Tschudi als Generaldirektor der sämtlichen bayerischen Museen berufen wurde. Es war natürlich ziemlich kühn (manche sagten ›leichtsinnig‹, manche ›frech‹), diesen großen Mann um Hilfe zu bitten. Er war aber nicht nur ein großer Mann, sondern auch ein Großer Mann. Da er fast keinen von uns kannte, bat er, für ihn eine kleine Ausstellung unserer Werke privatim zu veranstalten, was auch sofort im Atelier von A. v. Jawlensky geschah. H. v. Tschudi erschien auf die Minute und blieb in der kleinen Ausstellung mindestens eine Stunde. Seine Bemerkungen waren trefflich. U. a. bemerkte er, daß man in unsren Bildern sehr oft die Diagonale als Konstruktionsbasis sieht. Ich schreibe augenblicklich keinen theoretischen Aufsatz und erlaube mir nur kurz zu bemerken, was diese Konstruktionsbasis ganz im allgemeinen bedeutet. Wir liegen horizontal, wir stehen vertikal, wir gehen und laufen diagonal – je schneller, je mehr. Wenn wir gehen und laufen, verwirklichen wir die Bewegung, wir wechseln den Platz und kommen nach vorwärts. Für uns damals drückte sich in dieser ganz unbewußt ›Frühlingserwachen‹ aus.«[390]

Abb. 175 Marianne Werefkin: *Die Eisenbahn*, 1909

Abb. 176 Paul Gauguin: *Jakobs Kampf mit dem Engel*, 1888

Neue Künstlervereinigung München

Marianne Werefkin ist als Fünfzigjährige in der Münchner Zeit mehrfach geschildert und gemalt worden, jedoch wurde sie aufgrund ihres Temperaments und ihrer faszinierenden Ausstrahlungskraft fast ausnahmslos als jugendliche Frau dargestellt. Gustav Pauli schrieb ihr geradezu magische Fähigkeiten zu, wenn er von fast »physisch spürbaren Kräftewellen« sprach, die von der »zierlich gebauten Frau mit den großen dunklen Augen und vollen roten Lippen«[391] auf ihre Umgebung ausgingen. Die Künstlerfreunde Gabriele Münter (Abb. 177) und Erma Bossi (Abb. 178) malen sie als Dame von Welt, jung, schön und idealisiert. Sie bewundern diese Frau, die geistig jung und ihrer Zeit voraus war. Ebenso zeigte sich Elisabeth Erdmann-Macke fasziniert von ihr, als sie sie in Jawlenskys Atelier kennenlernte: »Sie war eine ungemein temperamentvolle, starke Persönlichkeit, voll revolutionären Geistes gegen alles Laue und Ängstliche. Wir sahen sie zuerst ... sie kehrte uns den Rücken zu ... man glaubte, ein junges Mädchen stünde da. Als sie sich umdrehte, sah man das vom Leben geprägte, ausdrucksvolle Gesicht einer alternden Frau ... Sie bestimmte, und nach ihrem Willen mußte alles gehen.«[392]

Da die Bilder der Werefkin, Jawlenskys und anderer Malerfreunde der beiden von der ›Münchener Secession‹ als zu revolutionär zurückgewiesen wurden,[393] kam 1909 die Idee auf, eine Künstlervereinigung zu gründen, um eigene, fortschrittliche Ausstellungen zu veranstalten. An dieser Stelle sei daran erinnert, daß Ślewiński im Jahr zuvor die Münchner Ausstellungsszene als zu konservativ beurteilte, um an einer Ausstellung teilnehmen zu wollen. Kandinsky war in den Plan, eine Vereinigung zu gründen, nicht eingeweiht worden.[394] Werefkin hatte nämlich Jawlensky die Führerrolle zugedacht, der sich allerdings nicht dazu imstande sah, sie zu übernehmen.[395] Erst als sich Jawlensky scheute, die verantwortungsvolle Arbeit der Vereinsleitung zu tragen,[396] entsann man sich der Erfahrungen Kandinskys in Vereinsgründungen und -leitung – er war ehemals Vorsitzender der Künstlervereinigung ›Phalanx‹ –, außerdem seiner juristischen Kenntnisse, die die Verwirklichung eines solchen Unternehmens voraussetzte. Kandinsky war zu jener Zeit gar nicht in München und war ganz überrascht, als man ihm über das Projekt schrieb, ihn um Rückkehr bat und zugleich den Vorsitz der Vereinigung anbot: »Den Winter habe ich in Berlin verbracht, wo ich eines wirklich schönen Tages einen Brief von meinen Münchener Freunden erhielt, in dem sie mich aufforderten, nach München zurückzukehren, um dort an der Gründung einer neuen Vereinigung teilzunehmen. Ich ging hin und wir gaben der Gründung den Namen der ›Neuen Künstlervereinigung München‹«.[397]

Die Gründung der ›Neuen Künstlervereinigung München‹ – kurz NKVM genannt – fand am 22. Januar 1909 statt. Gründungsmitglieder waren: Marianne Werefkin, Wassily Kandinsky, Alexej Jawlensky, Gabriele Münter, Adolf Erbslöh, Alexander Kanoldt, Alfred Kubin, Heinrich Schnabel, Oskar Wittgenstein. Die Eintragung ins Münchner Vereinsregister erfolgte am 22. März 1909. Weitere Mitglieder kamen während des Jahres noch hinzu: Paul Baum, Wladimir Bechtejeff, Erma Barrera-Bossi, Carl Hofer, Moissey Kogan, Alexander Sacharoff; 1910: Pierre Girieud, Henri Le Fauconnier; 1911: Franz Marc, der Kunsthistoriker Otto Fischer; 1912: Alexander Mogilewsky.[398] Die erste Ausstellung der NKVM fand von Dezember 1909 bis Januar 1910 in der Galerie Thannhauser statt.[399]

Die NKVM wendete sich mit einem Zirkular an das Publikum, dessen Text sicherlich Werefkin und Kandinsky, oder einer von beiden, verfaßt haben; mit Bestimmtheit scheidet ein Mitwirken Jawlenskys dabei aus,[400] denn dieser beherrschte damals die deutsche Sprache noch sehr unvollkommen. Außerdem ließ sich Jawlensky gewöhnlich seine wichtigen Briefe nachweislich von der Werefkin abfassen.[401] Das Gründungszirkular lautete: »Ew. Hochwohlgeboren! Wir erlauben uns, Ihre Aufmerksamkeit auf eine Künstlervereinigung zu lenken, die im Januar 1909 ins Leben getreten ist und die Hoffnung hegt, durch Ausstellung ernster Kunstwerke nach ihren Kräften an der Förderung künstlerischer Kultur mitzuarbeiten. Wir gehen aus von dem Gedanken, daß der Künstler außer den Eindrücken, die er von der äußeren Welt, der Natur, erhält, fortwährend in einer inneren Welt Erlebnisse sammelt; und das Suchen nach künstlerischen Formen, welche die gegenseitige Durchdringung dieser sämtlichen Erlebnisse zum Ausdruck bringen sollen – nach Formen, die von allem Nebensächlichen befreit sein müssen, um nur das Notwendige stark zum Ausdruck zu bringen –, kurz, das Streben nach künstlerischer Synthese, dies scheint uns eine Losung, die gegenwärtig wieder immer mehr Künstler geistig vereinigt. Durch die Gründung unserer Vereinigung hoffen wir diesen geistigen Beziehungen unter Künstlern eine materielle Form zu geben, die Gelegenheit schaffen wird, mit vereinten Kräften zur Öffentlichkeit zu sprechen. Hochachtungsvollst Neue Künstlervereinigung München.«[402]

In den Jahren des Gedeihens der NKVM faßt die Werefkin noch einmal alle ihre Kräfte zusammen und malt Bilder, die manchen ihrer Freunde zu Lehrstücken werden. Ein solches ist zum Beispiel *Die Schindelfabrik* von 1910 (Abb. 179). Es handelt sich um ein Motiv, vor dem Werefkin und Jawlensky 1910 gemeinsam arbeiteten. Werefkin behandelte es nur einmal. Für Jawlensky dagegen wurde es zu einem Thema, das er in der Folgezeit immer wieder aufgriff und neu formulierte, bis er 1912 zu einer endgültigen Fassung fand.[403] Die Werefkin macht daraus wiederum ein Landschaftsbild, das sie, ikonologisch bedeutungsvoll, ins Hochformat faßt: Beim ersten Blick löst es den von den Fauves geforderten ›Schock‹ der Gefühle aus: unheimlich. Das Bild ist voller Gegensätzlichkeiten: Die Berge mit den hellen Gipfeln erwecken Sehnsucht, Fernweh, und ziehen den Betrachter mächtig an, der dunkle Berg im Vordergrund wirkt bedrohlich und scheint die beiden Gebäude im Vordergrund zu vereinnahmen und zu erdrücken. Der Arbeiter im Vordergrund kommt auf den Betrachter zu, um sich zugleich vor ihm zu verschließen. Rotgolden glüht rechts die Farbe des Holzstapels, während das Gelb des Gebäudes links tot, stumpf und starr erscheint. Ein Weg führt den Betrachter zum rechten Gebäude, doch er wird durch den Arbeiter versperrt, die Tür ist verbarrikadiert. Alle Öffnungen der Gebäude sind unzugänglich oder versperrt. Selbst die großen Röhren im Vordergrund, die ihre Funktion darin haben, daß sie einen Durchlaß gewähren und weiterführen, halten in Werefkins Bild sogar den Blick des Betrachters auf. Wo auch immer sein Auge versucht, in die Bildtiefe einzudringen, wird es schnell aufgehalten. Die Farbe Rot – mit der allgemeinen symbolischen Bedeutung für Leben, für den vitalen Trieb zur Expansion, der sich aggressiv entfalten will – verleitet den Betrachter, eine Beziehung

Abb. 178
Erma Bossi: *Bildnis Marianne Werefkin*, um 1910

Abb. 179
Marianne Werefkin: *Die Schindelfabrik*, 1910

zwischen dem Rot des Gesichtes des Arbeiters und der riesigen, aufwärts zum Himmel führenden Vertikale des Schornsteins herzustellen, um den Bedrängungen entfliehen zu können. Doch auch dessen Ende ist durch einen dunklen Rand verschlossen. Immer wieder wird man zur Erde, auf das pulsierende Gelb, vor dem der Mensch steht, zurückgeführt. Die ikonologische Bedeutung des Bildes ist so einfach wie rätselhaft.

Ein anderes Bild von 1910 mutet weniger bedrückend an: *Der rote Baum* (Abb. 147). Mit Bildern dieser Art hat die Werefkin den Grundstein für einen von Jawlenskys späteren Zyklen gelegt,[404] den ›Variationen‹. Bei oberflächlicher und konventioneller Betrachtungsweise glaubte man, den *Roten Baum* der Gattung Landschaft zuordnen zu müssen. Im wesentlichen besteht dieses Bild nur aus einem Berg, einem Baum, einem Busch, einem Menschen und einer Kapelle. Die Darstellung ist reduziert und vereinfacht. Bei längerer Betrachtung aber wird sie lebendig, bedeutungsvoll, teilt sich geheimnisvoll mit. Die drei Grundfarben beherrschen die Szenerie. Das Gelb, die lichtstärkste dieser drei Farben, scheint quantitativ die geringste Rolle zu spielen. In bewegten Linien und Wirbeln dargetan, gerät sie jedoch in Aufruhr, signalisiert ihre Fähigkeit zu unkontrollierbarer Expansion. Das Rot dagegen, der Inbegriff aller kosmischen und innermenschlichen Lebenskräfte, ist in einer mandalaförmigen, blühenden Baumkrone in der Mitte des Bildes gezügelt und gefaßt. Der Baum selbst, es ist unschwer zu erkennen, hat die Bedeutung eines Lebensbaumes. Unter diesem sitzt das Wesen Mensch mit Blick auf die Kirche. Ein mächtiger Berg überragt die Bildmitte und faßt alle Details der Darstellung wie im Sog nach oben zusammen. Er wird, als Ausdruck einer höheren Macht, von der Malerin mit Strömen von Blau überzogen. In der christlichen Symbolik ist das Blau himmlischen Ursprungs, bedeutet Transzendenz, von oben kommend und nach oben weisend. Das Hochformat legt eine Deutung des Inhalts als symbolhaft für nicht sichtbare Welten der Seele und des Geistigen noch näher. Es spielt zum Verständnis dieses und ähnlicher abstrakter Bilder eine ganz entscheidende Rolle. Jawlensky nutzt es in der Münchner Zeit für seine Landschaftsdarstellungen noch nicht konsequent. Erst später, mit einer Verzögerung von vier Jahren, wird es zu seinem Markenzeichen werden. Er setzt es dann stereotyp für seine ›Variationen über ein landschaftliches Thema‹ ein und greift damit inhaltlich und formal auf das Vorbild der Werefkin zurück.

Ein weiteres ihrer Gemälde von 1910 (Abb. 180) sollte Jawlensky mehrere Jahre lang so beschäftigen, daß er nicht mehr davon loskam, ehe er nicht Adäquates geschaffen hatte. Das war dann sein *Selbstbildnis* von 1912[405] (Abb. 181), das ohne das *Selbstbildnis* der Werefkin gewiß nicht hätte entstehen können. Er nahm es als Herausforderung. Dieses *Selbstbildnis* der Werefkin hat zu vielen Mißverständnissen geführt. Besonders beunruhigend wirkten auf die meisten Betrachter die roten Augen. Dabei sind gerade sie es, dazu die übrige farbige Gestaltung, die den Schlüssel zur Enträtselung dieses Bildes liefern und es zu einem der wichtigsten Künstlerselbstporträts des Expressionismus machen.[406] Schon durch einen Vergleich mit den farblichen Bedeutungsgehalten von *Der rote Baum* wäre es weitgehend zu deuten. Aber ebenso aufschlußreich ist eine Gegenüberstellung mit Künstlerbildnissen vergangener Epochen. Denn das Künstlerselbstbildnis ist – gegenüber dem Herrscherporträt, gar der Heiligendarstellung, aber auch dem Landschaftsbild oder Stilleben – eine recht junge Kunstgattung. Im Mittelalter, an entlegener Stelle als Skulptur an einer Kirche oder als Nebenfigur in ein Gruppenbild eingebracht, zählt es zu den Ausnahmen. Erst mit der Renaissance wird das Künstlerselbstbildnis ein Zeugnis des erstarkenden Selbstbewußtseins dieses Berufsstandes. In der Regel messen die Künstler ihrem Beruf eine hohe Bedeutung bei, indem sie ihn etwa durch Attribute wie Pinsel, Palette und Staffelei repräsentieren. Sehr oft versuchen sie allerdings auch mit ihren Auftraggebern, der hohen Gesellschaft, zu rivalisieren, indem sie sich in modischer Kleidung und luxuriöser Umgebung zeigen. Eine andere, bis zum heutigen Tage häufig praktizierte Art der Selbstdarstellung des Künstlers ist, sich durch Zurschaustellung von Luxus zwar in den Stand seines Kunden zu erheben, aber durch exotische Kleidung und ebenso exotische Staffage sich gleichzeitig davon zu distanzieren.

In ihrem Selbstbildnis hat die Werefkin all diese künstlerischen Konventionen abgestreift. Was dessen Einmaligkeit ausmacht, ist die Klarheit und Konsequenz des Einsatzes rein expressionistischer Mittel – nämlich der Farben – unter Verzicht auf Attribute und Accessoires. Ohne daß der Betrachter durch Nebensächlichkeiten von ihrer Persönlichkeit abgelenkt werden könnte, zeigt sie sich als eine Frau, die in ihrem Leben viel erfahren, gearbeitet, gelitten und nachgedacht hat. Man sollte sich vergegenwärtigen, daß sie schon früher einmal gesagt hatte: »Gelesen habe ich ausreichend, nachgedacht habe ich viel und ich glaube, es mir schuldig zu sein, dasjenige, was von dieser intellektuellen Arbeit übrig geblieben ist, aufzubewahren. Wenn ich je auf etwas stolz war, so war ich es auf meinen Verstand. Warum soll ich jetzt, wo er in seiner vollsten Kraft ist, wo er nichts zu befürchten, nichts mit Vorsicht zu handhaben hat, nicht einige Spuren davon für andere Zeiten aufbewahren?«[407]

Den Augen, mit denen Werefkin ihr Gegenüber so beharrlich fixiert, kommt eine besondere Bedeutung zu. Auf sie konzentriert sich das Interesse, auf einen Körperteil also, der am wenigsten Körper, am meisten Geist ist. Im Selbstbildnis machen sie das Zentrum des Gemäldes aus, wie die blühende Krone des Lebensbaumes im Gemälde *Der rote Baum*. Welche Bedeutung die Malerin den Augen eines Künstlers zumißt, hatte sie früher schon einmal, kurz ehe sie wieder zu malen begonnen hatte, ausgesprochen: »Die Welt des Künstlers ist in seinem Auge, dieses wiederum schafft ihm seine Seele. Dieses Auge zu erziehen, um dadurch eine feine Seele zu erlangen, ist die höchste Pflicht des Künstlers. Nur von dem Augenblick an, wo der Mensch sich befähigt fühlt, jeden Eindruck in sich umzuwerten, jedes Erlebnis in seiner Seele neu zu gestalten, nur von diesem Augenblick an kann er als Individuum gelten. Hat er die Fähigkeiten, diesem Neuempfinden eine Form zu geben, so ist er Künstler ... Das künstlerische Denken ist eine Deutung des Lebens in Farbe, Form und Musik. Das Große der Kunst liegt nicht in dem schon Geschaffenen, sondern in allem, was noch zu schaffen ist.«[408]

Wie *Der rote Baum* ist das *Selbstbildnis* auf den drei Grund- und Komplementärfarben aufgebaut; in der Pinselführung sind Erinnerungen an van Gogh wie auch an Gauguin spürbar. Was die Farbigkeit anbetrifft, so sei auf Gauguin hingewiesen, der im Zusammenhang mit einem Porträt gesagt hatte: »Das heiße Blut pulsiert durch das Gesicht, und die glühenden Farbtöne, welche die Augen umgeben, deuten auf die feurige Lava hin, die in unserer Malerseele lodert.«[409] Was van Gogh mit der Porträtmalerei, al-

Abb. 180 Marianne Werefkin: *Selbstbildnis*, 1910 (Siehe auch Farbtafel 47)

Abb. 181 Alexej Jawlensky: *Selbstbildnis*, 1912

so auch mit dem Selbstporträt, zu verwirklichen versuchte, schilderte er so: »Am meisten fesselt mich, viel viel mehr als alles andere, die Portraitmalerei, das moderne Portrait. Ich suche es in der Farbigkeit ... Sieh, ich möchte gern Bildnisse malen, die in hundert Jahren den Menschen als Offenbarungen erscheinen. Ich möchte das nicht durch photographische Treue erreichen, sondern durch meine leidenschaftliche Betrachtungsweise, durch Verwertung unserer Kenntnisse und unseres heutigen Farbgeschmacks als Mittel des Ausdrucks und der Übersteigerung des Charakters.«[410]

Weder Franz Marc noch die Familie Macke blieben von der Werefkin, ihrer Kunst und ihrer Art, die epochemachenden künstlerischen Vorbilder zu erläutern, unberührt. Das geht aus vielen Briefen hervor, die sich die jungen Freunde damals schrieben. Sie hatten sich erst vor kurzem kennengelernt. Marc, der in Sindelsdorf wohnte, besuchte die zweite Ausstellung der ›Neuen Künstlervereinigung‹, die bei Thannhauser in München im September stattfand. Er war tief beeindruckt, suchte Kandinsky und Jawlensky in ihren Ateliers auf und trat dann in die NKVM ein.[411] Hier lernte er die Werefkin kennen, die ihn bald zu ihren wenigen besten Freunden zählte.[412] Über den Tod von Franz Marc hinaus blieb eine innige Freundschaft zwischen Marcs Frau Maria und der Werefkin bestehen. Einen gemeinsamen Besuch mit Marc schildert Helmuth Macke im Dezember 1910: »Es ist zu komisch, wenn ich daran denke, was wir uns in Düsseldorf von den Leuten für eine Vorstellung gemacht haben. Kerle mit langen Haaren und Läusen, extravaganter Kleidung. Außergewöhnlich ist ihre Kleidung allerdings, aber höchst distinguiert. Einfach vornehm, die Kerle sehen aus wie geleckt. Später waren wir dann noch bei dem Herrn und Meister von Jawlensky. Ich hatte wieder denselben vorzüglichen Eindruck wie bei meinem ersten Besuch. Besonders seine Cousine Fr. Marianne von Werefkin, sie scheint die Seele des ganzen Unternehmens zu sein.«[413]

Noch eindeutiger äußerte sich Franz Marc, als er 1910 feststellte, daß es die Werefkin sei, die in wesentlichen Fragen der Kunst »den Nagel auf den Kopf«[414] treffe. Sie hatte damals den Kardinalfehler der Deutschen, in der Malerei immer noch mit Beleuchtungslicht zu arbeiten, aufgedeckt. Wir hörten bereits davon, daß sie damit die Initialzündung bei Marc auslöste, das Lichtproblem zu überdenken, um kurz darauf einzugestehen: Es war »mein elementarer Irrtum, das Licht für Farbe zu nehmen«.[415] Damit kam der Werefkin eine erhebliche Rolle in seiner künstlerischen Entwicklung zu.

Wie sehr Marc von Werefkins Kunst fasziniert war, geht aus einer Karte hervor, die er an Kandinsky schickte. Auf der IV. Ausstellung der Neuen Sezession 1911 in Berlin waren auch Kandinsky und Werefkin mit Gemälden vertreten. Franz Marc schrieb von dort: »Waren heute in der Neuen Sezession: famoser Eindruck... Am stärksten wirkten auf uns Sie und – Werefkin.«[416]

Jawlenskys ›Glaubensbekenntnis‹ – von der Werefkin verfaßt

Da Jawlensky im Gegensatz zu Kandinsky oder Klee selbst keine theoretischen Schriften verfaßt hat,[417] wird zum einen dem Brief, den er 1938 an Verkade geschrieben hat,[418] zum anderen aber insbesondere dem sogenannten ›Glaubensbekenntnis von 1905‹[419] eine ganz besondere Bedeutung als Selbstzeugnis zum Verständnis seiner Kunst beigemessen. Was die Wertigkeit dieses Briefes anbetrifft, so wird ihm sogar die erste Stelle eingeräumt: Der Brief sei »seine wichtigste Aussage über Kunst«. Gleichzeitig wurde allerdings vermutet, der Brief sei »zumindest in engster Zusammenarbeit mit Marianne Werefkin oder sogar von ihr selbst verfaßt«[420] worden. Erstmals wurde 1959 die Existenz dieses damals Jawlensky zugeschriebenen Briefes erwähnt und auszugsweise zitiert.[421] Er wurde ohne Belege in das Jahr 1905 datiert. Eine Überprüfung, ob die in dem Brief getroffenen Aussagen mit Jawlenskys Werken jenes Jahres tatsächlich in Einklang zu bringen sind, fand nicht statt. Ebenso fehlt bis heute jeglicher Nachweis dafür, daß Jawlensky ihn eigenhändig geschrieben hat. Nach dem Verbleib dieses so wichtigen Dokumentes wurde schon an anderer Stelle gefragt.[422] Erst die Wiesbadener Jawlensky-Ausstellung von 1983/84 erbrachte den Beleg, daß nicht Jawlensky, sondern Werefkin Urheberin dieses Briefes war.[423] Das Dokument befindet sich in einem Notizbuch Werefkins und ist mit Bleistift eindeutig von ihr selbst geschrieben worden. Aus dem Kontext zu anderen Eintragungen in demselben Notizbuch oder durch die Seitenabfolge kann eine Datierung nicht ermittelt werden. Das Überraschende am Auftauchen der Urschrift war die Tatsache, daß der Brief nicht in deutscher, sondern französischer Sprache von Marianne Werefkin verfaßt wurde. Der Vergleich mit dem von Weiler publizierten, nicht näher bezeichneten Text[424] legt nahe, daß dieser eine Übersetzung des in Wiesbaden gezeigten Dokumentes[425] ist.[426] Daraus ist zu folgern, daß dieser Brief gar nicht an einen Interessenten in Deutschland – wie man bisher glauben mußte –, sondern in Frankreich gerichtet war. Ob der Brief aus dem Notizbuch Werefkins noch einmal abgeschrieben und auch verschickt wurde – und an wen er adressiert war – ist augenblicklich noch nicht zu beantworten. Diese und weitere Fragen ließen sich möglicherweise klären, wenn eine Abschrift von Jawlensky nachgewiesen werden könnte.[427]

Die Frage, ob Werefkin den Brief für sich selbst oder eine andere Person geschrieben hat, läßt sich durch die französische Originalfassung zweifelsfrei klären: Werefkin schrieb den Brief in der maskulinen Ich-Form, d. h. der Brief wurde im Namen einer männlichen Person abgefaßt. Nach Lage der Dinge kann er eigentlich nur für ihren Schützling Jawlensky gedacht gewesen sein, der weder die französische noch die deutsche Sprache so fließend wie die Werefkin beherrschte.

Man wird also davon ausgehen müssen, daß dieser Brief tatsächlich von Werefkin für Jawlensky entworfen wurde und seine Auffassung von Kunst widerspiegelt. Damit stellt sich natürlich die Frage nach seiner Datierung. Bei kritischer Lesart verschiedener Passagen unter Hinzuziehung des Œuvres von Jawlensky ist dessen Entstehung im Jahr 1905 kaum möglich. Jawlensky huldigte damals nämlich noch auf seine Weise dem Neoimpressionismus und ist somit noch einem Sehen und einer Darstellungsweise verhaftet, die dem Realismus verpflichtet ist. Werefkins Auffassung, »Kunst ist dazu

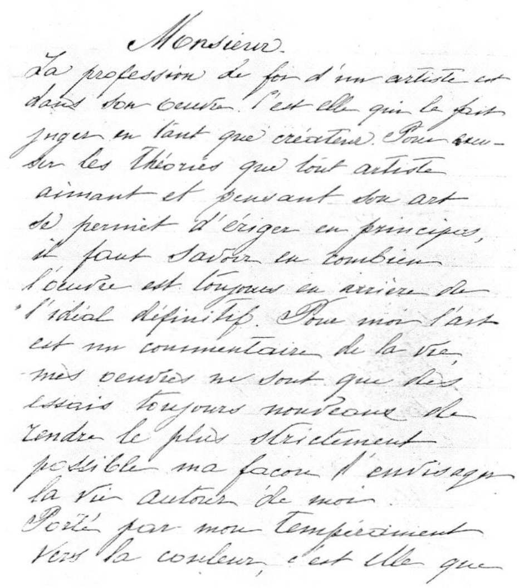

Monsieur.

[handwritten French text]

Abb. 182 ›Jawlenskys Glaubensbekenntnis‹, Handschrift von Marianne Werefkin, nach 1908

da, Dinge sichtbar zu machen, die nicht sind«, vertritt Jawlensky in seinen Bildern aber erst nach Ostern 1908 – nach seiner Begegnung mit Verkade und Ślewiński –, als er in München die auch von Münter und Kandinsky anerkannte Lehrerrolle einnahm. Die Erklärung, daß er als leidenschaftlich in die Kunst Verliebter das Leben der Farbe begriffen habe und daß Äpfel, Bäume, menschliche Gesichter für ihn nur Hinweise seien, um in ihnen etwas anderes zu sehen, kann Jawlensky – mit anderen, eigenen Worten – frühestens ab der Murnauer Zeit abgegeben haben. Denn erst von diesem Zeitpunkt an vertritt er auch in seiner Malerei die in dem Brief beschriebene Art des abstrakten Sehens.

Dem Brief muß in der Tat eine besondere Bedeutung zugesprochen werden, denn er wurde von Werefkin ein weiteres Mal – in leicht veränderter Form, ebenfalls in französischer Sprache – in ein anderes Notizbuch mit Tinte geschrieben (Abb. 182). Er weist auf eine vorausgegangene Anfrage an Jawlensky hin und lautet in der Übersetzung:

»Monsieur! Das Glaubensbekenntnis eines Künstlers ist sein Werk. Und nur dieses Glaubensbekenntnis läßt ihn urteilen, sofern er Künstler ist. Jeder Künstler, der seine Kunst liebt und durchdenkt, gestattet sich Theorien zu Prinzipien zu erheben. Zur Entschuldigung muß man wissen, daß das Werk immer hinter dem letztgültigen Ideal zurückbleibt. Für mich ist die Kunst ein Kommentar des Lebens, meine Werke sind nichts weiter als immer neue Versuche, meine Art und Weise, das Leben um mich herum zu betrachten.

Da ich durch meine Wesensart zur Farbe geführt wurde, beauftrage ich wiederum sie, meine Ideen und Gefühle wiederzugeben, die die Natur um mich mir eingibt. Aber der Gedanke, der mich nie verläßt, der mich durch alle Labyrinthe des Lebens als Künstler hindurchführt, ist der, daß das Leben, so wie es sich in der toten Gestalt seiner Materie ebenso wie in der starren Form seiner immateriellen Zuschreibungen darstellt, nicht das Objekt schöpferischer Kunst sein kann. Kunst ist dazu da, Dinge sichtbar zu machen, die nicht sind, die höchstens Spiegelungen der realen Welt in der Seele des Künstlers sein können. Träume der Künstlerseele, welche die Wirklichkeiten umhüllen.

Am letzten Tag der Schöpfung nimmt Gott eine Handvoll Erde, haucht darüber und macht den Menschen – den König der Erde. Ebenso macht es der Künstler: Das Leben um ihn ist die Handvoll Erde; um sie zu beleben, hat er nur die schwachen Hilfsmittel seiner Palette, aber der Gott in ihm haucht die schöpferische Idee ein – und vollendet ist das Meisterwerk.

Meine Freunde, die Äpfel, die ich so sehr wegen ihrer bezaubernden roten, gelben, lila und grünen Kleider liebe, sind, vor dem einen oder anderen Hintergrund, in dieser oder jener Umgebung, nicht mehr Äpfel für mich. Ihre strahlenden Töne vermischen sich auf dem Hintergrund anderer, dunklerer, zu einer Harmonie, die von Dissonanzen unterbrochen wird. Sie klingen in meinem Auge wie eine Musik, welche die eine oder die andere Verfassung meiner Seele wiedergibt, die eine oder andere flüchtige Empfindung von der Seele der Dinge, von diesem Irgendetwas, das, unbestimmt und von aller Welt vernachlässigt, in jedem Objekt der materiellen Welt, in jeder Wahrnehmung, die uns von außerhalb kommt, erzittert. Diese Dinge sichtbar zu machen, die sind, indem sie nicht sind, sie dem Betrachter zu enthüllen, indem ich sie durch mein mitfühlendes

Verständnis hindurchgehen lasse, sie mit meiner Leidenschaft, die ich für sie hege, be-
kleide – das ist das Ziel meines Künstlerlebens.

Äpfel, Bäume, menschliche Gesichter sind für mich nur Hinweise, um darin etwas
anderes zu sehen: Das Leben der Farbe, begriffen von einem leidenschaftlich Verlieb-
ten, wiedergegeben von einem Verehrer – nur daran, Monsieur, denke ich, wenn ich
nicht arbeite. Und wenn ich arbeite, denke ich noch immer daran.

Jetzt, wo ich Ihnen diese Zeilen schicke, komme ich nicht umhin, mich ein wenig
anmaßend zu finden, wenn ich Theorien ausspreche, die mir, solange ich sie in meinem
Herzen bewahre, ganz natürlich erscheinen.

Es ist nun Ihre Sache, Monsieur, davon den Gebrauch zu machen, der Ihnen gut erscheint. Ich möchte Ihnen vor allem durch meine umgehende Antwort zeigen, wie
wichtig mir die Ehre Ihres Interesses an meinem Werk ist.

Recevez, Monsieur, l'expression de ma parfaite reconnaissance et l'assurance de
man haute considération.

Die Photographien werden Ihnen Ende dieser Woche zugeschickt.«[428]

Der Blaue Reiter

Das Jahr 1911 sollte für die Münchner Kunstwelt ein aufregendes Datum werden. Am
10. Januar 1911 legt Kandinsky den Vorsitz der Neuen Künstlervereinigung nieder,
bleibt aber Mitglied. In einem Brief an Jawlensky begründet er seinen Entschluß damit,
daß die Mehrzahl der Mitglieder seine Ansichten über die Art der Gestaltung der Vereinigung nicht mehr teile. Kandinskys Nachfolger wird Adolf Erbslöh. Eine weitere
Ausstellung der Vereinigung wird geplant. Marc sieht bereits im August die Schwierigkeiten und schreibt an Macke: »Wir wollten die Vereinigung nicht aufgeben, sondern
unfähige Mitglieder müssen eben raus. Es ist meine feste Überzeugung, daß Kanoldt,
Erbslöh, Kogan sich über kurz oder lang als unfähig erweisen werden.«[429]

Den Sommer 1911 verbringen Werefkin und Jawlensky im Seebad Prerow, Endsta-
tion der von Rostock und Stralsund zur Ostsee führenden Eisenbahnlinien (Abb. 183).
Was sie gerade diesen Ort für ihren Sommeraufenthalt wählen ließ, könnten Kontakte
zu der ganz in der Nähe gelegenen ›Künstlerkolonie Ahrenshoop‹ gewesen sein, wo sich
im selben Sommer Erich Heckel aufhielt. Schon vor der Jahrhundertwende hatten sich
in Ahrenshoop eine Reihe Maler niedergelassen, die das alte Fischerdorf mit seinen Ka-
ten, den sandigen Dünenwegen, dem Meer, dem Steilufer (Abb. 184) und dem Darßwald
als Motiv schätzten.[430] Der Bequemlichkeit halber blieben Werefkin und Jawlensky in
Prerow und logierten in der ›Villa Seestern‹. Die Eintragung in die Fremdenliste von
1911 hat sich erhalten: »Frl. Exzell. v. Werefkin, Marianne, Rußland; Herr v. Jawlensky,
Alex, Stabskapitän a. D., Rußland, Nesnakomoff, Helene und Sohn, Rußland.«[431]

Jawlensky konnte seine Malerei hier noch einmal steigern. Nun gelang ihm der
Durchbruch zum Expressionismus: »Im Frühling fuhren wir nach der Ostsee nach Pre-

183

184

Abb. 183
Marianne Werefkin: *Bahnhof Prerow*, 1911

Abb. 184 Marianne Werefkin: *Steilküste von Ahrenshoop*, 1911
(Siehe auch Farbtafel 62)

row, Werefkin, André, Helene und ich. Dieser Sommer bedeutete für mich eine große Entwicklung in meiner Kunst. Ich malte dort in sehr starken, glühenden Farben, absolut nicht naturalistisch und stofflich. Ich habe sehr viel Rot genommen, Blau, Orange, Kadmiumgelb, Chromoxydgrün. Die Formen waren sehr stark konturiert mit Preußischblau und gewaltig aus einer inneren Ekstase heraus ... Dies war eine Wendung in meiner Kunst.«[432] Gemeinsam arbeiteten Werefkin und Jawlensky in der Umgebung des Ostseebades an einer Reihe von Motiven (Abb. 185–186), wozu eine kleine Kirche bei Prerow gehörte (Abb. 187–188). Während die Werefkin die Kirche aus der Fernsicht mit Kirchgängern von Nordwesten darstellte, malte Jawlensky nur ein Detail des Gebäudes aus der Nahsicht. Als dominierendes Kompositionselement benutzte er wiederum die Diagonale, die Hugo von Tschudi als Basis vieler Bilder der Mitglieder der NKVM aufgefallen war. Bei dem Bild handelt es sich um eine jener Malmappen,[433] die Jawlensky auch auf der Rückseite[434] bemalt hatte,[435] und zwar mit dem Bild *Stilleben mit grüner Flasche.*

Die im Frühjahr in der NKVM aufgetretenen Schwierigkeiten wurden während der Vorbereitungen zur dritten Ausstellung, die für den Winter geplant war, immer unüberwindlicher. Am Samstag, den 2. Dezember 1911, ist es dann soweit: Die Jury für die Ausstellung tritt zusammen, es kommt zu dem berühmten Krach, der den ›Blauen Reiter‹ gebiert.[436] Maria Marc, der die Vorgänge »mittags und abends« mitgeteilt werden, schildert am 3. Dezember 1911 August Macke ausführlich, was vorgefallen ist: »Heute fällt mir die Aufgabe zu, Dich des näheren von den ernsten und gewichtigen Begebenheiten zu unterrichten, die schließlich den Austritt Kandinskys, Münters und von Franz aus der Vereinigung nötig machten ... Du sollst aber einer der ersten sein, der die Veruneinigung der Vereinigung erfährt, darum will ich versuchen, Dir so kurz wie möglich den ›Gang der Handlung‹ dieser Tragikomödie zu schildern ... Donnerstag

(30.11.1911) war Vorbesichtigung der Bilder für die Dezember-Ausstellung. – Freitag Jury. Donnerstag entspann sich ein anscheinend harmloser Streit über den Sinn der Jury; auf einer Seite Jawlensky, Werefkin, Franz (Kandinsky war nicht dabei) – gegen Erbslöh, Kanoldt, Wittgenstein etc. ... Mittags erklärte Erbslöh den plötzlichen Austritt der Baronin aus der Vereinigung mit der Begründung, daß es ihr unmöglich sei, einem Verein anzugehören und sich künstlerisch wohl und frei darin zu fühlen, in dem ihre klaren selbstverständlichen Tendenzen nicht verstanden würden – im Gegenteil so bornierte Ansichten herrschen, die nie begreifen, um was es sich in der Kunst handelt. Erbslöh schien sich dabei beruhigen zu wollen und über den Fall zur Tagesordnung übergehen zu wollen, wogegen Franz und Kandinsky protestierten und sofort zur Baronin gingen und ihr erklärten, daß auch sie sofort austreten würden, wenn sie nicht bleibe, und dann auch Jawlensky folgen müßte. Um das zu verhindern (weil es die Auflösung des Vereins bedeutet hätte), faßte sie den Beschluß, einzutreten mit der Bedingung vollständiger Juryfreiheit sämtlicher Werke. Dieser Bedingung entgegen trat sie aber doch wieder ein – für Franz und Kandinsky ein völlig unbegreiflicher Schritt: Der Antrag der Juryfreiheit fiel infolgedessen, und die Jury begann. (Am Samstag früh – Freitag waren stundenlange Debatten gewesen – die Einzelheiten später mündlich) Das war Samstag. An diesem Morgen erhielt Kandinsky einen Brief von ihr mit der Bitte, ›sich über nichts zu wundern – und alles, was sich ereignen würde, stillschweigend hinzunehmen und volles Vertrauen zu ihr zu haben‹. – Du kannst Dir die Spannung denken, es war ja das reine Theater. Aber nun kommt der tolle und aufregende Teil. – Die maßlos erregten Sitzungen Freitag früh – Freitag nachmittag waren schon vergangen, und nun kamen Samstag früh – Samstag nachmittag. Erinnere Dich aber erstmal nebenbei der Frage, die Franz an dem Sonntag, wo wir bei Jawlensky waren, an die Baronin richtete, was eigentlich der Paragraph in den Statuten bedeuten soll, der sich um die vier Quadratmeter für juryfreie Bilder kümmert. Die Baronin erklärte, er sei aufgestellt, ganz im Anfang – von Kandinsky –, der sich gegen zu viel und große Bilder des früheren Mitgliedes Palmié wehren wollte. Aber es hätte niemals jemand darauf Bezug genommen. Franz könne also unbesorgt sein – jeder habe zwei juryfreie Werke.

Nun Samstag früh – Jury: alphabetisch Bechtejeff – Erbslöh etc. alles angenommen – Kandinsky: er wollte juryfrei das große wunderbare neue Bild ›Das jüngste Gericht‹! Die Frage taucht auf: wie groß?? Über 4 Quadratmeter !!! Ist gegen die von Kandinsky selbst aufgestellten Statuten, fällt infolgedessen unter die Jury – das Bild muß geholt werden – wird juriert und ... fällt durch. Großes Schweigen – dann steht Franz auf und erklärt – er tritt aus, weil er eine Majorität, welche einen solchen Urteilsfehler begeht, für nicht kompetent hält etc. etc. etc., worauf er heftig von der Baronin auf seinen Sitz zurückgezogen wird, die sagt: ›Nicht so schnell, Marc, erst hat Kandinsky das Recht, die Frage zu stellen, warum man das Bild ablehnt.‹ Kandinsky wird gerufen und erklärt sich dazu bereit. Peinliches Schweigen – dann stottert Erbslöh leichenblaß, es könnte auch nach dem Alphabet gehen. (Bitte stelle Dir das plastisch vor, jetzt mußte jeder, der abgelehnt hat, die Hand aufheben), also – Bechtejeff ist der erste. Der steht grün in einer Ecke und brummt endlich: ›Ich verstöhe es nicht‹, worauf die Baronin antwortete: ›Das ist kein Grund, ein Bild abzulehnen‹, und dann hält sie eine wirklich wunderbare geistvolle Re-

185

186

Abb. 185
Marianne Werefkin: *Strand in Prerow*, 1911

Abb. 186   Alexej Jawlensky: *Strand in Prerow*, 1911

de, die schließt mit einem emphatischen Händedruck mit Kandinsky, dem sie gratuliert zu einem solchen wundervollen Werk. Franz war ganz hingerissen (ihm hing ja auch schon das Maul schief vom Reden), die anderen waren alle furchtbar aufgeregt. Es wurde weiter examiniert – Erbslöh hielt es in gewundener Rede für Kunstgewerbe – Kanoldt fauchte wütend, nachdem er von Marc für inkompetent erklärt wäre, hätte er keine Veranlassung, sich zu äußern; die Doktoren Wittgenstein, Schnabel etc. wurden nicht gefragt, weil Kandinsky gesagt hatte, daß ihn nur die Urteile der Maler interessierten, diejenigen der Doktoren wären ihm gleichgültig. Stell Dir das mal alles vor. – Es gab noch die verschiedensten Zwischenszenen. Dr. Schnabel sprang der Baronin beinah ins Gesicht und schrie und brüllte sie an, bis ihn die Drohung einer Ohrfeige von Kandinsky in den Hintergrund drängte – vielleicht waren es auch die bereits aufgestreiften Ärmel von Franz. Erbslöh suchte und fand ein erlösendes Wort, indem er eine Nachjury in acht Tagen vorschlug; er versprach ›jeden Tag hinaufzugehen und das Bild zu prüfen, um sich klar zu werden‹. Dr. Schnabel erklärte ›nein‹, von der Möglichkeit einer Nachjury stände nichts in den Statuten, und Franz sagte, das hätte ja alles keinen Sinn, bei der bestehenden Kluft zwischen den Parteien würde nach acht Tagen auch nichts erzielt. Er beantragte eine außerordentliche Generalversammlung zur Änderung der Statuten, also biegen oder brechen. Diese tagte Samstag nachmittag. – Die Anträge Kandinsky, Münter, Jawlensky, Werefkin wurden natürlich überstimmt. Franz wollte noch einmal einlenken und fragte ruhig Erbslöh, wie es sich mit der Komposition der vorigen Ausstellung verhalten hatte – er hätte das Bild anfangs abgelehnt und später sehr bewundert. Erbslöh antwortete: ›Ich habe eben meine Meinung in dem Jahr wieder geändert.‹ (Nebenbei gesagt war das Bild im vorigen Jahr nur 5 cm kleiner). Franz stellte nun den Antrag: ›Diesmal alle Bilder juryfrei‹, mit der Bemerkung im Katalog, daß der Versuch der Juryfreiheit gemacht sei etc. – er wurde überstimmt. Franz stellte den Antrag – alles bleibt beim alten bis auf die nie beachtete Bemerkung der vier Quadratmeter, die gestrichen werden sollte. Erbslöh gab zu, daß noch nie ein Mensch diese vier Quadratmeter

beachtet hätte – bei der Abstimmung stimmte er trotzdem gegen den Antrag, der nun
auch durchfiel. Darauf erklärten Kandinsky, Münter, Franz ihren Austritt und gingen
fort. Die Gegenpartei hatte ihren Willen, aber die Baronin sagte, als die drei fort waren:
›So, meine Herren, jetzt verlieren wir die beiden würdigsten Mitglieder, dazu ein wun-
dervolles Bild, und wir selbst werden bald Schlafmützen auf dem Kopf haben.‹ Daß Jawlensky und die Baronin nicht mit austraten, hat persönliche, menschlich vollauf be-
greifliche Gründe, die wir respektieren. Sie haben sich vollkommen solidarisch mit
unseren Ansichten erklärt und die Baronin, die noch abends zu Kandinsky kam, ließ
keinen Zweifel darüber, daß sie die Zukunft der Vereinigung für völlig verloren hält.
Es waren schrecklich aufregende Tage – denk mal, wie deutsch da geredet wurde.«[437]

In einem ausführlichen Brief an Dr. Reiche in Barmen schildert Marianne Werefkin: »Aus künstlerischer Borniertheit hat man gegen Kandinsky gehandelt ... Wir hatten es ja in hehren Worten der Welt verkündet, daß wir der künstlerischen Überzeugung
wegen uns zusammengetan hatten, nur das Seelische schätzend, jedem der diesen Weg
einschlug die Hand reichend. Und nun gingen unsere besten Kräfte ... Kandinsky und
Marc gingen von meiner ganzen Sympathie begleitet, mit ihnen ging auch die Seele unseres Vereins, sein belebendes Prinzip.«[438] Ein Teil der Vereinigung hatte seit langem
geplant, »den Austritt von Kandinsky zu erzwingen«. Werefkin sah die Machenschaf-
ten und berichtet darüber: »Vor Jahr und Tag haben Lulu [Jawlensky] und ich Briefe auf
Briefe geschrieben, gewarnt, gebeten, an die Freundschaft appelliert. Alles umsonst.
Erbslöh, nach einem Brief, wo ich es von seiner Freundschaft mir erbat, von diesen un-
feinen, allen unseren Prinzipien feindlichen Absichten abzusehen, kam und sagte mir:
›Baronin, die Sache mit Kandinsky ist beschlossen, alles bleibt beim alten.‹ Und derweilen wurde die Intrige weitergeführt. Bechtejeff, der gute Mann, überredet, und die ganze
Jury-Geschichte in Szene gesetzt. – Persönlicher Haß nahm das Gewand künstlerischer
Überzeugung. Statt ihre private Angelegenheit auf privatem Wege mit Kandinsky aus-
zufechten, griff man zu der uns allen als Künstler unwürdigen Waffe: dem Hemmen der
künstlerischen Tätigkeit einer der stärksten Kräfte unserer Vereinigung [Kandin-
sky].«[439] Den Geist, der den arg verstümmelten Torso ›Neue Künstlervereinigung München‹ beherrschte, beschreibt sie so: »Seitdem glänzende künstlerische Kräfte von uns
geschieden waren, war jedes Vertrauen in die Wahrhaftigkeit der künstlerischen Überzeugungen der Verbliebenen für immer vernichtet. – Und nun kam das Zersetzende. –
Unser, in einheitlicher Überzeugung geschliffener Verein, wobei die formalen Mitglie-
derstimmen nicht auf der Seite Jawlenskys waren, zerfiel in zwei Parteien. Die eine –
Jawlensky, der bekehrte Bechtejeff, Kogan, Mogilewsky und ich –, wir hielten mit der
ganzen Kraft unseres Glaubens und Wissens an dem fest, was sich nicht zu Geld schlagen läßt, an der Notwendigkeit des freien Suchens, des Vorwärtsgehens, ungeachtet jeder Kritik und ungeachtet jeder praktischen Rücksicht. Alle unsere Sympathien gingen
zu denen, für welche Kunst nicht gute Bilder sind, die man gut verkauft. – Der andere
Teil des Vereins verneinte nun durch Wort und Tat alles, was sich unser Verein als Exi-
stenzziel und Zweck gesetzt hatte. Die Ausstellungen schrumpften zusammen, keine
Gäste, keine frischen neuen Kräfte. – Es wurde ein System der Verwaltung eingeführt,
das jedem Warenhaus Ehre gemacht hätte. Die Hauptsache aber fehlte: das biegsame,

187   188

Abb. 187
Marianne Werefkin: *Kirche bei Prerow*, 1911

Abb. 188 Alexej Jawlensky: *Kirche bei Prerow*, 1911

ewig junge Leben. Und alles, was nicht in den tötenden Anstand des so ›vornehmen Vereins‹ hineinpaßte, wurde befeindet. – Das Nächstliegendste, was wir von unserem Verein für uns selbst erhofft hatten, ein gewaltiges Arbeiten in der sonnigen Atmosphäre kameradschaftlichen Empfindens, – wurde zum Spott. Erbslöh und Kanoldt, die vor drei Jahren als grüne Jünglinge zu uns ins Atelier kamen und dort alles lernten, was sie heute wissen, wo man ihnen die Augen öffnete für eine Kunst, die sie nicht ahnten, diese beiden, seitdem es ihnen gelungen war, Kandinskys Kunst als – Bluff – auszuweisen, sie wagten es, sich als letzte Instanz in künstlerischer Abschätzung ihren Kameraden gegenüber zu stellen.«[440]

Unter demselben Dach der Galerie Thannhauser finden dann zur selben Zeit die Ausstellungen der nun stark geschrumpften ›Neuen Künstlervereinigung‹ und die legendär gewordene des ›Blauen Reiter‹[441] unter der Leitung von Kandinsky und Marc statt. Zur Ausstellung der ›Neuen Künstlervereinigung‹ erscheint ein nobel ausgestattetes Buch, zu dem Otto Fischer[442] den Text geschrieben hat. Werefkin ist empört: »Mich hat das Buch wie ein Peitschenhieb getroffen.«[443] Werefkin, Jawlensky, Bechtejeff, Kogan und Mogilewsky verlassen die Vereinigung ebenfalls, nachdem sie am 14. Dezember 1912 an den ersten Vorsitzenden Erbslöh geschrieben haben: »In der Sitzung vom 4. Juli 1912 wurde die Herausgabe des Buches als Veröffentlichung des Vereins beschlossen, der schriftliche Teil an Herrn Dr. Fischer übertragen, wobei Fr. von Werefkin im voraus ihre Überzeugung aussprach, daß Dr. Fischer nicht befähigt sei, über die Künstler der N.K.V. zu sprechen, da er der Kunst der meisten Mitglieder mit vollem Unverständnis gegenüber stehe... Deswegen blieb auch der Brief von Dr. Fischer an Fr. von Werefkin unbeantwortet. Er enthielt nur Fragen über persönliche Angelegenheiten, die mit der gemeinsamen Sache nichts zu tun hatten. Derweilen ist im Buch ein jeder Künstler mit einer Einschätzung bedacht worden, die vielleicht den Anschauungen Dr.

Fischers entspricht, niemals aber als das angesehen werden kann, was die betreffenden Künstler von ihrer Kunst selbst gesagt hätten. Im ganzen Wortschwall nichts über die gemeinsamen Ziele, nichts zur Erklärung der näheren künstlerischen Absichten... Das Vorwort ist eine grobe Verletzung der künstlerischen Anschauungen eines Teils der Künstler der N.K.V. und widerspricht vollständig allen ihren Überzeugungen. Dergleichen darf man nicht hinter dem Rücken der Künstler in ihrem Namen veröffentlichen. Herrn von Bechtejeff und Herrn von Jawlensky wurde das Manuskript vorgelesen, wobei beide Herren bemerkten, daß sie zwar wenig von dem Geschriebenen verstehen, aber auf das Vertrauen in den Anstand ihrer Freunde gestützt, das für gut halten, was diese für gut preisen. Fr. von Werefkin hat keine Silbe von dem Manuskript zu lesen bekommen und auf ihre Frage, was eigentlich geschrieben würde, bekam sie von dem einen zur Antwort, sie hätten nicht alles verstanden, von den anderen, daß die Sache famos wäre. – Gesetzlich wäre es richtig gewesen, die Korrekturbogen allen Mitgliedern zukommenzulassen, ihnen Zeit zu geben, dieselben durchzulesen und zu verstehen. Mit der Herausgabe des Buches war ja keine Eile. Der beleidigende Ausdruck, den der Vorstand sich gegen die Herren von Bechtejeff und von Jawlensky erlaubt, gelangt nicht ans Ziel, denn die Herren des Vorstandes wissen selbst sehr gut, wie die Sache vorgelesen wurde und wie wenig die beiden Herren der deutschen Sprache mächtig sind. Das pro forma Vorlesen ist noch nicht ein in Kenntnis setzen. Von freundschaftlicher Seite ist aber die ganze Handlung schwer qualifizierbar... Auch wäre eine der Wahrheit getreuere Schilderung der Sachen vonnöten. Nach all dem Vorgefallenen treten die protestierenden Mitglieder aus der N.K.V. aus.«[444]

Werefkin und Jawlensky zeigen ihre Bilder zwischenzeitlich ohne die Mitglieder der NKVM. Maria Marc besucht eine Ausstellung der Werefkin und berichtet in einem Brief an Elisabeth Macke am 8. Mai 1912 aus Sindelsdorf: »Vor zwei Tagen sahen wir eine Kollektion von der Werefkin, die uns sehr gefallen hat. Bei Jawlensky waren wir auch... Es sind doch interessante Menschen, und ich war wieder recht gern droben [in München].«[445]

Als Werefkin und Jawlensky die NKVM verlassen haben, schreibt Marc am 28. Dezember 1912 an Kandinsky: »Ich bekam heute einen sehr netten Brief von der Baronin, in dem sie schreibt, sich wirklich bei dem Gedanken sehr wohl zu fühlen, nun singen und malen zu dürfen ohne Angst vor Vereinskommissionen und Kritik und sich nicht mehr um den im Verein ›obligaten Rhythmus‹ kümmern zu müssen ... was geht uns heute die Vereinigung an! Das Buch ist genug erledigt, wenn Jawlensky, Baronin, etc. erklären, daß sie wegen dieser Fischade ausgetreten sind. Ich habe drin gelesen. – Unglaublich!«[446]

In der Zukunft stellten Werefkin und Jawlensky oft mit dem ›Blauen Reiter‹ aus, so auch 1912 im ›Sturm‹ bei Herwarth Walden in Berlin. Als Walden 1913 nach dem Pariser Vorbild des ›Salon d'Automne‹ den ›Ersten Deutschen Herbstsalon‹[447] vorbereitet und wie im Fieber von Künstler zu Künstler reist, kommt er mit seiner Frau Nell am 5. März in München an »wie der lebendige Sturm, wie Marianne von Werefkin, die russische Malerin der Blauen Reitergruppe, feststellte. An der Bahn hatten sich die Blaue-Reiter-Künstler fast vollzählig eingefunden.«[448] Noch einmal stellt die Werefkin 1914 in Berlin im ›Sturm‹ aus, zusammen mit Jacoba von Hemskerk.[449] Von dort aus fährt sie in ihre Heimat, mit dem Vorsatz, nicht mehr nach Westeuropa zurückzukommen. Das Verhältnis zu Jawlensky hatte sich wieder getrübt.[450] Doch Jawlensky reist ihr nach und trifft sich mit ihr in Kownow. Es gelingt ihm, sie zur Rückkehr nach München zu überreden, wo sie bei Kriegsausbruch eintreffen und innerhalb von 24 Stunden Deutschland verlassen müssen.

Flucht in die Schweiz

Wie Kandinsky[451] wurden Marianne Werefkin und Jawlensky mit Dienstmädchen Helene und Sohn 1914 bei Ausbruch des Ersten Weltkrieges über Lindau am Bodensee in die Schweiz abgeschoben. Sie konnten mit sich nehmen, was sie tragen konnten, und hinterließen in München ihre Wohnungen, die auf den Namen der Werefkin eingetragen waren,[452] mitsamt deren luxuriösen Einrichtungen, Kunstsammlungen und eigenen Bildern.

Auf dem Weg – in einer Gruppe von etwa zwanzig Emigranten – per Bahn in die Schweiz stand Jawlensky eine Höllenangst aus. Zu Fuß ging es vom Bahnhof in Lindau zum Dampfschiff im Hafen. Die Gruppe wurde von bewaffneten Soldaten bewacht. Eine Menschenmenge säumte die Straßen, verfluchte und bespuckte die Emigranten. »Ich war furchtbar aufgeregt. Als wir auf dem Schiff waren, konnte ich wieder leichter atmen, als wenn man eine Last von meiner Seele fortgenommen hätte. Es war ein Schweizer Schiff. Meine Seele war durch diese schrecklichen Erlebnisse düster und unglücklich«,[453] berichtet Jawlensky in seinen ›Lebenserinnerungen‹. Deutsche Bürokratie, Ordnung, Lebens- und Denkweise waren Jawlensky während seines fast zwanzigjährigen Aufenthaltes in München immer etwas fremd geblieben. Wenn deutsche Kollegen an seinem Wesen oder seiner Malerei Kritik übten, reagierte er darauf halb im Scherz und halb verärgert: »Bei Ihnen ist immer alles polizeilich verboten.«[454] Die Ausweisung eines völlig unpolitischen Malers aus seiner Wahlheimat München war ihm deshalb unverständlich und versetzte ihm einen schweren Schock. »Wir mußten unsere Wohnungen verlassen mit allen Möbeln und Kunstgegenständen und durften nur das mitnehmen, was wir in der Hand tragen konnten. Noch nicht einmal unsere arme Katze konnten wir mitnehmen.«[455] So nimmt es auch nicht wunder, daß Jawlensky dann nach dem Ersten Weltkrieg die Idee, nach Deutschland zurückzukehren, um eine eigene Existenz aufzubauen, mit größter Skepsis erwog. Aus Ascona schrieb er an seine Freundin Emmy Scheyer am 3. April 1921: »Ich weiß, daß ich nach Deutschland übersiedeln muß. Aber meine Seele geht nicht nach dort, und ich weiß nicht, was es bedeuten soll, denn ich fühle, daß wahrscheinlich etwas passieren wird ...«[456] Mit seinen bösen Vorahnungen sollte er recht behalten. Heute wissen wir, daß Jawlensky in Deutschland, nach wenigen erfolgreichen Jahren, Krankheit, Armut und Malverbot erwarteten.[457]

In St. Prex am Genfer See (Abb. 189) mietete die Werefkin ein Häuschen. Die Verhältnisse konnte sie nicht mehr so komfortabel wie vor dem Krieg gestalten, da ihr die

Abb. 189
Marianne Werefkin: *Bahnhof in St. Prex*, um 1915

zaristische Pension bei Kriegsausbruch um die Hälfte gekürzt wurde. Die ›Familie‹ mußte auf den gewohnten Luxus verzichten und sich einschränken, was offensichtlich Jawlensky ganz besonders schwerfiel: »In St. Prex haben wir drei Jahre gelebt. Unsere Wohnung war sehr klein, und ich hatte kein eigenes Zimmer, nur ein Fenster, das war sozusagen mir. Aber meine Seele war durch all diese schrecklichen Erlebnisse so düster und unglücklich, daß ich froh war, ruhig am Fenster sitzen zu können, um meine Gefühle und meine Gedanken zu sammeln. Ich hatte etwas Farbe, aber keine Staffelei. Ich fuhr nach Lausanne, zwanzig Minuten mit der Eisenbahn, und kaufte bei einem Photographen eine kleine Staffelei für vier Franken, eine Staffelei, auf die der Photograph seine Photos stellte. Diese Staffelei war gar nicht zum Malen geeignet, aber ich habe mehr als zwanzig Jahre meine besten Arbeiten auf dieser kleinen Staffelei gemalt. Anfangs wollte ich in St. Prex weiterarbeiten, wie ich in München gearbeitet hatte. Aber etwas in meinem Inneren erlaubte mir nicht, die farbigen, sinnlichen Bilder zu malen. Meine Seele war durch vieles Leiden anders geworden, und das verlangte andere Formen und Farben zu finden, um das auszudrücken, was meine Seele bewegte.«[458]

In einem Brief an den Nabi Pater Verkade schilderte Jawlensky, was er mit seinen neuen Bildern zum Ausdruck bringen wollte. »Ich fühlte, daß ich eine andere Sprache finden müßte, eine mehr geistige Sprache. Das fühlte ich in meiner Seele. Ich saß vor meinem Fenster. Vor mir sah ich einen Weg, ein paar Bäume, und von Zeit zu Zeit sah man in der Entfernung einen Berg. Ich fing nun an, einen neuen Weg in der Kunst zu suchen. Es war eine große Arbeit. Ich verstand, daß ich nicht das malen mußte, was ich sah, sogar nicht das, was ich fühlte, sondern nur das, was in mir, in meiner Seele lebte.

Abb. 190 Alexej Jawlensky: *Variation auf ein land-schaftliches Thema*, um 1916

Abb. 191 Marianne Werefkin: *Schneewirbel*, 1915
(Siehe auch Farbtafel 77)

Abb. 192
Marianne Werefkin: *Liebeswirbel*, um 1919
(Siehe auch Farbtafel 83)

Bildlich gesagt, es ist so: ich fühle in mir, in meiner Brust eine Orgel, und die mußte ich zum Tönen bringen. Und die Natur, die vor mir war, soufflierte mir nur. Und das war ein Schlüssel, der diese Orgel aufschloß und zum Tönen brachte. Anfangs war es sehr schwer. Aber nach und nach konnte ich leicht mit Farben und Formen das finden, was in meiner Seele war. Meine Formate wurden klein, 30 x 40. Ich malte sehr viele Bilder, die ich ›Variationen über ein landschaftliches Thema‹ nannte. Sie sind Lieder ohne Worte.«[459]

Die neue Bildform der ›Variationen‹ (Abb. 190), die Jawlensky als Serie in St. Prex entwickelt, sind inhaltlich wie auch formal auf Bilder wie Werefkins *Roter Baum* (Abb. 147) zurückzuführen.[460] Der Betrachter sieht diese Darstellungen zunächst als Landschaftsbilder. Jawlensky benutzt für sie jedoch das der Gattung Landschaft wesensfremde Hochformat, wodurch sie eine andere Deutung erfahren müssen. Sieht man die fast ungegenständliche Gestaltung des Bildinhalts, dessen farbliche Behandlung und die jeweiligen Titel im Zusammenhang – *Lichter Morgen*, *Zärtlichkeit* oder *Geheimnis* –, so entdeckt man, daß es sich um Themen aus den nicht sichtbaren Welten des Gefühls, der Seele und des Geistigen handelt. Es sind abstrakte Bilder, die Jawlensky in seinen späteren, ikonenhaften ›Meditationen‹ zum Symbol reduzierter Christusköpfe weiterentwickelt.[461] Es sind nicht nur die Bilder der Werefkin aus der Zeit um 1910, die er in seinen ›Variationen‹ verarbeitet, sondern auch Anlehnungen an ihre jüngsten Experimente der Behandlung der Farbe. Aus den Jahren zwischen 1915 und 1920 gibt es einige Bilder der Werefkin, in denen sie das Gegenständliche mit gleißenden, in sich aufblitzenden Farbwirbeln und Strömen hinterlegt (Abb. 191, 192). Gemeinsam ist ihnen weiterhin, daß darin eine einzelne Form dargestellt wird – eine Brücke in dem Bild *Schneewirbel*, oder Bäume, in auffallender Wiederholung als Reihe, in dem Bild *Liebeswirbel*. Diese Form ist als Zeichen mit manchmal schwer identifizierbarem Symbolwert zu betrachten.

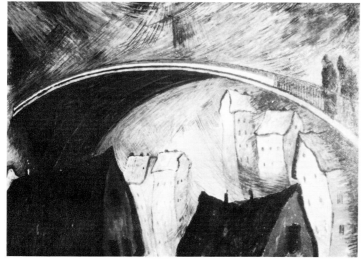

Zu diesen eigenartigen Bildern gehört beispielsweise *Licht in der Nacht* (Abb. 193). Auf einer Anhöhe vor einer Bergkulisse steht ein einsames Haus. Wie magische Augen sind zwei Fenster erleuchtet und starren den Betrachter an. Von den Hügeln fließt phosphoreszierend Farbe. Ein menschlicher Schatten bewegt sich die Straße hinauf. Lichter, die wie Augen erscheinen, geben auch dem Bild *Feux sacrés* (Abb. 194) einen eigenartig hintergründigen Charakter und machen es vergleichbar mit Jawlenskys *Geheimnis* (Abb. 195) von 1921, eine der letzten ›Variationen‹, die Jawlensky vor seinem Weggang von Ascona nach Wiesbaden malte. Werefkins *Feux Sacrés* ist aber auch gleichzeitig eine Rückblende auf die Münchner Jahre, auf das so optimistische und zukunftsorientierte Bild *Der rote Baum* (Abb. 147). Der ehemals so wohlproportionierte, farbige Berg scheint gealtert, kantiger und schroffer, der ehemals blühende Lebensbaum vor der Mitte des Berges welk und schwach geworden. Wahrscheinlich projizierte die nunmehr fast sechzigjährige Künstlerin ihre eigene Situation in dieses schwermütige Bild.

Als sie 1917 nach der Oktoberrevolution in Rußland ihre zaristische Rente, die den Lebensunterhalt für den Vier-Personen-Haushalt gesichert hatte, vollständig verlor, verschlechterte sich das Verhältnis der ›Familienmitglieder‹ zu ihr zusehends. Jawlensky selbst wandte sich der fünfundzwanzig Jahre jüngeren und wohlhabenden deutschen Malerin Emmy Scheyer zu, die er wegen ihrer schwarzen Haare ›Galka‹ (russisch = Dohle) nannte (Abb. 196). In seinen ›Lebenserinnerungen‹ berichtet er: »1916 lernte ich in Lausanne bei einem Besuch Fräulein Emmy Scheyer kennen. Sie kam aus Brüssel und war Malerin (impressionistisch). Sie kam ein paar Tage darauf zu uns nach St. Prex und sah dort mein Bild ›Der Buckel‹ und meine Variationen und war so begeistert, daß sie selbst nicht mehr malen wollte, sondern sich nur noch meiner Kunst widmen. Sie sagte: ›Wozu will ich noch malen, da ich doch weiß, daß ich nicht so gute Kunst machen kann wie Sie. Es ist besser, ich widme mich Ihrer Kunst und werde sie anderen Menschen erklären.‹ Und wirklich, seit dieser Zeit hat sie sich mit großem Verständnis mit meiner Kunst beschäftigt. Später machte sie in Deutschland meine Ausstellungen und schrieb auch über mich. Jetzt ist sie schon seit zwölf Jahren in Amerika (1937) in Hollywood in Kalifornien. Sie vertrat einige Jahre nur meine Kunst, später lernte sie durch mich Klee, Kandinsky und Feininger kennen und vertritt auch jetzt deren Kunst. Wir sind als ›Blaue Vier‹ bekannt.«[462] Frau Scheyer löste somit die Werefkin in der Funktion als Managerin der Kunst Jawlenskys ab. Es war ein langsamer Prozeß, der in St. Prex seinen Anfang nahm. Emmy Scheyer war es auch, die für Jawlensky die Verbindungen zu dem steinreichen Kunstsammler Heinrich Kirchhoff in Wiesbaden herstellte und den Künstler veranlaßte, nach Wiesbaden zu übersiedeln.[463] Aus ihren Porträts und denen von Claire Goll[464] entwickelte Jawlensky nach und nach eine Bilderserie von Köpfen, die über die sogenannten ›Heilandsgesichter‹[465] und ›Konstruktiven Köpfe‹ zu seinem eindrucksvollen Spätwerk, den ›Meditationen‹, führen sollten. Über den Wechsel seines malerischen Themas schrieb er: »Einige Jahre malte ich diese Variationen, und dann war mir notwendig, eine Form für das Gesicht zu finden, da ich verstanden hatte, daß die große Kunst nur mit religiösem Gefühl gemalt werden soll. Und das konnte ich nur in das menschliche Antlitz bringen... Ich habe viele Jahre ›Gesichte‹ gemalt. Ich saß in meinem Atelier und malte, und mir war die Natur als Souffleur nicht notwendig. Mir

Abb. 193
Marianne Werefkin: *Licht in der Nacht*, um 1919

Abb. 194 Marianne Werefkin: *Feux sacrés
(Heilige Feuer)*, 1919
(Siehe auch Farbtafel 90)

Abb. 195 Alexej Jawlensky: *Geheimnis*, 1921

194

195

war genug, wenn ich mich in mich selbst vertiefte, betete und meine Seele vorbereitete
in einen religiösen Zustand. Ich habe viele, viele ›Gesichte‹ gemalt. Auch ihre Größe ist
nur 32 x 42. Sie sind sehr vollkommen in der Technik und strahlen große Geistigkeit
aus.«[466]

Im Jahre 1917 zogen Werefkin, Jawlensky und Familie nach Zürich. In St. Prex war
man vom kulturellen Leben zu sehr abgeschnitten, das mit den vielen Emigranten in
Zürich immer mehr aufblühte. Claire Goll beschrieb die dortige Kunstszene: »Als ich
Mitte 1917 in Zürich ankam, fand ich die Stadt keineswegs vom Dada-Fieber geschüt-
telt vor. Tatsache war, daß die Schweiz noch nie so viele avantgardistische Köpfe bei-
sammen gesehen hatte, von Arp zu Stefan Zweig, von Tristan Tzara zu Else Lasker-
Schüler, von Hugo Ball zu Emil Ludwig und zeitweise auch Werfel, Lehmbruck, Janco,
Jawlensky und andere. Wir alle waren über die Schrecken des Krieges empört, wir alle
bekämpften die reaktionäre Kunst ebenso wie die Verlogenheit des Wortes. Aber das pa-
zifistische Ideal war nicht überall verbreitet... In den literarischen Diskussionen war
viel von Expressionismus, Kubismus und Futurismus die Rede, aber das Wort ›Dada‹
fiel so gut wie nie, außer wenn jemand die Zeitschrift oder die Galerie Dada erwähnte.
Zu jener Zeit sprach kein Mensch von der ›Dada-Gruppe‹ oder dem ›Dada-Stil‹. Hugo
Ball, Arp, Tzara, Huelsenbeck, Arthur Segal, Janco nannten ihre Gedichte oder Bilder
›abstrakt‹ und vor allem ›simultan‹ – ein Modewort, das damals für alles mögliche galt.
Robert Delaunay hatte es 1912 aufgebracht. Was bedeutete ›simultan‹ in unseren Gesprächen? Eine Mischung von Kubismus und Futurismus, deren Ziel es war, gleichzeitig ein dynamisches und vielschichtiges Abbild der Wirklichkeit zu geben.«[467]

Die meisten Dadaisten, die in Zürich in Erscheinung traten, kannten sich schon seit den Vorkriegsjahren aus Berlin her. Der Berliner Großstadt-Expressionismus mit Zeitschriften wie ›Der Sturm‹ hatte das Klima geschaffen, aus dem dann in Zürich die Dada-Bewegung entstehen konnte.[468] Viele der führenden Köpfe waren der Werefkin und Jawlensky seit Jahren bekannt und umgekehrt. Obwohl beide nur als Zaungäste im Café ›Odeon‹ galten,[469] nur als unbeteiligte Zuschauer an den Dada-Veranstaltungen teilnahmen,[470] außerdem wesentlich älter als die eigentlichen Akteure waren, so wurden sie doch in diesen Kreisen sehr respektvoll aufgenommen.[471] Die Bilder der Werefkin wurden besonders von Dada-Förderer Corray geschätzt, der im Dezember 1916 in seiner Galerie in Zürich in der Bahnhofstraße 19 eine Ausstellung für sie arrangierte.[472]

Der Aufenthalt in Zürich währte kaum ein Jahr, denn Jawlensky erkrankte: »In Zürich brach 1917 eine sehr schwere Grippeepidemie aus. Und ich war einer von den ersten Fällen. Ich konnte mich lange Monate nicht erholen, und die Ärzte haben mich nach dem Süden, nach Ascona, geschickt. Wir siedelten alle anfangs April 1918 nach Ascona über.«[473] Werefkin war, wie immer, besorgt um das Wohlergehen ihres Schützlings und ermöglichte mit dem Rest ihres Vermögens die Umsiedlung nach Ascona. Als Wohnung für sich, Jawlensky und Anhang wählte sie, nachdem sie sich kurz eingelebt hatten, ein Schlößchen[474] mit kleinem Turm, an exponierter Stelle, direkt an der Piazza, nur ein paar Schritte vom Lago Maggiore entfernt. Jawlensky lebte in der neuen Umgebung sichtlich auf: »Die folgenden drei Jahre in Ascona waren die interessantesten meines Lebens, da die Natur dort so stark und geheimnisvoll ist und einen zwingt, mit ihr zusammenzuleben: Die wunderbare Harmonie am Tage und etwas sehr Unheimliches in der Nacht. Wir kamen nach Ascona Ende März und mieteten gleich am See eine italienische Wohnung. Es war Regenperiode, und es regnete den ganzen Tag ununterbrochen, mal stärker, mal schwächer. Aber es war bezaubernd, denn es war warm, und die Knospen platzten auf. Der Lago Maggiore war sehr melancholisch, oft mit Nebeln, die über das Wasser fuhren. Hier malte ich weiter meine Variationen, oft inspiriert von dieser Natur. Nach ein paar Monaten siedelten wir in ein anderes Haus unmittelbar am See über. Wir hatten eine sehr schöne Wohnung mit einem Garten direkt am See. Es war das letzte Haus von Ascona. Gleich daneben fing die Campagna an, und diese Campagna war bezaubernd schön wie ein Traum... – Wenn ich mich jetzt – 1937 – an diese Zeit erinnere, wo ich krank bin und über siebzig Jahre alt, so weint meine Seele vor Trauer und Sehnsucht.«[475] Damals jedoch ist Jawlenskys Sinn auch recht realistisch darauf bedacht, wie er nach dem Kriegsende an seine Bilder und Kunstsammlung in München gelangen könne[476]. Insgeheim plant er nämlich die Trennung von der Werefkin und eine Rückkehr nach Deutschland mit Hilfe von Emmy Scheyer.[477]

Eine Einreiseerlaubnis nach Deutschland zu bekommen, war damals mit großen Schwierigkeiten verbunden. Der Zufall kam ihm zu Hilfe. In der Münchner Wohnung war eingebrochen worden, wenn auch nur Unwesentliches gestohlen worden war. Jedoch bot der Vorfall der Werefkin die Handhabe, für sich, Jawlensky, Helene und Andreas eine Zeugenvorladung bei der Polizeidirektion und eine Aufenthaltsgenehmigung in München von Mai bis Juli 1920 zu bewirken.[478] Bei dieser Gelegenheit gelangten Werefkin und Jawlensky wieder in den Besitz ihrer eigenen Arbeiten, ihrer Kunst-

Abb. 196
Alexej Jawlensky: *Emmy Scheyer*, um 1916

sammlungen und des gesamten übrigen Hausrates. Allerdings wurde dieser bei der Auflösung der Lebensgemeinschaft beider wenige Monate später wieder geteilt. Jawlenskys Anteil kam bei seinem Umzug nach Wiesbaden. So gut wie nichts ging verloren. Vieles verkaufte er, anderes wiederum verschenkte er an Freunde; manches gelangte lange nach seinem Tode in den Handel. Mit Glück konnte einiges, zum Beispiel seine Sammlung von japanischen Drucken, die ihm so wichtige künstlerische Anregungen gab, fast geschlossen zusammengehalten werden. Im Falle Werefkin fand im Laufe von vielen Jahren eine Dreiteilung ihres Besitzes statt, die rekonstruierbar ist. Vieles wurde anschließend veräußert oder ging verloren. Ein nicht unwesentlicher Teil gelangte glücklicherweise als Stiftung in das Museum in Ascona, wo sich auch einige Werke aus ihrer früheren Kunstsammlung erhalten haben, zum Beispiel Jawlenskys Gemälde *Werefkin im Profil*.[479]

Nach der gelungenen Wohnungsauflösung in München verfügt Jawlensky über so viel Geld und Beziehungen, daß er Marianne Werefkin verlassen und mit Helene und Andreas nach Wiesbaden ziehen kann. Werefkins Ersparnisse sind vollkommen aufgezehrt. Sie ist bettelarm geworden. Um existieren zu können, verdingt sie sich, wozu sie auf Grund ihrer früheren Medizinstudien in Moskau in der Lage ist, im Alter von sechzig Jahren als Pharmavertreterin. Zum ersten Mal in ihrem Leben muß sie Geld verdienen. Über die neue Situation schreibt sie im Dezember 1920 an Paul Klee und seine Frau: »Meine lieben Freunde, wie ich, so auch unsere Kuche sehen in Allem, was in Ascona zusammen gebraut wurde – ein Verbrechen. Kein Pfarrer gibt seinen Segen zu so was. – Verfrüht die Freude über das Gelingen der ganzen schlauen gelogenen Taten. Bern und Genf haben eben nein gesagt. Und nun liegt unser 27jähriges Leben auf der Piazza von Ascona im Staub und Dreck. Was da kommt, weiß ich nicht, ist mir auch gleich. Ich habe jetzt genug tiefe Einsichten bekommen, damit mir alles gleich sei. Da ich, wie Sie wissen, nur ein Weniges von 5 Franken hatte, habe ich mich als Geschäftsreisende für Medikamente engagieren lassen. Somit kann ich weiterleben. Aber daß ich – der Künstler, statt zu malen – bei Ärzten Medikamente einführen soll, verdanke ich dem Mann, der mir seine ganze Kunst verdankt, von A bis Z. Vom ersten Begriff bis zum letzten und dieses trotz Biographien oder Scheyer-Schreiereien. Darinnen liegt mein ganzer Groll. Die übrigen Werthe kannte ich schon früher.«[480]

Ascona

Von Jawlenskys Verhalten ist die Werefkin menschlich tief enttäuscht, was sie für kurze Zeit erneut veranlaßt, Briefe an den ›Inconnu‹ zu schreiben.Die Sorgen um das tägliche Brot lassen ihr nur wenig Zeit für ihre Kunst. Die Stellung als Pharmavertreterin war nicht von Dauer und konnte sie natürlich nicht befriedigen. So versuchte sie zeitweise, ein Auskommen in der Produktion von Postkarten zu finden. Grete Dexel, die Frau des konstruktivistischen Malers Walter Dexel, hat sie bei der Arbeit beobachtet:

»Werefkin malte damals häufig Postkarten auf sehr geübte, flotte und geschickte Weise. Sie saß dabei im Zimmer an einem Tisch in der offenen Tür, die halbhoch vergittert auf einen kleinen Balkon hinausführte. Sie malte oft hinaussehend, sozusagen vor der Natur, in Wahrheit aber ganz mechanisch aus dem Kopf. Sie hatte etwa fünf bis sechs Karten auf dem Tisch nebeneinander vor sich liegen. Dann fuhr sie mit blauer Farbe über alle Himmel, diese dabei leicht variierend, mit einem anderen Blau über die Seen und mit irgendwelchen Grau- oder Grüntönen über die Böden hinweg. Dazwischen wurden Häuschen, Bäumchen, Bänke oder sonst etwas fix und lustig hingepinselt. Und es entstand eine ganze Anzahl solcher Bildchen in einer Stunde. Sie waren dafür bestimmt, entweder für 5 Franken verkauft oder in einem Laden in Zahlung gegeben zu werden.«[481] Ab und zu verdiente sie sich auch noch einige Franken hinzu, indem sie für Zeitungen Kurzgeschichten schreibt, die fast immer ihre Liebe zu ihrer neuen Heimat Ascona zum Ausdruck bringen: »Wir Asconesen tragen Ascona im Herzen und wühlen nur sehr diskret im Malkasten der Natur. Doch unsere Gäste, selbstverständlich frisch begeistert, machen Skizzen nach der Natur, und da sieht man eigentlich erst, woraus Ascona besteht: Erstens: die drei schwarzen Bögen der Steinbrücke [Abb. 197] mit dem ganzen Abfall, der unten so malerisch zum grünen Wasser steht. Dann das gelbe Haus Josephinas, mit der weißen Wäsche – und möglichst mit der schönen Julia. Dann die am Wasser kauernden Waschfrauen und die Pappelallee in der Campagna. Meistens, schon aus Zeitmangel, malt man nichts anderes. O, lieber Gott, wie viel Auffassungen dieser vier Themen habe ich schon gesehen! Da kam z. B. einmal ein Herr. Er hat sich gleichzeitig mit einem Zentner Malmaterial auch zwei Boote gekauft. Ein Ruderboot und ein Segelboot, um Seeskizzen zu machen. Doch, wie es scheint, kam es sofort zu einem Zerwürfnis zwischen Material, Booten und Künstler. Das Material blieb auf dem Zimmer, die Boote im Hafen und der charmante Künstler saß in charmanter Damenbegleitung den ganzen lieben Tag an einem der kleinen Tische von Marias Cafè. – Ein anderer nahm sich sein Modell in die Campagna, ließ es dort stundenlang in italienischer Tracht Pose halten und arbeitete. Aber das war ein Verrückter. Das hat mir auch der Zollwächter gesagt, der die Geschichte von seinem Boot aus lange beobachtet hatte. – Nein, die Normalen bleiben bei der Brücke, der Wäsche und der schönen Julia. Und wie viel echte Liebe liegt in dieser lieben Kunst.«[482]

Nach und nach bekommt die Werefkin immer engeren Kontakt zu den Einheimischen und fühlt sich zusehends als eine der ihren. Sie ist nicht mehr die Dame von Welt, die Aristokratin, die sich jede Annehmlichkeit und den Luxus, nur für die Malerei zu leben, leisten kann. Mit offenen Augen erkennt sie ihr Schicksal als Herausforderung. Nach wenigen Jahren mit häufigen Depressionen entwickelt sie nun Kräfte, mit der Situation – auch als Künstlerin – fertig zu werden. Sie erinnert sich an ihren Freund und Lehrer Repin, der auf der Höhe seines Ruhmes Zugeständnisse an seine Auftraggeber gemacht hatte, um ihr dann zu gestehen: »Mein Leben, meine Umgebung haben mir die Schwingen gebrochen... Sie werden einmal viel Besseres als die Wahrheit sagen.«[483] Das war damals, als Repin sein soziales Engagement in seiner Malerei aufgegeben hatte, um bestbezahlte Auftragsarbeiten für die Aristokratie und höchste staatliche Würdenträger auszuführen. Er hatte sich weit entfernt von dem ursprünglichen Ideal der Pered-

Abb. 197
Marianne Werefkin: *Fischer bei Nacht*, um 1923

198

199

Abb. 198
Marianne Werefkin: *Fischer im Sturm*, um 1923

Abb. 199 Marianne Werefkin: *Die Grube*, um 1926

wischniki, das der Werefkin in ihrer Jugend immer fremd geblieben war, das sie aber jetzt in Ascona begreifen und in neuer Form bildnerisch gestalten lernte.

»Wir Künstler müssen durch persönliche Leiden zur Versöhnung mit dem Leben durchdringen und es in allen seinen Formen anerkennen. Über dem Zusammensturz unseres Lebens müssen wir den Tempel der Hoffnung und des Glaubens für andere schaffen, das ist unsere Bestimmung. Außerhalb von diesem ist die Kunst nur ein Spiel. Die tiefe Wurzel der Kunst ist das menschliche Herz und für dieses ist sie bestimmt. Nicht unsere eigenen Leiden, sondern die Summe aller menschlichen Leiden, müssen wir zu dem lösenden Akkord bringen. Für alle und mit allen müssen wir leiden, aber sie müssen nicht mit uns in unseren Werken leiden, sondern wieder mit uns glauben, lieben, hoffen. Das ist mein Weg, er ist sehr schwer, aber er gibt dem Leben Sinn. Die Kunst, so verstanden, ist wirklich alles – sie ist eine Mission. Alle Enttäuschungen des Lebens verbleichen vor diesem Ziel. Diese Kunst rettet auch den Künstler, weil sie ihn außerhalb von Zeit und Raum stellt. Ich gehe, im Altwerden, noch weiter und finde diese Mission nicht nur im Schaffen, sondern in allen Beziehungen zu den Menschen. Durch diese Anschauung werden auf dem Wege des Schaffens uns alle Brüder, alle, die denselben Weg gehen, mit dieser Lebensanschauung wird uns jeder jedes Bruder.«[484]

Ganz unmißverständlich gesteht Werefkin auch ein, daß sie zu den Erkenntnissen, die sie zu ihrer Mission gebracht haben, erst sehr spät gelangte: »Ascona hat mich gelehrt, nichts Menschliches zu verachten, das große Glück des Schaffens und die Armseligkeit der Existenzmöglichkeiten gleich gut zu lieben und sie als Schatz der Seele in mir zu tragen. Aber es ist ein berauschendes Gefühl, vor einem großen Werk in Tränen der Bewunderung zu stehen und sich sagen zu können: Dieser Weg ist auch dein Weg – ob du ihn gehen kannst oder nicht.«[485]

In den Bildern der Werefkin aus dieser Zeit, die ohne Kenntnis ihres persönlichen Schicksals und ihres vorausgegangenen künstlerischen Œuvres schwerer verständlich sind, stehen der Mensch, seine Arbeitswelt und sein soziales Umfeld immer mehr im Mittelpunkt (Abb. 198–202). Es sind die Themen der Peredwischniki, die sie aus eigenem Erleben plötzlich versteht und darstellt. Jedoch tut sie dies nicht wie jene in anklagend politisierender Weise, die auf Veränderung zielt, sondern mit tiefem Mitgefühl und Wissen um die Unabänderlichkeit irdischer Dinge. Ihre künstlerischen Mittel, nämlich die der expressionistischen Farben und der vereinfachten Formen, waren dem Großteil der Zeitgenossen noch ungewohnt. Daher verstanden sie ihre Bilder oftmals nicht zu lesen, worüber die Künstlerin begreiflicherweise verärgert war: »Ich zeigte meine Bilder oft soliden Kennern. Das sind die schlimmsten, denn sie haben nichts davon. Nachdem ich mich recht abgeplagt habe und alle Witze über mein Werk geschluckt, reiche ich noch Thee und Biscuits. Im Kauen und Schlürfen werde ich gefragt, warum ich mir die sadistische Freude leiste, Gottes schöne Welt so zu vergewaltigen. Da leuchtet das Zimmer rot. Tassen und Biscuits fliegen, man stürmt zum Fenster. Über dem Lago das ganze ›le diable l'emporte‹ einer Alba Rossa [Abb. 199, 202]. Der Himmel lodert, scharlach-grau gestriefte Berge schließen die Schale, in der auf fließendem dunkeln Blut violett-schwarze Barken schaukeln. Ein Segel zittert wie eine orangegelbe Flamme. Kleine lockige Wolken, grün wie junges Birkenlaub, sammeln sich am türkis-blauen Streifen des Horizontes. ›Ganz wie Ihre Bilder‹, sagte ein weißgelockter Herr, der vor Staunen sich beinah an einem Biscuit verschluckt hat: ›Ganz wie Ihre Bilder!‹ ›Ja‹, zische ich wütend, ›der liebe Gott macht es mir zuweilen nach.‹ – Der Herr grüßt mich nicht mehr.«[486]

Nur ungern verkaufte die Werefkin ihre Bilder, denn sie war immer im Zweifel, ob deren Botschaften auch richtig gedeutet wurden: »Daß Kinder, einfache Menschen, meine Bilder mehr lieben und begreifen als falsch geschulte, ist mir eine Freude. Für die Einfachen sind ja meine Bilder bestimmt. Denn sie haben auch die Fähigkeit, verschulte Menschen dem reinen, menschlichen Empfinden zu gewinnen. Das sehe ich an meinem Freunde Aye, der aus dem Kunstkennertum durch meine Bilder zu neuen Lebenserkenntnissen gelangt und nun ein ganz anderer Mensch geworden ist... Mit meinen Bildern muß man kämpfen. Sie sind nicht ein Wandschmuck, sie sind eine strenge Sprache, die das Gewissen weckt... Man muß aber die Begriffe erst in sich haben, um ihren Ausdruck zu begreifen. Menschen, die nie mit der Urwahrheit des Seins in Conflict gestanden sind – wie können sie die Tragik des Seins erfassen – in einer Sache, die sie gewohnt sind als ›Kunstwerk‹ zu bezeichnen... Meine Bilder sind ernst, und wenn man nur wenig Nervensystem hat, kann man nicht gut vor ihnen Sandwiches kauen. Man muß an das denken, wovon sie reden, und das ist Vielen unbequem... Ich mache Schulden, – gut, ich mache sie weiter, ich lebe Monate ohne einen Centime, ohne jeden anderen Eindruck als Ascona – gut, ich lebe weiter. Aber handeln mit Bildern werde ich nicht – auch wenn ich daran krepiere, denn ich sehe in diesem Drücken meiner modesten Preise – eine Mißachtung meiner Kunst, ein Manco an Glauben... Ich will meine Bilder nur in liebenden, mich liebenden Händen wissen. Wo diese Hände ganz arm sind, bekommen sie die Sachen geschenkt, wo das nicht der Fall ist, soll mir soviel gezahlt

200

201

Abb. 200 Marianne Werefkin: *Die Brücke*, 1929

Abb. 201
Marianne Werefkin: *Nach dem Sturm*, 1932

Abb. 202 Marianne Werefkin: *La barque*
(Die Barke), um 1922

werden, daß ich davon leben und arbeiten kann. Meine persönlichen Bedürfnisse sind gering, wenn ich gesund bin, aber meine Kunst verlangt Ausgaben, und wenn ich krank bin, so muß es auch bezahlt werden. Mit meinem Tode werden alle meine Schulden leicht bezahlt – also mache ich mir keine grauen Haare über meine schwere Lage.«[487]

In dieser Hinsicht blieb die Werefkin ganz konsequent, auch wenn es ihr noch so schlecht ging: »Ich habe den ganzen Tag Holz geschichtet. Vor Müdigkeit kann ich nicht schlafen ... ich kämpfe immer mit denselben Arbeitsverhältnissen. Auch vermag ich nur noch selten meinen Olymp zu erklimmen, weil ich vor allem gezwungen bin, meine wertvolle, abgezählte Zeit für allerlei dummes, alltägliches Zeug zu verschwenden... Seit vier Wochen lebte ich überhaupt ohne Geld – jede Briefmarke auf Pump. – Diese zwei Monate Regen und Kälte, das Holz verduftete – und nun blieb mir die Perspective des Frierens oder der vollständigen Umänderung meines Lebens hier. Dazu habe ich vom Wetter und von Sorgen eine akute Nervenentzündung im Rücken, die mich entsetzlich quält... Aber am Ende des Lebens ist das einzige, was der Mensch nicht bedauert, das, was er aus der Forderung inneren Pflichtgefühls getan hat.«[488]

In dieser für sie nahezu ausweglosen Situation wollte der Hamburger Warenhausbesitzer Max Emden,[489] dem auch die im Lago Maggiore vor Ascona gelegenen Brissago-Inseln gehörten, durch seinen Diener ein Bild bei der Werefkin kaufen lassen, worüber sie äußerst empört war: »Nun haben wir eine ›Bären-Ausstellung‹ und um ein Bild von mir einen Riesen Scandal – weil meine Bilder mit Liebe und Respect gekauft werden müssen – aber nicht nur weil man Geld hat. Emden, der Inselkönig hat gehört, daß es mir pekuniär sehr schlimm ginge, was auch wahr ist – und er, der sich nie bemüht hat, sich um die Ascona-Künstler zu kümmern, nie eine ›Bären-Ausstellung‹ besucht hat, nie bei mir gewesen ist, beauftragte einen Hofnarr – wie er ihn nennt –, eins meiner Bilder zu kaufen. Ich war so wütend, so empört – es war vor dem ›Verbano‹ bei vollem Nachmittagsbetrieb –, daß ich eine Rede hielt und sagte, ich wollte zeigen, es gäbe noch Künstler, die ihr eigenes Werk achten, aber nicht wie hungrige Hunde jedem Bissen nachspringen, aus welcher Hand er auch sei, und ob ein Fußtritt dazu gehöre oder nicht... Emden meint, daß man alles kaufen kann, er verachtet die Menschen und die Künstler, weil sie um ihn wie hungrige Hunde lagern. Ich mit meiner Kunst kann das nicht machen – besser, tausendmal besser, bettle ich bei eben solch armen Kerlen, wie ich es bin. Das echte Volk von Ascona liebt mich, begreift mich, achtet mich und würde mich nicht verhungern lassen, und ihnen will ich gern schuldig sein. Ich kann Hilfe nur aus einer Hand annehmen, die mir auch Achtung und Liebe zeigt, mir und meiner Kunst [Abb. 203, 204]. Deswegen bin ich den Asconesern auch so tief und innig dankbar und möchte nur, daß meine Bilder immer mehr Wege zu ihren Herzen finden.«[490]

In Ascona war die Werefkin jedem, Einheimischen und Gästen, bekannt. Man nannte sie ›Baronessa‹ oder ›Nonna‹. Noch heute schildern ältere Asconeser Bürger ihre Erscheinung ganz ähnlich, wie sie Grete Dexel in den dreißiger Jahren kennengelernt hatte: »Ich habe die Baronessa öfters auf der Piazza gesehen: eine leichte und etwas gebeugte Gestalt, um den Kopf ein Tuch aus irgendeinem Krepp geschlungen, der oben zu einer Schleife gebunden war und nur wenig Haar sehen ließ, das noch braun war. Auf der Brust hingen ihr immer etliche Ketten. An den Füßen, die schmal, aber groß und flach waren, trug sie stets die dunklen, mit Stroh gesohlten Schuhe der Einheimischen. Die Kleidung war farbig, aber mattfarbig in schöngewählten Tönen, immer anders, aber stets sehr geschmackvoll zusammengestellt. Mit besonderer Vorliebe trug sie Zusammenstellungen gedeckter Rot- und Brauntöne. Allmählich erst kam ich dahinter, daß es sich um uralte, unzählige Male gewaschene und dadurch gebleichte Stoffe handelte, die einstmals kostbar gewesen und deshalb ewig haltbar waren, wenn auch durch langen Gebrauch verzogen und verzipfelt. Diese Gewänder, anders kann man sie nicht nennen, saßen nicht, sondern hingen an ihrer mageren, ja dürren Gestalt. Das Gesicht war gelbbräunlich gedunkelt, die großen Zähne waren oft sichtbar, weil sie viel lächelte. Doch die großen dunklen, ein wenig vorstehenden Augen bestimmten in erster Linie den Eindruck. Sie waren schlechthin wunderbar, unerhört klug und lebhaft und – ich kann es nicht anders ausdrücken – liebevoll.«[491]

Als Marianne Werefkin am 6. Februar 1938 in Ascona starb, gestaltete sich zwei Tage später die Beerdigung zu einer ungewöhnlichen Abschiedsfeier. Russische Verwandte und Freunde, die in die Schweiz und nach Italien emigriert waren, und nahezu die gesamte Asconeser Bevölkerung waren gekommen, um der ›Nonna von Ascona‹ das letzte Geleit zu geben. Die Benediktiner des Kollegiums in Ascona hatten für die Tage der Totenwache ein kostbares Kreuz und mehrere Leuchter geliehen. Die katholische Kirche läutete für die orthodoxe Christin nach russischer Art nur mit der großen Glocke. Als sich der lange Trauerzug von der Wohnung der Werefkin am See durch die Gassen des Dorfes zum Friedhof bewegte, sangen ein Pope, der eigens aus Mailand angereist war, und zwei Nichten der Werefkin im Wechsel. Nach russisch-orthodoxem Ritus zelebrierte der Pope die Feierlichkeiten am Grabe in russischer, französischer und italienischer Sprache. Auch die Pfarrer der katholischen und der reformierten Kirche Asconas ehrten die Verstorbene. Die Beerdigung war so ungewöhnlich und eindrucksvoll, daß die lokalen Zeitungen darüber berichteten.

Abb. 203 Marianne Werefkin in ihrem Asconeser Atelier, um 1930

Nur wenigen Trauergästen dürfte damals bewußt gewesen sein, welche Bedeutung der Werefkin wirklich zukam und welche Verdienste sie auszeichneten. Sie hatte ja wenig Aufhebens um sich selbst gemacht und sich bescheiden in den Hintergrund gestellt, während sie andere Künstler förderte. Dadurch war ihr Werk schon zu ihren Lebzeiten in nahezu völlige Vergessenheit geraten. Der Erste Weltkrieg hatte den Freundeskreis aufgelöst, der sie als wegbereitende Malerin anerkennend bewundert hatte. Viele jener Künstler, Galeristen und Museumsleute lebten nicht mehr. Marc und Macke waren gefallen. Jawlensky hatte sie verlassen. Sie war isoliert, fern von ihrer früheren, so fruchtbaren Wirkungsstätte München und ohne Chance, in die Kunstgeschichtsschreibung ihrer Wahlheimat verankert zu werden. Dort nämlich hatten die Nazis auch ihre Bilder als ›entartet‹ gebrandmarkt. Von Ascona aus wollte sie neue Verbindungen nach München knüpfen. Einem Freund berichtete sie davon im November 1937: »Die Münchener Sache habe ich inzwischen fallen lassen, weil ein Buch erschienen ist, (der Kunsthändler Nierendorf, der nach Amerika ging, hat es den Leuten hier gezeigt,) worin es steht, daß ich in einem Haufen mit van Gogh !!! entartete Kunst treibe. Die Ehre ist groß für mich, wenn auch unverdient.«[492]

Erst nach dem Zweiten Weltkrieg wurde hin und wieder auf das Werk der Werefkin, für das sich kein Land in Europa so richtig verantwortlich fühlt, in bescheidenem Maße aufmerksam gemacht. Fünfzig Jahre nach dem Tode Marianne Werefkins aber ist es nun endlich möglich, die bahnbrechende Bedeutung ihrer Kunst zu erkennen und entsprechend zu würdigen.

Wir haben die herausragende Vermittler- und Führungsrolle Marianne Werefkins innerhalb des Expressionismus in Deutschland hier eingehend erörtert und klargestellt — einerseits anhand ihrer Werke, andererseits anhand ihrer schriftlichen Zeugnisse, denen die Zeugnisse ihrer künstlerischen Zeitgenossen assistieren.

Rückblickend aus heutiger Perspektive erscheint es als ihre persönliche Lebens-
tragik, daß sie ihre Rolle als Spiritus rector nur indirekt, vermittelnd, zu übernehmen
bereit war. Sie selbst allerdings empfand sich nicht als tragische Gestalt. Dies läßt sich
nur verstehen aus ihrer zutiefst der russischen Tradition verhafteten, idealistischen
Auffassung, daß sie selbst nur Trägerin einer Idee – der Idee der neuen Kunst – sein und
dieser Idee mit allen Kräften, dem Einsatz ihres ganzen Lebens, dienen wolle. Diesem
Selbstverständnis ist es zuzuschreiben, daß sich die Spuren ihres Wirkens verwischen
konnten und daß bei ihren Freunden eigenständig erschien, was ohne ihren Anstoß un-
denkbar war.

Für eine unvoreingenommene Kunstgeschichtsschreibung verklammert das theo-
retische und künstlerische Werk Marianne Werefkins die jüngste französische Malerei
des ausgehenden 19. Jahrhunderts mit dem deutschen Expressionismus und – das mag
überraschend sein – mit der abstrakten Kunst. Sie führte, zunächst theoretisch, ihren
Malerfreunden in München die Errungenschaften der französischen Malerei vor Augen,
auf denen sie die Grundlagen für eine neue Kunst aufbauen wollte, nach Auserwählten
suchend, die ihrer Idee Gestalt geben konnten. Doch wenn die Freunde auch viele ihrer
Impulse dankbar aufnahmen, vermochten sie die Visionen der Werefkin zunächst noch
nicht in ihrer ganzen Konsequenz zu konkretisieren. Erst als sie sich 1906/07 entschloß, wieder zu malen, um ihrer Idee selbst Ausdruck zu verleihen, konnten sie ihr
auf dem von ihr gewiesenen Weg folgen.

Diese Idee kulminierte in der von ihr immer wieder erhobenen Forderung, das Un-
sichtbare sichtbar zu machen. Sie träumte von der Befreiung der Farbe von der Form und
war von jeder Abstraktion fasziniert. Die Zukunft werde der emotionalen Kunst gehören, prophezeite sie.

Von Marc wissen wir, daß auch er danach strebte, die Gegenständlichkeit in seinen
Bildern zu überwinden. Er sagte: »Die Leute werden vielleicht enttäuscht sein, wenn
ich keine Tierbilder mehr malen werde – sie werden sich noch wundern, was ich ihnen
zuzumuten vorhabe.«[493] Marcs früher Tod verhinderte die künstlerische Weiterentwicklung dieser Idee. Von Jawlensky wissen wir, daß er erst in der Schweiz, wie er 1938
in einem Brief an Verkade gestand, in der Lage war, Abstraktes bildlich auszudrücken.

Theoretisch hatte Marianne Werefkin den Weg aus dem Expressionismus in die
abstrakte Malerei vorbereitet. Eine gegenstandslose Kunst muß ihr als endgültige und
höchste Realisation ihrer Idee vorgeschwebt haben. Und es war einer ihrer Weggefähr-
ten, Kandinsky – er bezeichnete ihren Schüler Jawlensky als seinen Lehrer –, der ihrer
Idee der neuen Kunst dann endgültig Gestalt gab. Marianne Werefkin selbst muß es so
empfunden haben, denn bei der Ausjurierung von Kandinskys Bild *Komposition V*
durch die Neue Künstlervereinigung München im Jahre 1911 legte sie sich mit deren
Mitgliedern derart vehement an, als ginge es um Sein oder Nichtsein der Kunst.

Der kritische Betrachter gewinnt heute den Eindruck, daß Marianne Werefkin damals tatsächlich die einzige war, die, als Kandinsky den entscheidenden Schritt in die
gegenstandslose Kunst vollzog, dessen epochemachende Dimension erkannte. Wen
wundert das bei einer Künstlerin, die zeitlebens betont hatte, daß sie jene Dinge liebt,
die nicht sind?

Anmerkungen

1 Andrei Lebedev, *The Itinerants*, Leningrad 1974, S. 272 f.
2 Andrei Lebedev, *The Itinerants*, Society for Circulating Art Exhibitions (1870–1923), Leningrad 1982, Abb. 66.
3 Grigori J. Sternin, *Das Kunstleben Rußlands an der Jahrhundertwende*, Dresden 1976, S. 81.
4 Sternin (Anm. 3), S. 311.
5 Lebedev (Anm. 1), S. 30.
6 Dimitrij W. Sarabjanow, ›Die russische Malerei der ersten Hälfte des 19. Jahrhunderts‹, in Ausst. Kat. *Russische Malerei der ersten Hälfte des 19. Jahrhunderts*, Staatliche Kunsthalle Baden-Baden 1981/82, S. 6 ff.
7 Valentine Marcadé, *Le Renouveau de l'Art pictural russe 1863–1914*, Lausanne 1971, S. 29 f.
8 Georg Reinhardt, ›Peredwishniki und Nazarener – Anmerkungen zu zwei Künstlergruppen des 19. Jahrhunderts‹, in Ausst. Kat. *Meisterwerke deutscher und russischer Malerei aus sowjetischen Museen*, Rheinisches Landesmuseum, Bonn 1978, S. 122.
9 T. Grodskowa und L. Iowlewa, ›Russische Wandermaler‹, in Ausst. Kat. *Die russischen Realisten der zweiten Hälfte des 19. Jahrhunderts*, Wilhelm-Lembruck-Museum, Duisburg 1980, S. 10.
10 T. Grodskowa und L. Iowlewa (Anm. 9), S. 46.
11 Joseph Brodski, *Ilja Repin*, Leipzig 1981, S. 9.
12 L. I. Iowlewa, › Die russische Malerei vom 15. bis zum 19. Jahrhundert‹, in Ausst. Kat. *Meisterwerke* (Anm. 8), S. 69.
13 N. N. Novouspenski und Lidia Iowlewa, Ausst. Kat. *Russischer Realismus 1850–1900*, Staatliche Kunsthalle Baden-Baden 1973, S. 78 ff.
14 Sternin (Anm. 3), S. 333.
15 N. N. Novouspenski, ›Der russische Realismus in der zweiten Hälfte des 19. Jahrhunderts‹, in Ausst. Kat. *Russischer Realismus* (Anm. 13), S. 14.
16 Fritz Stöckli, ›Marianne von Werefkin 1860–1938‹, in Ausst. Kat. *Marianne von Werefkin, Ottilie W. Roederstein, Hans Brühlmann*, Kunsthaus Zürich 1938, S. 4.
17 Brodski (Anm. 11), S. 13 ff.
18 Sternin (Anm. 3), S. 29.
19 Brodski (Anm. 11), S. 43.
20 Brodski (Anm. 11), S. 7.
21 Brodski (Anm. 11), S. 37.
22 Alexej Jawlensky, ›Lebenserinnerungen‹, in Clemens Weiler, *Alexej Jawlensky, Köpfe, Gesichte, Meditationen*, Hanau 1970, S. 105 f.
23 Brodski (Anm. 11), S. 94 f.
24 Brodski (Anm. 11), S. 100.
25 Jawlensky (Anm. 22), S. 106.
26 Brodski (Anm. 11), Abb. 18.
27 Brodski (Anm. 11), S. 43.
28 Rolf Wedewer, *Landschaftsmalerei zwischen Traum und Wirklichkeit*, Köln 1978, S. 123 f.
29 Jawlensky (Anm. 22), S. 106.
30 Werefkin-Archiv. Der vom Autor und seiner Frau 1970 begonnene Aufbau dieses Archivs dient der Erforschung von Leben und Werk von Marianne Werefkin. Zu diesem Zwecke werden sämtliche Werke der Künstlerin registriert und Quellenmaterial über Marianne Werefkin, Alexej Jawlensky und Zeitgenossen im Original, als Photo, Photokopie oder Abschrift gesammelt und für die wissenschaftliche Auswertung dokumentiert. Bei dieser Gelegenheit sei allen herzlich gedankt, die den Aufbau des Archivs unterstützten und den weiteren Ausbau fördern.
31 Iowlewa (Anm. 15), S. 16.
32 Grodskowa und Iowlewa (Anm. 9), S. 10.
33 Iowlewa (Anm. 12), S. 69.
34 Lebedev (Anm. 1), S. 38.
35 Iowlewa (Anm. 15), S. 16.
36 Stöckli (Anm. 16), S. 4.
37 Elisabeth Erdmann-Macke, *Erinnerungen an August Macke*, Frankfurt 1987, S. 190.
38 Brodski (Anm. 11), S. 100.
39 Brodski (Anm. 11), S. 20.
40 Werefkin-Archiv (Anm. 30).
41 Iowlewa (Anm. 15), S. 12.
42 Stöckli (Anm. 16), S. 4.
43 Werefkin-Archiv (Anm. 30).
44 Jawlensky (Anm. 22), S. 106.
45 Bernd Fäthke, ›Das Thema Landschaft und Ludwig Knaus‹, in Ausst. Kat. *Ludwig Knaus 1829–1910*, Museum Wiesbaden 1979, S. 50.
46 Stöckli (Anm. 16), S. 4.
47 Werefkin-Archiv (Anm. 30).
48 Werefkin-Archiv (Anm. 30).
49 Werefkin-Archiv (Anm. 30).
50 Werefkin-Archiv (Anm. 30).
51 Clemens Weiler, ›Marianne Werefkin‹, in Ausst. Kat. *Marianne Werefkin 1860–1938*, Städtisches Museum Wiesbaden 1958, o. S. Daß der zugegebenermaßen sibyllinische Satz von Weiler: »Das Schicksal hat ihr eine Konstitution auferlegt, die es ihr verwehrte, ihr Leben in der gleichen Art wie andere Frauen zu gestalten«, dahingehend interpretiert werden könne, daß die Werefkin unter körperlichen Gebrechen gelitten haben soll, die ihr seit Geburt ein normales Liebesleben verwehrt hätten, war von Weiler sicherlich nicht beabsichtigt. Vgl.: Renate Berger, *Malerinnen auf dem Weg ins 20. Jahrhundert, Kunstgeschichte als Sozialgeschichte*, Köln 1982, S. 251; Marianne Schmidt, *Jawlensky, ein Bild von einem Mann*, Merian, Wiesbaden/Rheingau, Hamburg 1986, S. 148.
52 Privatbesitz
53 Traugott Stephanowitz, *Ilja Jefimowitsch Repin*, Dresden 1955, S. 56.
54 Werefkin-Archiv (Anm. 30).
55 Sternin (Anm. 3), S. 77.
56 Brodski (Anm. 11), Abb. 102 ff.
57 Willibrord Verkade, *Der Antrieb ins Vollkommene, Erinnerungen eines Malermönches*, Freiburg 1931, S. 172.

58 Stephanowitz (Anm. 53), S. 56.
59 Jawlensky (Anm. 22), S. 106.
60 Brodski (Anm. 11), S. 164.
61 Werefkin-Archiv (Anm. 30).
62 Werefkin-Archiv (Anm. 30).
63 Werefkin-Archiv (Anm. 30).
64 Werefkin-Archiv (Anm. 30).
65 Werefkin-Archiv (Anm. 30).
66 Jawlensky (Anm. 22), S. 108.
67 Erik Thomson, ›Karl Timoleon von Neff und die russische Kirche auf dem Neroberg in Wiesbaden‹, in *Hessische Heimat*, 14. Jg., Heft 3, 1964, S. 23 ff.
68 Werefkin-Archiv (Anm. 30).
69 Werefkin-Archiv (Anm. 30).
70 Werefkin-Archiv (Anm. 30).
71 Nina Kandinsky, *Kandinsky und ich*, München 1976, S. 34.
72 Werefkin-Archiv (Anm. 30).
73 Stöckli (Anm. 16), S. 4.
74 Werefkin-Archiv (Anm. 30).
75 Werefkin-Archiv (Anm. 30).
76 Bernd Fäthke, ›Die Werefkin im Profil‹, in Ausst. Kat. *Alexej Jawlensky 1864–1941*, Städtische Galerie im Lenbachhaus, München 1983, S. 67 ff.
77 Else Lasker-Schüler, *Sämtliche Gedichte*, München 1966, S. 223 f.
78 Erzählung des Neffen Alexander Werefkin, 1980.
79 Jawlensky (Anm. 22), S. 105.
80 Werefkin-Archiv (Anm. 30).
81 Werefkin-Archiv (Anm. 30).
82 Werefkin-Archiv (Anm. 30).
83 Jawlensky (Anm. 22), S. 106.
84 Jawlensky (Anm. 22), S. 106.
85 Herbert A. Strauss, *Ein Ghetto im Osten*, Wilna, Berlin 1984, o. S.
86 Strauss (Anm. 85), o. S.
87 Werefkin-Archiv (Anm. 30).
88 Jawlensky (Anm. 22), S. 106.
89 Jawlensky (Anm. 22), S. 106; Jawlensky schreibt fälschlicherweise »Turbaran«.
90 Werefkin-Archiv (Anm. 30).
91 Jawlensky (Anm. 22), S. 106.
92 Clemens Weiler, *Alexej Jawlensky*, Köln 1959, S. 24.
93 Werefkin-Archiv (Anm. 30).
94 Werefkin-Archiv (Anm. 30).
95 Werefkin-Archiv (Anm. 30).
96 Werefkin-Archiv (Anm. 30).
97 Weiler (Anm. 92), S. 25.
98 Werefkin-Archiv (Anm. 30).
99 Werefkin-Archiv (Anm. 30).
100 Werefkin-Archiv (Anm. 30).
101 Werefkin-Archiv (Anm. 30).
102 Werefkin-Archiv (Anm. 30).
103 Werefkin-Archiv (Anm. 30).
104 Bernd Fäthke, ›Das Alterswerk von Jawlensky in neuem Licht. Warum es den großen Maler nach Wiesbaden zog‹, in *Wiesbadener Tagblatt*, 15./16. März 1986, Wochenendjournal, o. S.
105 Werefkin-Archiv (Anm. 30).
106 Bernd Fäthke, Ausst. Kat. *Alexej Jawlensky, Zeichnung – Graphik – Dokumente*, Museum Wiesbaden 1983, S. 29 ff.
107 Werefkin-Archiv (Anm. 30).
108 Hugo Wagner, Ausst. Kat. *Die Sammlung Im Obersteg*, Kunstmuseum Bern 1975, o. S.
109 Werefkin-Archiv (Anm. 30).
110 Alexej Jawlensky, An P. Willibrord Verkade, in *Das Kunstwerk*, 2. Jg., Heft 1/2, 1948, S. 50.
111 Bernd Fäthke, ›Dame mit Stirnlocke, Zum 45. Todesjahr von Alexej Jawlensky‹, in *Das Besondere Bild*, Museum Wiesbaden, August 1986, S. 2 ff.
112 Erdmann-Macke (Anm. 37), S. 240 f.
113 René Drommert, ›Ein Grabstein irrt. Alexej von Jawlensky und die Schwierigkeiten mit russischen Namen und Daten‹, in *Die Zeit*, 27.10.1967.
114 Armin Zweite (Hrsg.), Ausst. Kat. *Alexej Jawlensky 1864–1941* (Anm. 76), Kat. Nr. 3.
115 Bernd Fäthke, ›Stilleben mit Krug und Buch, Zum 45. Todesjahr von Alexej Jawlensky‹, in *Das Besondere Bild*, Museum Wiesbaden, Januar 1986, S. 2 ff.
116 Werefkin-Archiv (Anm. 30).
117 Werefkin-Archiv (Anm. 30).
118 Werefkin-Archiv (Anm. 30).
119 Werefkin-Archiv (Anm. 30).
120 Claire Goll, *Ich verzeihe keinem, Eine literarische Chronique scandaleuse unserer Zeit*, München 1976, S. 54 f.
121 Werefkin-Archiv (Anm. 30).
122 E. E. Scheyer, *Alexej von Jawlensky*, o. O. 1920/21, S. 3.
123 Lothar-Günther Buchheim, *Der blaue Reiter und die »Neue Künstlervereinigung München«*, Feldafing 1959, S. 16.
124 Werefkin-Archiv (Anm. 30).
125 Werefkin-Archiv (Anm. 30).
126 Werefkin-Archiv (Anm. 30).
127 Werefkin-Archiv (Anm. 30).
128 Jawlensky (Anm. 22), S. 108 f.
129 Werefkin-Archiv (Anm. 30).
130 Jelena Hahl-Koch, ›Marianne Werefkins russisches Erbe‹, in Ausst. Kat. *Marianne Werefkin, Gemälde und Skizzen*, Museum Wiesbaden 1980, S. 35.
131 Hanns Arens, *Unsterbliches München*, München/Esslingen 1968, S. 589.
132 Gustav Pauli, *Erinnerungen aus sieben Jahrzehnten*, Tübingen 1936, S. 264 f.
133 Jelena Hahl-Koch, ›Marianne Werefkin und der russische Symbolismus, Studien zur Ästhetik und Kunsttheorie‹, *Slawische Beiträge*, Bd. 24, München 1967, S. 86.
134 Vincent van Gogh, *Sämtliche Briefe*, Göttingen 1985, Bd. 4, S. 37 ff.
135 Paul Gauguin, *Briefe*, Berlin 1960, S. 85 ff.
136 Werefkin-Archiv (Anm. 30).

137 Rosel Gollek, *Der Blaue Reiter im Lenbachhaus München*, München 1974, S. 383.

138 Fäthke (Anm. 106), Abb. 11 und 12.

139 *Die Kunst für Alle*, Jg. 17, 1902, S. 284 f.

140 Hans Purrmann, *Leben und Meinungen des Malers Hans Purrmann*, An Hand seiner Erzählungen, Schriften und Briefe zusammengestellt von Barbara und Erhard Göpel, Wiesbaden 1961, S. 18.

141 Pauli (Anm. 132), S. 265 ff.

142 Jawlensky (Anm. 22), S. 106 f.

143 Jawlensky (Anm. 22), S. 107.

144 Peg Weiss, *Kandinsky in Munich, The Formative Jugendstil Years*, Princeton 1979, S. 14.

145 Hans-Christoph von Travel, ›Der Blaue Reiter: Herausforderung nach 75 Jahren‹, in Ausst. Kat. *Der Blaue Reiter*, Kunstmuseum Bern 1986, S. 15.

146 Bernd Fäthke, ›Marianne Werefkin und ihr Einfluß auf den Blauen Reiter‹, in Ausst. Kat. *Marianne Werefkin* (Anm. 130), S. 14.

147 Marianne Werefkin, *Briefe an einen Unbekannten 1901–1905*, Hrsg. Clemens Weiler, Köln 1960, S. 48.

148 Jawlensky (Anm. 22), S. 108.

149 Jawlensky (Anm. 22), S. 108.

150 *Anton Ažbè in Njegova Šola*, Narodna Galerija, Ljubljana 1962, S. 30 ff.

151 Katarina Ambrozić, Ausst. Kat. *Nadežda Petrović (1873–1915)*, Bayerische Staatsgemäldesammlungen in der Neuen Pinakothek, München 1985, S. 14.

152 Werefkin (Anm. 147), S. 38.

153 Emilijan Cevc, ›Slowenische Impressionisten und ihre Vorläufer‹, in Ausst. Kat. *Slowenische Impressionisten und ihre Vorläufer aus der Nationalgalerie in Ljubljana*, Oberes Belvedere, Wien 1979, S. 35.

154 Ambrozić (Anm. 151), S. 14.

155 Bernd Fäthke, ›Malerei im Vorfeld des Expressionismus, Die Schule des Anton Ažbè‹, *Zirkular des Museums Wiesbaden*, Februar 1986.

156 Anna-Christine Janke ist zu verdanken, daß die Kunstgeschichte seit 1986 nahezu 200 Namen von Ažbè-Schülern kennt. (›Schülerlisten des Anton Ažbè‹, M. S., Kulturamt Wiesbaden/Museum Wiesbaden 1986) Ihre Recherchen waren Grundlage zur Vorbereitung der Ažbè-Ausstellung, die anläßlich der zehnjährigen Partnerschaft zwischen Wiesbaden und Ljubljana 1987 geplant war.

157 Diether Schmidt, ›Lehren – Malen – Schweigen‹, in Ausst. Kat. *Georg Muche – Leise sagen*, Neue Galerie, Staatliche und Städtische Kunstsammlungen Kassel 1986, S. 8, 133.

158 Peg Weiss, ›Kandinsky und München: Begegnungen und Wandlungen‹, in Ausst. Kat. *Kandinsky und München: Begegnungen und Wandlungen 1896–1914*, Städtische Galerie im Lenbachhaus, München 1982, S. 37.

159 Emilijan Cevc, ›Slowenische Impressionisten‹, in Ausst. Kat. *Slowenische Impressionisten aus der Nationalgalerie in Ljubljana*, Institut für Auslandsbeziehungen, Stuttgart 1984, S. 9.

160 Fäthke (Anm. 76), S. 70 ff.

161 Magazin Nationalgalerie in Ljubljana.

162 Jelena Hahl-Koch, ›Der frühe Jawlensky‹, in Ausst. Kat. *Alexej Jawlensky* (Anm. 76), S. 42.

163 Ambrozić (Anm. 151), S. 14.

164 Cevc (Anm. 153), S. 38.

165 Cevc (Anm. 159), S. 9.

166 Wassily Kandinsky, *Gesammelte Schriften*, Hrsg. Hans K. Roethel und Jelena Hahl-Koch, Bern 1980, S. 66.

167 Albert Dresdner, ›Russian and Western Cities by Mstislav Dobužinsky‹, *The Studio*, Bd. 92, 1926, S. 108 ff.

168 *La Renaissance de l'Art français et des Industries de Luxe*, 11, 1926, S. 64.

169 Weiss (Anm. 144), S. 17.

170 Jawlensky (Anm. 22), S. 106 f.

171 Jawlensky (Anm. 22), S. 107.

172 Frau Dir. Dr. Anica Cevc, Nationalgalerie Ljubljana, und Herrn Prof. Emilijan Cevc, Universität Ljubljana, möchte ich an dieser Stelle für die vielfältige Unterstützung, die sie mir während der Vorbereitung der Wiesbadener Ažbè-Ausstellung seit 1984 zuteil werden ließen, sehr herzlich danken.

173 Tomaz Brejc, *Slovenski Impresionisti eropsko slikarstvo*, Ljubljana 1982, S. 83 ff.

174 Cevc (Anm. 159), S. 17.

175 Cevc (Anm. 153), S. 41.

176 Francè Stelè, *Ivan Grohar*, Ljubljana 1960, S. 74.

177 Herrn Dr. Tomaz Brejc, Akademie der Wissenschaften Ljubljana, möchte ich an dieser Stelle für die vielen fachlichen Hinweise während der Vorbereitung der Wiesbadener Ažbè-Ausstellung seit 1984 sehr herzlich danken.

178 Jawlensky (Anm. 22), S. 107.

179 Fäthke (Anm. 106), S. 15 ff.

180 Jure Mikuž, ›La peinture de Matej Sternen‹, in Ausst. Kat. *Matej Sternen*, Moderna Galerija, Ljubljana 1976, S. 24.

181 Mikuž (Anm. 180), S. 26 ff.

182 Mikuž (Anm. 180), S. 24.

183 Polonca Vrhunc möchte ich an dieser Stelle für das kollegiale und informative Gespräch zu Leben und Werk über Ferdo Vesel, das ich mit ihr 1986 zur Vorbereitung der Wiesbadener Ažbè-Ausstellung in Ljubljana führen konnte, sehr herzlich danken.

184 Matko Peić, *Josip Račić*, Zagreb 1985, S. 7 ff.

185 Frau Dr. Uskoković, Moderne Galerie Zagreb, möchte ich an dieser Stelle für das kollegiale und informative Gespräch zu Leben und Werk über Josip Račić, das ich mit ihr 1986 zur Vorbereitung der Wiesbadener Ažbè-Ausstellung in Zagreb führen konnte, sehr herzlich danken.

186 Ambrozić (Anm. 151), S. 20.

187 Ambrozić (Anm. 151), S. 14–24, S. 35 ff.
188 Fäthke (Anm. 106), S. 15 f.
189 Jawlensky (Anm. 22), S. 109.
190 Fäthke (Anm. 106), Kat. Nr. 76–81.
191 Jawlensky (Anm. 22), S. 108 f.
192 Smiljka Šinik, ›Dorde Mihjlović‹, in Ausst. Kat. *Muzej Istočne bosne*, Tuzla 1970, o. S.
193 Der Museumsleitung und den Mitarbeitern der Umjetnička galerija in Sarajevo möchte ich an dieser Stelle für die aufschlußreichen Hinweise auf das Werk von Dorde Mihajlović zur Vorbereitung der Wiesbadener Ažbè-Ausstellung 1986 sehr herzlich danken.
194 Der Museumsleitung und den Mitarbeitern des Muzej istočne Bosne in Tuzla möchte ich an dieser Stelle für die aufschlußreichen Hinweise auf das Werk von Dorde Mihajlović zur Vorbereitung der Wiesbadener Ažbè-Ausstellung 1986 sehr herzlich danken.
195 Ambrozić (Anm. 151), S. 12.
196 Bernard S. Myers, *Die Malerei des Expressionismus, Eine Generation im Aufbruch*, Köln 1957, S. 86.
197 Gert von der Osten, *Lovis Corinth*, München 1955, S. 49.
198 Hans Konrad Röthel, *Die Gemälde von Lovis Corinth*, München 1958 S. 42–44.
199 von der Osten (Anm. 197), S. 67 ff.
200 Lovis Corinth, *Das Erlernen der Malerei*, Berlin 1909, S. 5.
201 Corinth (Anm. 200), S. 57.
202 Ambrozić (Anm. 151), S. 14.
203 von der Osten (Anm. 197) S. 105.
204 E. Forssman, *Zorn i Mora*, Stockholm 1960.
205 Fäthke (Anm. 76), S. 71.
206 Jawlensky (Anm. 22), S. 109.
207 Jawlensky (Anm. 22), S. 106.
208 Jawlensky (Anm. 22), S. 109.
209 Fäthke (Anm. 106), Kat. Nr. 76–81.
210 Werefkin-Archiv (Anm. 30).
211 Werefkin-Archiv (Anm. 30).
212 Jawlensky (Anm. 22), S. 109.
213 Werefkin-Archiv (Anm. 30).
214 Werefkin (Anm. 147), S. 12.
215 Werefkin (Anm. 147), S. 14.
216 Werefkin (Anm. 147), S. 15.
217 Werefkin (Anm. 147), S. 16.
218 Werefkin (Anm. 147), S. 20 ff.
219 Werefkin (Anm. 147), S. 15 ff.
220 Werefkin (Anm. 147), S. 25 f.
221 Werefkin (Anm. 147), S. 31 f.
222 Werefkin (Anm. 147), S. 27.
223 Werefkin (Anm. 147), S. 28.
224 Werefkin (Anm. 147), S. 30.
225 Werefkin (Anm. 147), S. 32.
226 Werefkin (Anm. 147), S. 31.
227 Bernd Fäthke, ›Jawlenskys Stilleben »Bagatelles«, Neuerwerbung des Museums Wiesbaden‹, M. S. Museum Wiesbaden, August 1986.
228 Henry van de Velde, *Geschichte meines Lebens*, München 1962, S. 40.
229 Lothar-Günther Buchheim, *Die Künstlergemeinschaft Brücke*, Feldafing 1956, S. 19.
230 Kurt Badt, *Die Farbenlehre van Goghs*, Köln 1961, S. 86 ff.
231 van de Velde (Anm. 228), S. 125.
232 Gollek (Anm. 137), S. 222.
233 Fäthke (Anm. 106), S. 32 ff.
234 Jawlensky (Anm. 22), S. 116.
235 Fäthke (Anm. 76), S. 69ff.
236 Jawlensky (Anm. 22), S. 106.
237 Jürgen Schultze, ›Umgang mit Vorbildern. Jawlensky und die französische Kunst bis 1913‹, in Ausst. Kat. *Alexej Jawlensky* (Anm. 76), S. 76 f.
238 Bogomila Welsh-Ovcharov, *Vincent van Gogh and the Birth of Cloisonism*, Toronto 1981, S. 90 ff.
239 Bernd Fäthke, ›Dorf in Bayern, Zum 45. Todesjahr von Alexej Jawlensky‹, *Das Besondere Bild*, M. S. Museum Wiesbaden, März 1986, S. 2 f.
240 Armin Zweite, ›Jawlensky in München‹, in Ausst. Kat. *Alexej Jawlensky* (Anm. 76), S. 50.
241 Bernd Fäthke, ›Sommertag, Zum 45. Todesjahr von Alexej Jawlensky‹, *Das Besondere Bild*, M. S. Museum Wiesbaden, Februar 1986, S. 2 f.
242 Gottlieb Leinz, ›Das Problem der Synthese bei Alexej Jawlensky‹, in Ausst. Kat. *Alexej Jawlensky, Vom Abbild zum Urbild*, Galerie im Ganserhaus, Wasserburg am Inn 1979, S. 31 ff.
243 Zweite (Anm. 114), S. 148, Kat. Nr. 35.
244 Vincent van Gogh, *Briefe an Emile Bernard, Paul Gauguin, John Russell, Paul Signac und andere*, Basel 1941, S. 18.
245 van Gogh (Anm. 244), S. 72.
246 van Gogh (Anm. 244), S. 113.
247 Werefkin (Anm. 147), S. 33.
248 Hans-Joachim Ziemke, *Die Gemälde des 19. Jahrhunderts*, Städelsches Kunstinstitut, Frankfurt am Main, Frankfurt 1972, S. 475.
249 Alois Jacob Schardt, *Franz Marc*, Berlin 1936, S. 73 f.
250 Schardt (Anm. 249), S. 64.
251 August Macke/Franz Marc, *Briefwechsel*, Köln 1964, S. 24 ff.
252 Klaus Lankheit, *Franz Marc, Sein Leben und seine Kunst*, Köln, 1976, S. 57.
253 Hans Eckstein, *Hans Reinhold Lichtenberger*, München 1966, S. 14 ff.
254 Franz Marc, ›Briefe‹, in Ausst. Kat. *Franz Marc 1880–1916*, Städtische Galerie im Lenbachhaus, München 1980, S. 119.
255 Wolfgang Schöne, *Über das Licht in der Malerei*, Berlin 1954, S. 208.
256 Schöne (Anm. 255), S. 209.
257 Eberhard Roters, *Europäische Expressionisten*, Gütersloh/Berlin/München/Wien 1973, S. 65.
258 Jean-Paul Crespelle, *Fauves und Expressionisten*, München 1963, S. 26.
259 Crespelle (Anm. 258), S. 155 f.

260 Hans Platte, Ausst. Kat. *Cézanne, Gauguin, van Gogh, Seurat*, Kunstverein Hamburg 1963, S. 17.
261 Paul Westheim (Hrsg.), *Künstlerbekenntnisse*, Berlin o. J., S. 31.
262 Gauguin (Anm. 135), S. 92 f.
263 Robert Goldwater, *Paul Gauguin*, Köln 1957, S. 68.
264 Nigel Gosling, *Paris 1900–1914, Aufbruch der Künste in die Moderne*, München 1980, S. 85.
265 Werefkin (Anm. 147), S. 33 ff.
266 Wassily Kandinsky, *Über das Geistige in der Kunst*, München 1912.
267 Georg Schmidt, *Die Fauves, Geschichte der modernen Malerei*, Genf 1950, S. 17.
268 Schmidt (Anm. 267), S. 18.
269 Werefkin (Anm. 147), S. 34 f.
270 Lankheit (Anm. 252), S. 57.
271 Jawlensky (Anm. 22), S. 109.
272 Stöckli (Anm. 16), S. 5.
273 Jawlensky (Anm. 22), S. 109.
274 Georges Duthuit, *Les Fauves*, Genf 1949, S. 101.
275 Werner Haftmann, *Malerei im 20. Jahrhundert*, München 1962, S. 98 ff.
276 Crespelle (Anm. 258), S. 27.
277 Roters (Anm. 257), S. 66.
278 Gosling (Anm. 264), S. 97.
279 Gosling (Anm. 264), S. 97.
280 Schultze (Anm. 237), S. 73 ff; Schultze hat auf die Verwandtschaft der Bilder Jawlenskys mit denen der Franzosen hingewiesen, kommt jedoch zu Fehleinschätzungen im wesentlichen durch drei zu frühe Datierungen: 1. Das Zusammentreffen Jawlenskys mit Verkade im Jahr 1908 datiert Schultze in das Jahr 1905 (S. 74 und S. 76); 2. das um 1912 entstandene Bild Jawlenskys *Blühendes Mädchen* datierte Schultze trotz einiger Zweifel in das Jahr 1906 (S. 77); 3. Jawlenskys Stil von 1908, in Konturen zu malen, datiert Schultze 1907 (S. 79).
281 Gosling (Anm. 264), S. 85.
282 Crespelle (Anm. 258), S. 54.
283 Bernd Fäthke, ›Curt Herrmann, Park des Schlosses in Pretzfelden‹, *Das Besondere Bild*, M. S. Museum Wiesbaden, Mai 1984, S. 1 ff.
284 Fäthke (Anm. 106), S. 32 ff.
285 Myers (Anm. 196), S. 150.
286 Jawlensky (Anm. 22), S. 109 f.
287 Jawlensky (Anm. 22), S. 110.
288 Bernard Dorival, Ausst. Kat. *Der französische Fauvismus und der deutsche Frühexpressionismus*, Haus der Kunst, München 1966, S. 19.
289 Julius Meier-Graefe, *Entwicklungsgeschichte der modernen Kunst*, München 1966, S. 650.
290 Dorival (Anm. 288), S. 20.
291 Crespelle (Anm. 258), S. 40.
292 Crespelle (Anm. 258), S. 55.
293 Gosling (Anm. 264), S. 88.
294 Roters (Anm. 257), S. 65.
295 Haftmann (Anm. 275), S. 137.
296 Gotthard Jedlika, *Der Fauvismus*, Zürich 1961, S. 15.
297 Hans Purrmann, *Über Henri Matisse*, Frankfurt/Hamburg 1960, S. 124 f.
298 Crespelle (Anm. 258), S. 40.
299 Werefkin-Archiv (Anm. 30).
300 Werefkin-Archiv (Anm. 30).
301 Werefkin (Anm. 147), S. 33 f.
302 John Rewald, *Von van Gogh bis Gauguin*, Köln 1967, S. 192.
303 Uwe M. Schneede, ›Die neuen Maler, einsam, arm, werden wie die Irren behandelt‹, *Frankfurter Allgemeine Zeitung*, 6.12.1980, N. 284.
304 Fritz Herrmann, ›Die Revue blanche und die Nabis‹, Diss. München 1959, S. 161 ff.
305 Haftmann (Anm. 275), S. 56.
306 Maurice Denis, *Théories, Du Symbolisme et de Gauguin vers un nouvel ordre classique*, Paris 1920, S. 1.
307 Hans Hellmut Hofstätter, ›Die Entstehung des »Neuen Stils« in der französischen Malerei um 1890‹, Diss. Freiburg 1954, S. 29.
308 Rewald (Anm. 302), S. 126.
309 Vincent van Gogh, *Briefe an seinen Bruder*, Berlin 1914, S. 323.
310 Hans Joachim Albrecht, *Farbe als Sprache, Robert Delaunay, Joseph Albers, Richard Paul Lohse*, Köln 1979, S. 17.
311 Macke/Marc (Anm. 251), S. 26.
312 Werefkin (Anm. 147), S. 45.
313 Else Lasker-Schüler, *Sämtliche Gedichte*, München 1966, S. 223.
314 Werefkin (Anm. 147), S. 1.
315 Rewald (Anm. 302), S. 127.
316 Bernd Fäthke, ›Ohne Goethe hätte Wiesbaden vielleicht gar kein Museum‹, Beilage der Zeitungsgruppe Rhein-Main-Nahe, Mainz, 24.12.1985, S. 2.
317 Jawlensky (Anm. 110), S. 49.
318 Emile Langui, *Malerei und Plastik, Durchbruch zum 20. Jahrhundert*, München 1962, S. 130.
319 Bernd Fäthke, ›Fondazione Marianne Werefkin in Ascona‹, *Die Kunst und das schöne Heim*, Heft 8, August 1983, S. 540.
320 Hahl-Koch (Anm. 162), S. 43.
321 Weiler (Anm. 51), S. 4.
322 Platte (Anm. 260), S. 37.
323 Myers (Anm. 196), S. 29.
324 Werefkin-Archiv (Anm. 30).
325 Werefkin-Archiv (Anm. 30).
326 Werefkin-Archiv (Anm. 30).
327 Werner Timm, *Edvard Munch, Graphik*, Stuttgart/Berlin/Köln/Mainz 1968, S. 12.
328 Johan H. Langaard und Reidar Revold, *Edvard Munch*, Stuttgart 1963, S. 21.
329 Jawlensky (Anm. 22), S. 110.
330 Fäthke (Anm. 106), S. 36 ff.
331 In mehreren Dutzend Exemplaren hat sich Jawlenskys Japansammlung erhalten.
332 Macke/Marc (Anm. 251), S. 17, 32, 37.
333 Bernd Fäthke, ›Dame mit Fächer, Zum 45.

Todesjahr von Alexej Jawlensky‹, *Das Besondere Bild*, M. S. Museum Wiesbaden, Mai 1986, S. 2 ff.

334 Erdmann-Macke (Anm. 37), S. 240 f.

335 Vincent van Gogh, *Briefe an seinen Bruder*, Berlin 1928, Bd. III, S. 162.

336 van Gogh (Anm. 335), S. 140.

337 Fäthke (Anm. 106), S. 40 f.

338 Johannes Eichner, *Kandinsky und Gabriele Münter, Von Ursprüngen moderner Kunst*, München 1957, S. 88.

339 Eichner (Anm. 338), S. 89.

340 Peter-Klaus Schuster, *München leuchtete, Karl Caspar und die Erneuerung christlicher Kunst in München um 1900*, München 1984, S. 37.

341 Verkade (Anm. 57), S. 169 f.

342 Eichner (Anm. 338), S. 89.

343 Fäthke (Anm. 106), S. 32 f.

344 Verkade (Anm. 57), S. 169.

345 Verkade (Anm. 57), S. 192.

346 Hugo Troendle, ›Paul Sérusier und die Schule von Pont-Aven‹, *Das Kunstwerk*, Baden-Baden 1952, S. 21.

347 Verkade (Anm. 57), S. 192 f.

348 Wladislawa Jaworska, *Paul Gauguin et l'école de Pont-Aven*, Neuchâtel 1971, S. 119.

349 Landesbibliothek Wiesbaden, Inv. Nr. Hs. 315 (5).

350 Erdmann-Macke (Anm. 37), S. 240.

351 Jaworska (Anm. 348), S. 119 f.

352 Jawlensky (Anm. 22), S. 110.

353 Verkade (Anm. 57), S. 170.

354 Verkade (Anm. 57), S. 170.

355 Bernd Fäthke, ›Stilleben mit Äpfeln, Zum 45. Todesjahr von Alexej Jawlensky‹, *Das Besondere Bild*, M. S. Museum Wiesbaden, März 1986, S. 2 ff.

356 Jawlensky (Anm. 22), S. 110 f.

357 Jawlensky (Anm. 22), S. 111.

358 Peter Stepan, ›Die Wiege der Abstraktion, Das Gabriele Münter Haus in Murnau‹, *Die Kunst*, Heft 4, April 1985, S. 275.

359 Armin Zweite, Vorwort zu *Das Münter-Haus in Murnau*, München 1984, S. 3.

360 Rosel Gollek, *Das Münter-Haus in Murnau*, München 1984, S. 7.

361 Gollek (Anm. 360), S. 7.

362 Karl Keller, *Farbe im Stadtbild*, Festschrift Albert Knoepfli zum 70. Geburtstag, Zürich 1980, S. 136.

363 Franz Zell, ›Hausmalereien in Murnau‹, *Velhagen und Klasings Monatshefte*, XXII Jg., 1907/08, Heft 11, S. 842.

364 Zell (Anm. 363), S. 845.

365 Will Grohmann, *Wassily Kandinsky, Leben und Werk*, Köln 1958, S. 53.

366 Zell (Anm. 363), S. 846 f.

367 Hans Konrad Röthel, ›Kandinsky in Deutschland‹, in Ausst. Kat. *Wassily Kandinsky 1866–1944*, Kunsthalle Basel 1963, S. 22.

368 Röthel (Anm. 367), S. 22.

369 Weiss (Anm. 158), S. 60.

370 Eichner (Anm. 338), S. 89.

371 Hahl-Koch (Anm. 162), S. 43.

372 Werefkin-Archiv (Anm. 30).

373 Fäthke (Anm. 355), S. 2.

374 Werefkin-Archiv (Anm. 30).

375 Weiss (Anm. 158), S. 58 f.

376 Eichner (Anm. 338), S. 130.

377 Eichner (Anm. 338), S. 87.

378 Wassily Kandinsky, Franz Marc, *Briefwechsel*, München 1983, S. 296, 301.

379 Eichner (Anm. 338), S. 8 f.

380 Eichner (Anm. 338), S. 94.

381 Will Grohmann, Ausst. Kat. *Wassily Kandinsky 1866–1944*, Kunsthalle Basel, 1963, S. II.

382 Myers (Anm. 196), S. 168.

383 Werner Hofmann, *Von der Nachahmung zur Erfindung der Wirklichkeit, Die schöpferische Befreiung der Kunst 1890–1917*, Köln 1970, S. 69.

384 Fäthke (Anm. 106), S. 40 f.

385 von Travel (Anm. 145), S. 47.

386 Weiss (Anm. 158), S. 60.

387 Weiss (Anm. 158), S. 20.

388 von Travel (Anm. 145), S. 47.

389 Werefkin (Anm. 147), S. 45.

390 Klaus Lankheit (Hrsg.), *Franz Marc im Urteil seiner Zeit*, Köln 1960, S. 45 f.

391 Pauli (Anm. 132), S. 264 ff.

392 Erdmann-Macke (Anm. 37), S. 239 f.

393 Clemens Weiler, *Alexej Jawlensky, Köpfe, Gesichte, Meditationen*, Hanau 1970, S. 18.

394 Wassily Kandinsky, ›Unsere Freundschaft‹, *Franz Marc im Urteil seiner Zeit* (Anm. 390), S. 45.

395 Weiler (Anm. 92), S. 69 f.

396 Eichner (Anm. 338), S. 130.

397 Kandinsky (Anm. 394), S. 45.

398 Buchheim (Anm. 123), S. 23.

399 Myers (Anm. 196), S. 151.

400 Günter Krüger, ›Die Rolle von Brücke und Blauem Reiter beim Durchbruch zur Moderne in Deutschland‹, in Ausst. Kat. *Der Blaue Reiter*, Bern 1986, S. 252.

401 Fäthke (Anm. 106), S. 16.

402 Gollek (Anm. 137), S. 10.

403 Bernd Fäthke, ›Museum Wiesbaden‹, *Die Kunst und das schöne Heim*, Heft 3, März 1983, S. 170.

404 Fäthke (Anm. 319), S. 544 f.

405 Bernd Fäthke, ›Selbstbildnis, Zum 45. Todesjahr von Alexej Jawlensky‹, *Das Besondere Bild*, M. S. Museum Wiesbaden, Juni 1986, S. 2 ff.

406 Bei der Bewertung des Bildes darf nicht außer acht gelassen werden, daß es sich um Temperamalerei handelt. Diese wurde von fremder Hand aus Unwissenheit gefirnißt, wodurch die Leuchtkraft der Farben und deren besondere Eigenart verlorengingen.

407 Werefkin-Archiv (Anm. 30).

408 Werefkin-Archiv (Anm. 30).

409 Rewald (Anm. 302), S. 132.

410 Rewald (Anm. 302), S. 249.

411 Schardt (Anm. 249), S. 73 f.
412 Werefkin-Archiv (Anm. 30).
413 Lankheit (Anm. 252), S. 57.
414 Schardt (Anm. 249), S. 73 f.
415 Lankheit (Anm. 252), S. 58.
416 Kandinsky, Marc (Anm. 378), S. 93.
417 Weiler (Anm. 393), S. 10.
418 Jawlensky (Anm. 110), S. 49 ff.
419 Weiler (Anm. 393), S. 121 f.
420 Hahl-Koch (Anm. 162), S. 38.
421 Weiler (Anm. 92), S. 32.
422 Reinhard Müller-Mehli, ›Auf dem Weg zum modernen Andachtsbild‹, *Weltkunst*, Jg. 53, Nr. 6, 1983, S. 742.
423 Fäthke (Anm. 106), S. 16, Kat. Nr. 82.
424 Weiler (Anm. 393), S. 121 f.
425 Werefkin-Archiv (Anm. 30).
426 Fäthke (Anm. 106), Kat. Nr. 82.
427 Fäthke (Anm. 106), S. 16.
428 Werefkin-Archiv (Anm. 30). An dieser Stelle möchte ich Frau Dr. Dietlinde von Borries sehr herzlich für die Übersetzung aus dem Französischen danken.
429 Macke, Marc (Anm. 251), S. 65.
430 Hermann Glander, *Ahrenshoop, Maler entdecken ein Dorf*, Schwerin 1978, S. 5 ff.
431 Darss-Museum Prerow.
432 Jawlensky (Anm. 22), S. 112.
433 Bernd Fäthke, ›Alexej Jawlensky, Stilleben mit grüner Flasche‹, *Kunstmagazin* 1983, NF 7–8, Jg. 22, Nr. 97–98, S. 112 f.
434 Bernd Fäthke, ›Stilleben mit grüner Flasche, Zum 45. Todesjahr von Alexej Jawlensky‹, *Das Besondere Bild*, M. S. Museum Wiesbaden, Mai 1986, S. 2 ff.
435 Bernd Fäthke, ›Bildnis Nikita Werefkin, Zum 45. Todesjahr von Alexej Jawlensky‹, *Das Besondere Bild*, M. S. Museum Wiesbaden, August 1986, S. 2 ff.
436 Clemens Weiler, *Marianne Werefkin*, Köln 1960, S. 53.
437 Macke, Marc (Anm. 251), S. 83 ff.
438 Werefkin-Archiv (Anm. 30).
439 Werefkin-Archiv (Anm. 30).
440 Werefkin-Archiv (Anm. 30).
441 Ludwig Grote, *Deutsche Kunst im zwanzigsten Jahrhundert*, München 1954, S. 37.
442 Otto Fischer, *Das neue Bild*, Veröffentlichung der Neuen Künstlervereinigung München, München 1912, S. 1 ff.
443 Werefkin-Archiv (Anm. 30).
444 Werefkin-Archiv (Anm. 30).
445 Macke, Marc (Anm. 251), S. 120.
446 Kandinsky, Marc (Anm. 378), S. 206.
447 Klaus Lankheit, *Franz Marc, Schriften*, Köln 1978, S. 20 f.
448 Nell Walden und Lothar Schreyer, *Der Sturm, Ein Erinnerungsbuch an Herwarth Walden und die Künstler aus dem Sturmkreis*, Baden-Baden 1954, S. 18.
449 Walden, Schreyer (Anm. 448), S. 36.
450 Weiler (Anm. 92), S. 87.
451 Kandinsky (Anm. 71), S. 78.
452 Fäthke (Anm. 106), S. 13.
453 Jawlensky (Anm. 22), S. 115 f.
454 Jawlensky (Anm. 22), S. 108.
455 Jawlensky (Anm. 22), S. 115.
456 Werefkin-Archiv (Anm. 30).
457 Fäthke (Anm. 104), S. 1 f.
458 Jawlensky (Anm. 22), S. 116.
459 Jawlensky (Anm. 110), S. 49 f.
460 Fäthke (Anm. 403), S. 170.
461 Bernd Fäthke, ›Lichter Morgen, Zum 45. Todesjahr von Alexej Jawlensky‹, *Das Besondere Bild*, M. S. Museum Wiesbaden, Dezember 1986, S. 2 ff.
462 Jawlensky (Anm. 22), S. 118.
463 Fäthke (Anm. 104), S. 1 f.
464 Goll (Anm. 120), S. 55.
465 Bernd Fäthke, *Jawlensky und Malerfreunde*, Ausstellung im Museum Wiesbaden 27.2.–26.6.1983, M. S. Museum Wiesbaden, S. 6.
466 Jawlensky (Anm. 110), S. 49 f.
467 Goll (Anm. 120), S. 37.
468 Eberhard Roters, ›Großstadt – Expressionismus: Berlin und der deutsche Expressionismus‹, *Deutscher Expressionismus 1905–1920*, München 1981, S. 255.
469 Hans Richter, *DADA – Kunst und Antikunst*, Köln 1964, S. 71.
470 Friedrich Glauser, *Dada, Ascona und andere Erinnerungen*, Zürich 1976, S. 56.
471 Richter (Anm. 469), S. 71.
472 Werefkin-Archiv (Anm. 30).
473 Jawlensky (Anm. 22), S. 119.
474 Goll (Anm. 120), S. 55.
475 Jawlensky (Anm. 22), S. 119.
476 Fäthke (Anm. 106), S. 13 f.
477 Fäthke (Anm. 104), S. 1 f.
478 Fäthke (Anm. 106), S. 13 f.
479 Fäthke (Anm. 76), S. 67 ff.
480 Herrn Felix Klee möchte ich an dieser Stelle für die Zuschrift des Briefes in Kopie sehr herzlich danken.
481 Werefkin-Archiv (Anm. 30).
482 Werefkin-Archiv (Anm. 30).
483 Werefkin-Archiv (Anm. 30).
484 Werefkin-Archiv (Anm. 30).
485 Werefkin-Archiv (Anm. 30).
486 Werefkin-Archiv (Anm. 30).
487 Werefkin-Archiv (Anm. 30).
488 Werefkin-Archiv (Anm. 30).
489 Willy Rotzler, ›Der Baron auf dem Monte Verita‹, in Ausst. Kat. *Monte Verita, Berg der Wahrheit*, Ascona 1978, S. 104.
490 Werefkin-Archiv (Anm. 30).
491 Werefkin-Archiv (Anm. 30).
492 Werefkin-Archiv (Anm. 30).
493 Klaus Lankheit, *Führer durch das Franz-Marc-Museum, Kochel am See*, München 1987, S. 16.

Tafeln

1 Offiziersbursche, 1883
  Öl auf Leinwand, 55 x 30 cm

◁ 2 Porträt der Mutter, 1886
   Öl auf Leinwand, 64 x 54 cm

4 Selbstporträt, 1893
   Öl auf Leinwand, 73 x 54 cm

3 Vera Repin, 1881
   Öl auf Leinwand, 89 x 59 cm

5 Bildnis Alexej Jawlensky, 1896
  Öl auf Leinwand, 42 x 24,5 cm

6 Mann im Pelz, um 1890
  Öl auf Leinwand, 58 x 49 cm

7 Wasserburg, 1907
   Gouache und Mischtechnik
   auf Pappe, 50 x 37 cm

8 Mondscheinlandschaft, 1907
  Tempera und Mischtechnik auf Pappe,
  28 x 38 cm

9 Pferdchen, 1907
  Tempera auf Pappe, 56 x 79 cm

10 Viehmarkt, 1907
   Gouache und Mischtechnik
   auf Pappe, 37,5 x 28 cm

11 Steingrube, 1907
   Tempera auf Pappe, 50 x 71 cm

12 Die Landstraße, 1907
    Tempera auf Pappe, 68 x 106,5 cm

13 Herbst (Schule), 1907
    Tempera auf Pappe, 55 x 74 cm

14 Mädchenpensionat, um 1907
    Tempera auf Pappe, 55 x 74,5 cm

15 Heimkehr, 1907
Tempera und Mischtechnik auf Pappe,
55 x 75 cm

16 Ein Triller, um 1907
Tempera und Mischtechnik auf Pappe,
30 x 40 cm

17 Frühlingssonntag, 1907
    Tempera auf Pappe, 56 x 74 cm

18 Der Biergarten, 1907
    Tempera auf Pappe, 54 x 73 cm

19 Gartenfest, 1907
    Tempera auf Pappe, 55 x 76,5 cm

20 Begräbnis, 1907
   Tempera und Mischtechnik auf Pappe,
   56 x 72 cm

21 Tempête (Sturm), um 1907
   Tempera auf Pappe, 54,5 x 75 cm

23 Interieur mit sitzendem
 Paar, 1907
 Gouache mit Farbstift
 auf Papier, 37,3 x 27,5 cm

22 Der Verlassene,1907
 Gouache und Mischtechnik
 auf Pappe, 25 x 21 cm

24 Billardspieler, 1907
 Gouache auf Pappe,
 34,5 x 37,5 cm

25 Frau am Billardtisch, 1907
    Gouache auf Pappe, 37,5 x 54,5 cm

26 Ballsaal, 1908
Tempera und Mischtechnik auf Pappe,
56 x 76,5 cm

27 Fuhrwerk in Dämmerung, 1908
Tempera und Mischtechnik auf Pappe,
54,5 x 72,5 cm

28 Am Springbrunnen, 1908
    Tempera auf Pappe, 55 x 38 cm

29 Zwei Frauen, 1908
   Tempera auf Pappe, 28 x 21 cm

30 Das Sängerpaar, 1908
   Gouache und Mischtechnik auf Pappe,
   66 x 50 cm

31 Sonntagnachmittag, 1908
   Tempera auf Pappe, 36 x 49,5 cm

32 Im Café, 1909
    Tempera auf Pappe, 54 x 74 cm

34 Madame, 1909
   Tempera auf Pappe, 68,5 x 46,5 cm

33 Heimkehr, 1909
   Tempera auf Pappe, 52 x 80 cm

35 Wäscherinnen, 1909
   Tempera auf Pappe, 50,5 x 64 cm

36 Zwillinge, 1909
   Tempera auf Pappe, 27 x 36,5 cm

37 Der Tänzer Sacharoff, 1909
Tempera auf Pappe, 73 x 55 cm

38 Helene, 1909
    Gouache auf Papier und
    Pappe, 23 x 18,5 cm

39 Feierabend, 1909
   Tempera auf Pappe, 57 x 77 cm

40 Rote Stadt, 1909
    Tempera auf Pappe, 74 x 115 cm

41 Andacht, um 1909
    Tempera und Mischtechnik, 53,5 x 73 cm

42 Vorstadt, 1909
    Tempera auf Pappe, 50 x 70 cm

43 Tragische Stimmung, 1910
    Tempera auf Pappe, 48,5 x 60 cm

44 Sommerbühne, um 1910
   Tempera auf Pappe, 56 x 74 cm

45 In die Nacht hinein, um 1910
   Tempera auf Pappe, 75 x 101 cm

46 Zirkus (Vor der Vorstellung), 1910
    Tempera auf Pappe, 55 x 90 cm

47 Selbstbildnis, 1910
    Tempera auf Pappe, 51 x 34 cm

48 Der rote Baum, 1910
    Tempera auf Pappe, 76 x 57 cm

49 Im Dorf, 1910
    Tempera auf Pappe, 49 x 69,5 cm

50 Mann mit Schafherde, 1910
    Tempera auf Pappe, 56 x 74 cm

51 Das Gebet, 1910
   Tempera auf Pappe, 106 x 78 cm

52 Gießerei im Freien, um 1910
    Tempera auf Pappe, 57 x 76,5 cm

53 Der Schnitter, um 1910
   Tempera auf Pappe, 56 x 75 cm

54 La femme à la lanterne
    (Die Frau mit der Laterne), um 1910
    Tempera auf Pappe, 70 x 103 cm

55 Corpus Christi, um 1911
    Tempera auf Pappe, 54 x 72,5 cm

56 Orchester, um 1911
    Tempera auf Pappe, 50,5 x 37 cm

57 Schlittschuhläufer, 1911
    Tempera auf Pappe, 57 x 77 cm

58 Schlittschuhläufer, 1911
    Tempera auf Pappe, 56 x 73 cm

59 Weihnachtsbaum, 1911
    Tempera auf Pappe, 40 x 28 cm

60 Bahnhof Prerow, 1911
  Tempera auf Pappe, 56 x 74 cm

61 An der Ostsee bei Prerow, 1911
  Tempera auf Pappe, 50 x 63 cm

62 Steilküste von Ahrenshoop, 1911
   Tempera auf Pappe, 56,5 x 74 cm

63 Wäscherinnen, 1911
    Tempera auf Pappe, 55,5 x 73,5 cm

64 Prerowstrom, 1911
    Tempera auf Pappe, 54 x 74 cm

65 Kirche in Kownow, um 1911
   Gouache auf Papier und Pappe, 30 x 40 cm

66 Fabrikstadt (Heimweg), 1912
   Tempera auf Pappe, 70,5 x 84,5 cm

67 Badehaus, 1911
   Tempera auf Pappe, 46 x 70 cm

68 Porträt eines Mädchens, um 1913
   Tempera auf Pappe, 75 x 57 cm

69 Kartenspieler, um 1913
   Tempera auf Pappe, 39 x 29 cm

70 Haus mit Laterne, um 1913
    Tempera auf Pappe, 50 x 62 cm

71 Stadt in Litauen, um 1913
    Tempera auf Pappe, 56 x 77 cm

72 Kirche St. Anna in Wilna, um 1913
Tempera auf Pappe, 100 x 85 cm

73 Burg Aigle, um 1915
Tempera auf Pappe, 47 x 62,5 cm

74 Poste de police Wilna
   (Polizeiposten Wilna), 1914
   Tempera auf Pappe,
   97,5 x 81 cm

75 Der gelbe Busch, um 1915
Tempera auf Papier und Pappe,
62 x 48 cm

TERRAIN à VENDRE

76 Terrain à vendre
(Grundstück zu verkaufen), 1916
Tempera auf Pappe, 52 x 72,5 cm

77 Schneewirbel, 1915
Tempera auf Pappe, 52 x 68 cm

78 Le chiffonnier (Der Lumpensammler), 1917
Tempera auf Pappe, 67 x 98 cm

79 La Peine (Die Mühe), 1917
Tempera auf Pappe, 43 x 47,5 cm

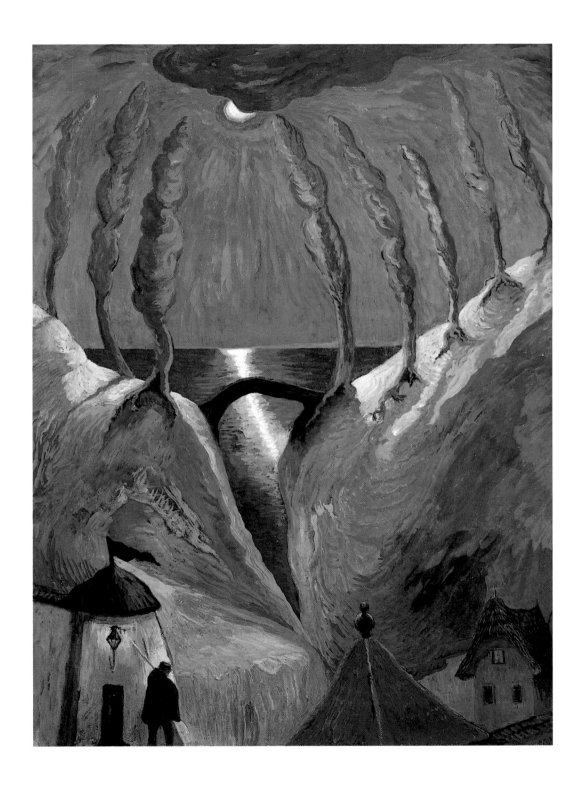

80 Nuit fantastique
    (Phantastische Nacht), 1917
    Tempera auf Pappe, 79 x 57,5 cm

81 Die Allee, um 1917
Tempera auf Pappe, 34 x 25 cm

82 La démence (Der Wahnsinn), um 1917
Tempera auf Pappe, 48 x 64 cm

83 Liebeswirbel, um 1917
    Tempera auf Pappe, 45,5 x 60 cm

84 Maisernte, um 1917
   Tempera auf Pappe, 29 x 21 cm

85 Lotta di galli (Hahnenkampf), um 1917
   Tempera auf Pappe, 41,5 x 55,5 cm

86 Der Berg, um 1918
    Tempera auf Pappe, 43 x 38 cm

87 Landschaft mit Pferdegespann,
    um 1918
    Tempera auf Pappe, 34,3 x 42,5 cm

88 Schnee über Nacht, um 1918
    Tempera auf Pappe, 60 x 45 cm

89 Licht in der Nacht, um 1919
    Tempera auf Pappe, 53 x 35 cm

90 Feux sacrés (Heilige Feuer), 1919
    Tempera auf Pappe, 74 x 56 cm

91 En ville (In der Stadt), um 1924
   Tempera auf Pappe, 79 x 76 cm

92 Fischer bei Nacht, um 1923
   Tempera auf Papier und Pappe, 65 x 50 cm

93 Im Rosengarten, um 1926
    Tempera auf Pappe, 54 x 36 cm

94 Masques de village (Masken aus dem Dorf), 1920
    Tempera auf Pappe, 57,5 x 74,5 cm

95 Nach dem Sturm, 1932
    Tempera auf Papier und Pappe, 27,5 x 37 cm

96 Les vièrges folles (Die törichten Jungfrauen), 1921
Tempera auf Pappe, 67 x 76 cm

97 Die Grube, um 1926
Tempera auf Pappe, 56 x 74 cm

98 Die Brücke, 1929
Tempera auf Pappe, 68 x 99 cm

99 Der Sieger, um 1929
   Tempera auf Pappe, 68 x 96 cm

100 Vivants et morts (Lebende und Tote),
   um 1924
   Tempera auf Pappe, 56 x 76 cm

101 Equipe de nuit (Nachtschicht),
   um 1924
   Tempera auf Pappe, 56 x 73,5 cm

102 La grosse lune
    (Der große Mond), um 1923
    Tempera auf Pappe, 74 x 55 cm

103 Die Alten, um 1930
    Tempera auf Pappe, 49 x 44 cm

104 Boscaiuoli (Waldarbeiter), um 1932
    Tempera auf Pappe, 55 x 73 cm

105 Via eterna, um 1929
     Tempera auf Pappe, 100 x 70,5 cm

107 Les abandonnés (Die Verlassenen),
    um 1930
    Tempera auf Pappe, 70 x 55 cm

106 Le facteur (Der Briefträger), um 1929
    Tempera auf Pappe, 57 x 74 cm

108 Fischer im Sturm, um 1923
    Tempera auf Pappe, 49 x 63 cm

109 Das rote Segel, um 1923
Tempera auf Pappe,
63 x 50 cm

110 Città dolente (Leidende Stadt), um 1930
Tempera auf Pappe, 90,5 x 74 cm

111 La barque (Das Boot), um 1922
Tempera auf Pappe, 56 x 78 cm

112 San Giuseppe, 1921
     Tempera auf Pappe, 13 x 18,5 cm

113 Lebensabend, um 1922
   Tempera auf Pappe, 68 x 72 cm

114 Le forfait (Der Frevel),
      um 1930
      Tempera auf Pappe,
      98,5 x 76 cm

115 Le dos à la vie (Mit dem Rücken zum Leben), 1928
     Tempera auf Pappe, 67 x 75 cm

116 Das Duell, 1933
Tempera auf Pappe,
104 x 85 cm

Leihgeber

Wir danken den Museen,
öffentlichen Sammlungen, Galerien und privaten Sammlern
für die freundliche Überlassung von Leihgaben.

Fondazione Marianne Werefkin, Ascona
Museo Comunale d'Arte Moderna Ascona, Stiftung Dr. med. Hans Müller, Lenzburg
Leopold-Hoesch-Museum, Düren
Neue Galerie der Stadt Linz, Wolfgang Gurlitt-Museum
Städtische Galerie im Lenbachhaus, München
Kunsthaus Zürich

Dr. med. C. Artzibushev, Odessa/Florida
Galerie Bettina, Zürich
Diego Hagmann Erben, Zürich
Sammlung Hans Holzapfel, Bünde
Prof. Dr. Boris Luban-Plozza, Ascona
Else Messmer, Zürich
Sammlung Till Neuburg, Mailand; Katrin Muzik, Pfaffhausen

sowie Leihgeber, die nicht genannt werden möchten.

Verzeichnis der Tafeln

1 Offiziersbursche, 1883
Öl auf Leinwand, 55 x 30 cm
Dr. med. C. Artzibushev, Odessa/Florida

2 Porträt der Mutter, 1886
Öl auf Leinwand, 64 x 54 cm
Dr. med. C. Artzibushev, Odessa/Florida

3 Vera Repin, 1881
Öl auf Leinwand, 89 x 59 cm
Privatbesitz

4 Selbstporträt, 1893
Öl auf Leinwand, 73 x 54 cm
Museo Comunale d'Arte Moderna Ascona,
Stiftung Dr. med. Hans Müller, Lenzburg

5 Bildnis Alexej Jawlensky, 1896
Öl auf Leinwand, 42 x 24,5 cm
Städtische Galerie im Lenbachhaus, München

6 Mann im Pelz, um 1890
Öl auf Leinwand, 58 x 49 cm
Privatbesitz

7 Wasserburg, 1907
Gouache und Mischtechnik auf Pappe, 50 x 37 cm
Privatbesitz

8 Mondscheinlandschaft, 1907
Tempera und Mischtechnik auf Pappe, 28 x 38 cm
Sammlung Till Neuburg, Mailand;
Katrin Muzik, Pfaffhausen

9 Pferdchen, 1907
Tempera auf Pappe, 56 x 79 cm
Sammlung Hans Holzapfel, Bünde

10 Viehmarkt, 1907
Gouache und Mischtechnik auf Pappe,
37,5 x 28 cm
Sammlung Till Neuburg, Mailand;
Katrin Muzik, Pfaffhausen

11 Steingrube, 1907
Tempera auf Pappe, 50 x 71 cm
Privatbesitz

12 Die Landstraße, 1907
Tempera auf Pappe, 68 x 106,5 cm
Fondazione Marianne Werefkin, Ascona

13 Herbst (Schule), 1907
Tempera auf Pappe, 55 x 74 cm
Fondazione Marianne Werefkin, Ascona

14 Mädchenpensionat, um 1907
Tempera auf Pappe, 55 x 74,5 cm
Fondazione Marianne Werefkin, Ascona

15 Heimkehr, 1907
Tempera und Mischtechnik auf Pappe,
55 x 75 cm
Sammlung Till Neuburg, Mailand;
Katrin Muzik, Pfaffhausen

16 Ein Triller, um 1907
Tempera und Mischtechnik auf Pappe,
30 x 40 cm
Privatbesitz

17 Frühlingssonntag, 1907
Tempera auf Pappe, 56 x 74 cm
Fondazione Marianne Werefkin, Ascona

18 Der Biergarten, 1907
Tempera auf Pappe, 54 x 73 cm
Fondazione Marianne Werefkin, Ascona

19 Gartenfest, 1907
Tempera auf Pappe,
55 x 76,5 cm
Fondazione Marianne Werefkin, Ascona

20 Begräbnis, 1907
Tempera und Mischtechnik auf Pappe,
56 x 72 cm
Sammlung Till Neuburg, Mailand;
Katrin Muzik, Pfaffhausen

21 Tempête (Sturm), um 1907
Tempera auf Pappe, 54,5 x 75 cm
Fondazione Marianne Werefkin, Ascona

22 Der Verlassene, 1907
Gouache und Mischtechnik auf Pappe,
25 x 21 cm
Privatbesitz

23 Interieur mit sitzendem Paar, 1907
Gouache mit Farbstift auf Papier, 37,3 x 27,5 cm
Städtische Galerie im Lenbachhaus, München

24 Billardspieler, 1907
Gouache auf Pappe, 34,5 x 37,5 cm
Sammlung Till Neuburg, Mailand;
Katrin Muzik, Pfaffhausen

25 Frau am Billardtisch, 1907
Gouache auf Pappe, 37,5 x 54,5 cm
Sammlung Till Neuburg, Mailand;
Katrin Muzik, Pfaffhausen

26 Ballsaal, 1908
Tempera und Mischtechnik auf Pappe,
56 x 76,5 cm
Sammlung Till Neuburg, Mailand;
Katrin Muzik, Pfaffhausen

27 Fuhrwerk in Dämmerung, 1908
Tempera und Mischtechnik auf Pappe,
54,5 x 72,5 cm
Sammlung Till Neuburg, Mailand;
Katrin Muzik, Pfaffhausen

28 Am Springbrunnen, 1908
Tempera auf Pappe, 55 x 38 cm
Galerie Bettina, Zürich

29 Zwei Frauen, 1908
Tempera auf Pappe, 28 x 21 cm
Sammlung Till Neuburg, Mailand;
Katrin Muzik, Pfaffhausen

30 Das Sängerpaar, 1908
Gouache und Mischtechnik auf Pappe,
66 x 50 cm
Sammlung Till Neuburg, Mailand;
Katrin Muzik, Pfaffhausen

31 Sonntagnachmittag, 1908
Tempera auf Pappe, 36 x 49,5 cm
Fondazione Marianne Werefkin, Ascona

32 Im Café, 1909
Tempera auf Pappe, 54 x 74 cm
Fondazione Marianne Werefkin, Ascona

33 Heimkehr, 1909
Tempera auf Pappe, 52 x 80 cm
Museo Comunale d'Arte Moderna Ascona,
Stiftung Dr. med. Hans Müller, Lenzburg

34 Madame, 1909
Tempera auf Pappe, 68,5 x 46,5 cm
Fondazione Marianne Werefkin, Ascona

35 Wäscherinnen, 1909
Tempera auf Pappe, 50,5 x 64 cm
Städtische Galerie im Lenbachhaus, München

36 Zwillinge, 1909
Tempera auf Pappe, 27 x 36,5 cm
Fondazione Marianne Werefkin, Ascona

37 Der Tänzer Sacharoff, 1909
Tempera auf Pappe, 73 x 55 cm
Fondazione Marianne Werefkin, Ascona

38 Helene, 1909
Gouache auf Papier und Pappe, 23 x 18,5 cm
Privatbesitz

39 Feierabend, 1909
Tempera auf Pappe, 57 x 77 cm
Privatbesitz

40 Rote Stadt, 1909
Tempera auf Pappe, 74 x 115 cm
Privatbesitz

41 Andacht, um 1909
Tempera und Mischtechnik, 53,5 x 73 cm
Prof. Dr. Boris Luban-Plozza, Ascona

42 Vorstadt, 1909
Tempera auf Pappe, 50 x 70 cm
Privatbesitz

43 Tragische Stimmung, 1910
Tempera auf Pappe, 48,5 x 60 cm
Museo Comunale d'Arte Moderna Ascona,
Stiftung Dr. med. Hans Müller, Lenzburg

44 Sommerbühne, um 1910
Tempera auf Pappe, 56 x 74 cm
Fondazione Marianne Werefkin, Ascona

45 In die Nacht hinein, um 1910
Tempera auf Pappe, 75 x 101 cm
Privatbesitz

46 Zirkus (Vor der Vorstellung), 1910
Tempera auf Pappe, 55 x 90 cm
Leopold-Hoesch-Museum, Düren

47 Selbstbildnis, 1910
Tempera auf Pappe, 51 x 34 cm
Städtische Galerie im Lenbachhaus, München

48 Der rote Baum, 1910
Tempera auf Pappe, 76 x 57 cm
Fondazione Marianne Werefkin, Ascona

49 Im Dorf, 1910
Tempera auf Pappe, 49 x 69,5 cm
Fondazione Marianne Werefkin, Ascona

50 Mann mit Schafherde, 1910
Tempera auf Pappe, 56 x 74 cm
Sammlung Till Neuburg, Mailand;
Katrin Muzik, Pfaffhausen

51 Das Gebet, 1910
Tempera auf Pappe, 106 x 78 cm
Fondazione Marianne Werefkin, Ascona

52 Gießerei im Freien, um 1910
Tempera auf Pappe, 57 x 76,5 cm
Privatbesitz, Bern

53 Der Schnitter, um 1910
Tempera auf Pappe, 56 x 75 cm
Privatbesitz

54 La femme à la lanterne
(Die Frau mit der Laterne), um 1910
Tempera auf Pappe, 70 x 103 cm
Fondazione Marianne Werefkin, Ascona

55 Corpus Christi, um 1911
Tempera auf Pappe, 54 x 72,5 cm
Fondazione Marianne Werefkin, Ascona

56 Orchester, um 1911
Tempera auf Pappe, 50,5 x 37 cm
Sammlung Till Neuburg, Mailand;
Katrin Muzik, Pfaffhausen

57 Schlittschuhläufer, 1911
Tempera auf Pappe, 57 x 77 cm
Privatbesitz, Bern

58 Schlittschuhläufer, 1911
Tempera auf Pappe, 56 x 73 cm
Fondazione Marianne Werefkin, Ascona

59 Weihnachtsbaum, 1911
Tempera auf Pappe, 40 x 28 cm
Privatbesitz

60 Bahnhof Prerow, 1911
Tempera auf Pappe, 56 x 74 cm
Privatbesitz

61 An der Ostsee bei Prerow, 1911
Tempera auf Pappe, 50 x 63 cm
Privatbesitz

62 Steilküste von Ahrenshoop, 1911
Tempera auf Pappe, 56,5 x 74 cm
Fondazione Marianne Werefkin, Ascona

63 Wäscherinnen, 1911
Tempera auf Pappe, 55,5 x 73,5 cm
Fondazione Marianne Werefkin, Ascona

64 Prerowstrom, 1911
Tempera auf Pappe, 54 x 74 cm
Privatbesitz

65 Kirche in Kownow, um 1911
Gouache auf Papier und Pappe, 30 x 40 cm
Dr. med. C. Artzibushev, Odessa/Florida

66 Fabrikstadt (Heimweg), 1912
Tempera auf Pappe, 70,5 x 84,5 cm
Fondazione Marianne Werefkin, Ascona

67 Badehaus, 1911
Tempera auf Pappe, 46 x 70 cm
Privatbesitz

68 Porträt eines Mädchens, um 1913
Tempera auf Pappe, 75 x 57 cm
Privatbesitz, Bern

69 Kartenspieler, um 1913
Tempera auf Pappe, 39 x 29 cm
Privatbesitz, Bern

70 Haus mit Laterne, um 1913
Tempera auf Pappe, 50 x 62 cm
Privatbesitz, Bern

71 Stadt in Litauen, um 1913
Tempera auf Pappe, 56 x 77 cm
Fondazione Marianne Werefkin, Ascona

72 Kirche St. Anna in Wilna, um 1913
Tempera auf Pappe, 100 x 85 cm
Fondazione Marianne Werefkin, Ascona

73 Burg Aigle, um 1915
Tempera auf Pappe, 47 x 62,5 cm
Privatbesitz, Schweiz

74 Poste de police Wilna
(Polizeiposten Wilna), 1914
Tempera auf Pappe, 97,5 x 81 cm
Fondazione Marianne Werefkin, Ascona

75 Der gelbe Busch, um 1915
Tempera auf Papier und Pappe, 62 x 48 cm
Privatsammlung, Locarno/Schweiz

76 Terrain à vendre
(Grundstück zu verkaufen), 1916
Tempera auf Pappe, 52 x 72,5 cm
Kunsthaus Zürich

77 Schneewirbel, 1915
Tempera auf Pappe, 52 x 68 cm
Neue Galerie der Stadt Linz,
Wolfgang Gurlitt-Museum

78 Le chiffonnier (Der Lumpensammler), 1917
Tempera auf Pappe, 67 x 98 cm
Fondazione Marianne Werefkin, Ascona

79 La peine (Die Mühe), 1917
Tempera auf Pappe, 43 x 47,5 cm
Fondazione Marianne Werefkin, Ascona

80 Nuit fantastique
(Phantastische Nacht), 1917
Tempera auf Pappe, 79 x 57,5 cm
Privatbesitz

81 Die Allee, um 1917
Tempera auf Pappe, 34 x 25 cm
Privatbesitz

82 La démence (Der Wahnsinn), um 1917
Tempera auf Pappe, 48 x 64 cm
Privatbesitz,
Leihgabe im Kunsthaus Zürich

83 Liebeswirbel, um 1917
Tempera auf Pappe, 45,5 x 60 cm
Diego Hagmann Erben, Zürich

84 Maisernte, um 1917
Tempera auf Pappe, 29 x 21 cm
Privatbesitz

85 Lotta di galli (Hahnenkampf), um 1917
Tempera auf Pappe, 41,5 x 55,5 cm
Diego Hagmann Erben, Zürich

86 Der Berg, um 1918
Tempera auf Pappe, 43 x 38 cm
Diego Hagmann Erben, Zürich

87 Landschaft mit Pferdegespann, um 1918
Tempera auf Pappe, 34,3 x 42,5 cm
Privatbesitz, Rüttenen/Schweiz

88 Schnee über Nacht, um 1918
Tempera auf Pappe, 60 x 45 cm
Privatbesitz

89 Licht in der Nacht, um 1919
Tempera auf Pappe, 53 x 35 cm
Privatbesitz

90 Feux sacrés (Heilige Feuer), 1919
Tempera auf Pappe, 74 x 56 cm
Fondazione Marianne Werefkin, Ascona

91 En ville (In der Stadt), um 1924
Tempera auf Pappe, 79 x 76 cm
Privatbesitz

92 Fischer bei Nacht, um 1923
Tempera auf Papier und Pappe, 65 x 50 cm
Else Messmer, Zürich

93 Im Rosengarten, um 1926
Tempera auf Pappe, 54 x 36 cm
Dr. med. C. Artzibushev, Odessa/Florida

94 Masques de village (Masken aus dem Dorf), 1920
Tempera auf Pappe, 57,5 x 74,5 cm
Fondazione Marianne Werefkin, Ascona

95 Nach dem Sturm, 1932
Tempera auf Papier und Pappe, 27,5 x 37 cm
Museo Comunale d'Arte Moderna Ascona,
Stiftung Dr. med. Hans Müller, Lenzburg

96 Les vièrges folles
(Die törichten Jungfrauen), 1921
Tempera auf Pappe, 67 x 76 cm
Fondazione Marianne Werefkin, Ascona

97 Die Grube, um 1926
Tempera auf Pappe, 56 x 74 cm
Fondazione Marianne Werefkin, Ascona

98 Die Brücke, 1929
Tempera auf Pappe, 68 x 99 cm
Privatbesitz, Schweiz

99 Der Sieger, um 1929
Tempera auf Pappe, 68 x 96 cm
Fondazione Marianne Werefkin, Ascona

100 Vivants et morts (Lebende und Tote), um 1924
Tempera auf Pappe, 56 x 76 cm
Fondazione Marianne Werefkin, Ascona

101 Equipe de nuit (Nachtschicht), um 1924
Tempera auf Pappe, 56 x 73,5 cm
Fondazione Marianne Werefkin, Ascona

102 La grosse lune (Der große Mond), um 1923
Tempera auf Pappe, 74 x 55 cm
Fondazione Marianne Werefkin, Ascona

103 Die Alten, um 1930
Tempera auf Pappe, 49 x 44 cm
Fondazione Marianne Werefkin, Ascona

104 Boscaiuoli (Waldarbeiter), um 1932
Tempera auf Pappe, 55 x 73 cm
Fondazione Marianne Werefkin, Ascona

105 Via eterna, um 1929
Tempera auf Pappe, 100 x 70,5 cm
Museo Comunale d'Arte Moderna Ascona,
Stiftung Dr. med. Hans Müller, Lenzburg

106 Le facteur (Der Briefträger), um 1929
Tempera auf Pappe, 57 x 74 cm
Fondazione Marianne Werefkin, Ascona

107   Les abandonnés (Die Verlassenen), um 1930
      Tempera auf Pappe, 70 x 55 cm
      Fondazione Marianne Werefkin, Ascona

108   Fischer im Sturm, um 1923
      Tempera auf Pappe, 49 x 63 cm
      Privatbesitz

109   Das rote Segel, um 1923
      Tempera auf Pappe, 63 x 50 cm
      Privatbesitz

110   Città dolente (Leidende Stadt), um 1930
      Tempera auf Pappe, 90,5 x 74 cm
      Fondazione Marianne Werefkin, Ascona

111   La barque (Das Boot), um 1922
      Tempera auf Pappe, 56 x 78 cm
      Fondazione Marianne Werefkin, Ascona

112   San Giuseppe, 1921
      Tempera auf Pappe, 13 x 18,5 cm
      Privatbesitz

113   Lebensabend, um 1922
      Tempera auf Pappe, 68 x 72 cm
      Fondazione Marianne Werefkin, Ascona

114   Le forfait (Der Frevel), um 1930
      Tempera auf Pappe, 98,5 x 76 cm
      Fondazione Marianne Werefkin, Ascona

115   Le dos à la vie
      (Mit dem Rücken zum Leben), 1928
      Tempera auf Pappe, 67 x 75 cm
      Fondazione Marianne Werefkin, Ascona

116   Das Duell, 1933
      Tempera auf Pappe, 104 x 85 cm
      Privatbesitz

Photonachweis

Lorenzo Bianda, Verscio 8,10,20,24,25,26,27,29,30,33,50,56; Foto Atelier Georges Bodmer, Zürich 98;
Fach-Fotozentrum Bricke, Frankfurt/Main 38; Thomas Cugini, Zürich 92; Walter Drayer, Zürich 76;
Rico Jenny, Tegna/Schweiz 54; Bildarchiv Felix Klee 57,68,69,70; Endrik Lerch, Ascona 12,13,14,
17,18,19,21,28,31,32,34,36,37,41,44,48,49,51,54,55,56,58,62,63,66,71,72,74,78,79,81,84,90,94,96,97,99,
100,101,102,103,104,106,107,110,111,113,114,115,116; Roberto Pellegrini, Ascona 75,93; Foto Studio
Vehlmann, Bünde 9

1860
Am 29. August wird Marianna Wladimirowna Werefkina in Tula, der Hauptstadt des gleichnamigen russischen Gouvernements, geboren. Ihr Vater, Wladimir V. Werefkin, entstammt dem Moskauer Uradel und ist zu jener Zeit Kommandeur des Ekaterinenburgischen Regiments in Tula. Die Mutter, Elisabeth, geb. Daragan, gehört einem alten Kosakengeschlecht an. Jüngere Brüder Mariannes: Wsewolod und Peter.

1863
Die Familie siedelt nach Witebsk, der Hauptstadt des gleichnamigen russischen Gouvernements, über. Dem Vater ist die Stelle des dortigen Militär- und Zivilgouverneurs übertragen worden.

1868
Der Vater wird zum Bezirkskommandeur der Armee von Wilna, der Hauptstadt des gleichnamigen litauisch-russischen Gouvernements, ernannt. Als Externe besucht Marianne Werefkin in Wilna das Marien-Institut.

1874
Marianne Werefkins zeichnerische Begabung wird entdeckt. Zur Weiterbildung erhält sie Privatunterricht von einer akademischen Zeichenlehrerin.

1876
Durch die Versetzung des Vaters wohnt die Familie in Lublin in Polen. Marianne Werefkin läßt sich dort von dem aus Warschau stammenden Maler P. Heinemann ausbilden, der ihr besonders die Porträtmalerei nahebringt.

1879
Die Werefkins erwerben das Gut Blagodat im litauisch-russischen Gouvernement Kowno, im Kreis Utena, das zum ständigen sommerlichen Wohnsitz der Familie wird. Der Vater läßt dort für die Tochter ein eigenes Haus als Atelier errichten.

um 1880
Marianne Werefkin lernt Ilja Repin, den bedeutendsten Maler des russischen Realismus, kennen und wird dessen Privatschülerin.

1883
In Moskau studiert Marianne Werefkin bei Illarion Michailowitsch Prjanischnikow an der akademischen Zeichenschule.

1885
Tod der Mutter.

1886
Der Vater, mittlerweile zum General der Infanterie ernannt, wird zum Kommandanten der Peter- und Pauls-Festung in St. Petersburg berufen. Die Familie zieht nach St. Petersburg und wohnt auf der Festung. Für Marianne wird auch dort ein Atelier eingerichtet.

1888
Bei einem Jagdunfall durchschießt sie sich die rechte Hand, die zeitlebens verkrüppelt bleibt. Trotzdem übt sie zäh, mit ihr weiterzumalen. Sie erreicht mit der Zeit in der realistischen Malerei eine Perfektion, die ihr den Beinamen ›russischer Rembrandt‹ einbringt.

1891
Marianne Werefkin lernt den vier Jahre jüngeren Alexej Jawlensky kennen. Als Leutnant gehörte er einem St. Petersburger Regiment an und besuchte abends die dortige Akademie. Marianne Werefkin erkennt Jawlenskys malerische Begabung und beschließt, ihn zu fördern und auszubilden. Seit dieser Zeit arbeiten sie fast täglich in St. Petersburg oder in Litauen auf dem Gut Blagodat zusammen.

1895
Marianne Werefkin nimmt das aus zerrütteten Familienverhältnissen stammende, neunjährige Mädchen Helene Nesnakomoff als Lehrling bei ihrer Kammerzofe auf. Helene Nesnakomoff bleibt über fünfundzwanzig Jahre im Dienst der Werefkin, ehe Jawlensky sie heiratet.

1896
Der Vater stirbt. Marianne Werefkin verfügt von diesem Zeitpunkt an über ein ansehnliches privates Vermögen und darüber hinaus über eine jährliche zaristische Pension von 7000 Rubel (heutiger Wert ca. 150.000 Schweizer Franken).
Um Jawlensky weitere Ausbildung verschaffen zu können, zieht sie mit ihm und dem Dienstmädchen Helene Nesnakomoff nach München und mietet im Stadtteil Schwabing in der Giselastraße 23 zwei großzügige Wohnungen. Sie selbst gibt ihre eigene Malerei zu Gunsten der Ausbildung von Jawlensky für zehn Jahre auf.

1897
Marianne Werefkin gründet die Künstlervereinigung ›Sankt Lukas‹, die sich regelmäßig in ihrer Atelierwohnung trifft, um Fragen der Kunst und Literatur zu erörtern.

1899
Gemeinsame Studienreise mit den Malern Jawlensky, Grabar', Kardovsky und Anton Ažbè nach Venedig.

1901
Marianne Werefkin beginnt ihr Tagebuch ›Lettres à un Inconnu‹, die ›Briefe an einen Unbekannten‹. Mit Jawlensky und Helene Nesnakomoff reist sie nach Rußland.

1902
In Anspacki, Gouvernement Witebsk, wird Jawlenskys und Helenes gemeinsamer Sohn, Andreas, geboren. Alle zusammen kehren nach München zurück und bringen Helenes ältere Schwester Maria Nesnakomoff mit, die von der Werefkin als Zimmermädchen im Haushalt aufgenommen wird.

1903
Studienreise mit Jawlensky in die Normandie und nach Paris. Unter dem Eindruck der Werke der französischen Neoimpressionisten und insbesondere van Goghs ändert Jawlensky ganz spontan seine impressionistische Malweise und entwickelt einen eigenen neoimpressionistischen Stil.

1905
Studienreise mit Jawlensky in die Bretagne, wo Jawlensky Landschaften und Bildnisse malt. Zehn von diesen Bildern stellt er in Paris in der legendären Herbstausstellung aus, in der die ›Fauves‹ zum ersten Mal einer breiten Öffentlichkeit bekannt wurden.
Werefkin und Jawlensky reisen von Paris aus weiter in die Provence und an die Mittelmeerküste. Den Rückweg nehmen sie über die Schweiz und besuchen in Genf Ferdinand Hodler.
Im November 1905 beendet Marianne Werefkin ihre ›Briefe an einen Unbekannten‹.

1906
Im Alter von 46 Jahren nimmt Marianne Werefkin ihre malerische Tätigkeit wieder auf, da sie unter dem Eindruck der in Frankreich gesehenen Innovationen ihren eigenen künstlerischen Weg vor sich sieht. Entwicklungsgeschichtlich hat sie den Impressionismus und Neoimpressionismus übersprungen und Anschluß an die jüngste französische Avantgarde gefunden.

1908
Marianne Werefkin, Alexej Jawlensky, Gabriele Münter und Wassily Kandinsky malen gemeinsam in Murnau.

1909
Marianne Werefkin wird Mitbegründerin der ›Neuen Künstlervereinigung München‹ (NKVM). Kandinsky wird erster, Jawlensky zweiter Vorsitzender. Weitere Mitglieder: Adolf Erbslöh, Alexander Kanoldt, Alfred Kubin, Gabriele Münter, Charles Palmié

sowie die beiden Nicht-Künstler Heinrich Schnabel und Oskar Wittgenstein. Der Gruppe schließen sich noch im selben Jahr Paul Baum, Wladimir von Bechtejeff, Erma Bossi, Carl Hofer und Moissey Kogan an.
Werefkin nimmt an der ersten Ausstellung der NKVM in der ›Modernen Galerie Thannhauser‹ in der Theatinerstraße 7 teil. Hugo von Tschudi, der Direktor der Staatsgemäldesammlung, mißt der NKVM und deren Ausstellung große Bedeutung bei. Publikum und Presse werten jedoch die Ausstellung als Skandal.
Im Sommer arbeiten Werefkin, Jawlensky, Münter und Kandinsky erneut in Murnau zusammen.

1910
Zweite Ausstellung der NKVM. Franz Marc lernt die Künstlergruppe kennen und wird deren Mitglied. Insbesondere Marianne Werefkin verdankt er Einsichten, die seinen persönlichen Stil und seine Weiterentwicklung wesentlich beeinflussen.

1911
Die Werefkin und Jawlensky verbringen mit Helene und Sohn Andreas den Sommer in Prerow an der Ostsee. Während der Vorbereitung zur dritten Ausstellung der NKVM kommt es zu dem Krach in der Künstlergruppe, aus dem die Gruppe ›Der Blaue Reiter‹ hervorgehen wird. Kandinskys abstraktes Bild *Komposition V* wird von der Mehrheit ausjuriert. Nur Marc, Münter, Jawlensky und Werefkin stehen für Kandinskys Bild ein.
Kandinsky, Münter und Marc verlassen die NKVM. Werefkin und Jawlensky erklären sich mit ihnen solidarisch, treten aber nicht aus der Vereinigung aus.
Am Ende des Jahres eröffnen Kandinsky und Marc bei Thannhauser, der ebenfalls die ›Dritte Ausstellung der NKVM‹ zeigt, die erste Ausstellung der Redaktion ›Der Blaue Reiter‹.

1912
Nach Erscheinen der Publikation der NKVM ›Das Neue Bild‹, die von Otto Fischer verfaßt wurde, treten auch Werefkin und Jawlensky aus der Künstlervereinigung aus. Im Sommer arbeiten Werefkin und Jawlensky in Oberstdorf. Sie beteiligen sich an der Ausstellung ›Der Blaue Reiter‹ in der Galerie ›Der Sturm‹ in Berlin, die von Herwarth Walden organisiert wird, ebenso an der ›Internationalen Sonderbundausstellung‹ in Köln.

1914
Das Verhältnis zwischen der Werefkin und Jawlensky verschlechtert sich in einem solchen Maße, daß die Werefkin nach Rußland zurückkehrt. Jawlensky reist ihr nach und überredet sie, wieder nach Mün-

chen zu kommen. Kurz nach ihrer Rückkehr bricht der Erste Weltkrieg aus; sie emigrieren mit Helene und Andreas in die Schweiz und kommen in St. Prex am Genfer See unter.

Ihre in München zurückgelassene Wohnungs- und Ateliereinrichtung samt Bildern wird der Obhut von Lily Klee anvertraut.

Wegen des Krieges wird die zaristische Rente der Werefkin um die Hälfte gekürzt, was sie und Jawlensky zu einer bescheideneren Lebensführung zwingt.

Von St. Prex aus pflegen sie vor allem Kontakte zu Cuno Amiet in Oschwand, Hodler in Genf und Strawinsky in Morges.

1916

Marianne Werefkin stellt zur Eröffnung der ›Galerie – Corray‹ in der Bahnhofstr. 19 in Zürich zwölf Gemälde aus.

Jawlensky befreundet sich mit Emmy Scheyer, einer jungen und wohlhabenden Malerin, die ihre Malerei aufgibt, um Jawlenskys Kunst zu fördern. Im Laufe der Jahre wird sie in gewisser Hinsicht Werefkins Rolle übernehmen.

1917

Marianne Werefkin zieht mit Jawlensky, Helene und Sohn Andreas nach Zürich, der Geburtsstätte des Dada. Sie hält Kontakt mit dem ›Cabaret Voltaire‹, das im Februar 1916 von Hugo Ball, Emmy Hennings, Tristan Tzara, Marcel Janco und Hans Arp an der Spiegelgasse eröffnet wurde.

Durch die russische Oktoberrevolution verliert Marianne Werefkin ihre zaristische Rente.

1918

Wegen einer schweren Grippeerkrankung Jawlenskys siedelt Marianne Werefkin mit ihm, Helene und Sohn Andreas nach Ascona über. Sie wohnen im Castello direkt am Ufer des Lago Maggiore.

1919

Marianne Werefkin trifft in Bern mit Paul Klee und Louis Moilliet zusammen. Ausstellung im Züricher Kunstsalon Wolfsberg mit Robert Genin, Arthur Segal u. a. m. In Ascona hat sie Kontakte zu Claire Goll und Else Lasker-Schüler.

1920

Vom Mai bis Juli hält sich die Werefkin mit Jawlensky und Helene in München auf, um die Wohnung in der Giselastraße aufzulösen. Von diesem Zeitpunkt an wird nach und nach die private Kunstsammlung verkauft, Bilder von Gauguin, van Gogh, Hodler, Miniaturen usw.

Mit einer Reihe von Bildern nimmt die Werefkin an der Biennale in Venedig teil.

1921

Emmy Scheyer, die neue Förderin von Jawlensky, arrangiert am 9. Juni in Wiesbaden ein Zusammentreffen zwischen Jawlensky und dem Multimillionär und Kunstsammler Heinrich Kirchhoff, der zum Mäzen für Jawlensky wird. Jawlensky trennt sich von Werefkin, zieht 1922 mit Helene und Andreas nach Wiesbaden und heiratet dort am 20. Juli 1922 die Mutter seines zwanzig Jahre alten Sohnes.

1924

Marianne Werefkin gründet zusammen mit Walter Helbig, Ernst Frick, Albert Kohler, Gordon McCouch, Otto Niemeyer und Otto van Rees die Asconeser Künstlergruppe ›Der große Bär‹. Der Name wird im Sinne des Siebengestirns gewählt. Die sieben Mitglieder gehören fünf Nationalitäten an und schließen sich in dem Bewußtsein zusammen, ihre Länder beispielhaft zu vertreten.

1925

Ausstellung des ›Großen Bären‹ in der Berner Kunsthalle.

1926

Eine große Reise zusammen mit einem jungen Deutschen führt die Werefkin nach Italien. Rom und Assisi sind die wichtigsten Reisestationen.

1928

Werefkin bereist die Schweiz. Mit den anderen Mitgliedern des ›Großen Bären‹ sowie Christian Rohlfs und Karl Schmidt-Rottluff stellt sie in der Berliner Galerie Nierendorf aus. Es folgen weitere Ausstellungen in Genf, Basel, Luzern.

Sie lebt mehr und zurückgezogen und widmet sich neben ihrer Kunst den Sorgen und Nöten der einfachen Leute, die sie als ›Nonna von Ascona‹ hoch verehren.

1938

Am 6. Februar stirbt Marianne Werefkin in Ascona und wird nach russisch-orthodoxem Ritus dort begraben.